주역절중
周易折中

3

이 책은 (재)한국연구재단의 지원으로 학고방출판사에서 출간, 유통합니다.

한국연구재단 학술명저번역총서 동양편 *620*

주역절중
周易折中

3

周易上經
14. 大有䷍ ~ 30. 離䷝

편찬
이광지
李光地

책임역주
신창호

공동역주
김학목·심의용·윤원현

學古房

『주역』은 '변화(變化)의 성경(聖經)'이라 불린다. 그만큼 자연 질서
와 인간 사회 법칙을 변화의 원칙에 따라 변주하며, 성스럽게 우주적
삶의 기준을 구가한다. 그러나 '이현령비현령(耳懸鈴鼻懸鈴)'이라는
말이 붙을 정도로 다양하고 복합적인 해석의 차원이 개입하면서, 『주
역』은 축적된 역사 이상으로 심오하고 의미심장한 세계를 형성한다.
그것이 『주역』의 특성이자 묘미일 수 있다.

본 번역 연구서 『어찬주역절중(御纂周易折中)』은 강희제(康熙帝)
가 이광지(李光地, 1642~1718)에게 총괄책임의 칙명을 내려 1713~
1715년에 걸쳐 완성한 『주역』 해설서이다. 전체 22권의 석판본(石版
本)이 내부각본(內府刻本)으로 현존한다. 『주역절중』은 『주역』이 경
전으로 성립된 이후 한대(漢代)에서 명대(明代)까지의 다양한 견해를
핵심적으로 정돈한 『주역』 학술의 결정판이다. 주희의 견해를 기본으
로 하여 경(經)과 전(傳)이 분리된 『주역』 고본(古本)의 체제를 회복
하였다. 또한 주희의 주역관을 근거로 의리학(義理學)과 상수학(象數
學)을 망라하는 다양한 학설을 폭넓게 해석하고, 의리에 국한되었던
『주역전의대전(周易傳義大全)』의 결점을 보완하였다. 정주(程朱)의
뜻을 존숭하면서도 그와 다른 주장들을 절충하고 있는 저작이다.

『주역절중』의 편찬자인 이광지는 중국 청대(淸代) 사람으로 복건
성(福建省) 천주(泉州) 출신이다. 자(字)는 진경(晋卿)이고 호(號)는
후암(厚庵)이다. 1670년 진사(進士)에 급제하고 삼번(三藩)의 난을

평정함으로써 강희제의 두터운 신임을 받았고, 관직이 문연각대학사 겸이부상서(文淵閣大學士兼吏部尚書)에 이르렀다. 학문의 경지도 상당하여 경전에 두루 통달하였는데, 특히 『주역』에 정통하여 『주역통론(周易通論)』, 『주역관상(周易觀象)』, 『이문정역의(李文貞易義)』, 『역의전선(易義前選)』 등을 저술하였다. 당시 반주자학적(反朱子學的) 학풍을 대표하던 모기령(毛奇齡)과 달리 정주리학(程朱理學)의 학풍을 충실히 계승하였다.

『주역절중』의 체계와 내용을 보면, 경과 전을 분리하여 편찬하고, 64괘의 괘사와 효사, 「단전」, 「상전」, 「계사전」, 「문언전」, 「설괘전」, 「서괘전」, 「잡괘전」의 순서로 『주역』 전문을 서술하였다. 그리고 『역학계몽』, 「계몽부록(啓蒙附錄)」, 「서괘잡괘명의(序卦雜卦明義)」를 첨부하였다. 주희의 『주역본의(周易本義)』, 정이(程頤)의 『역정전(易程傳)』, 한대부터 명대까지 역학에 조예가 깊은 학자 218명의 「집설(集說)」, 편찬자의 「안(案)」, 이를 종합한 「총론(總論)」이 실려 있다. 그런 만큼 『주역절중』은 『주역』 관련 학술 연구에서 의미가 크다.

본 번역 연구는 내부각본을 저본으로 하고 문연각(文淵閣) 『사고전서(四庫全書)』본을 대교본으로 하였으며 무구비재(無求備齋) 『역경집성(易經集成)』본을 참고하였다. 1715년에 이광지가 『어찬주역절중』을 완성했으므로, 『주역절중』이 만들어진지 이제 막 300년이 지났다. 이 긴 세월의 무게만큼 『주역』 연구도 질적으로 깊이를 더하고 양적으로 방대해졌다. 그런 와중에 300년 만인 21세기 초반에 『주역절중』이 한글로 번역·출간되어 무척이나 기쁘다. 『주역』을 비롯한 역학 연구자, 나아가 동양학을 연구하는 관련 학인들에게 조금이나마 보탬이 된다면 번역 연구자로서 더욱 보람을 느낄 것 같다.

본 번역 연구는 먼저, 『주역절중』의 본문을 완역하고, 원문 및 번역문을 온전하게 이해하기 위해 자세한 설명이 필요한 부분은 각주로 해설하였다. 아울러 『주역절중』에 등장하는 학자들의 「인명사전」을 별도로 작성하여 첨부하였다. 이런 연구 성과가 『주역절중』의 한문을 옮기는 수준을 훨씬 넘어서 있기에, 단순하게 『주역절중』 '번역'이라 하지 않고 '번역 연구'라고 자부해 본다.

본 번역 연구 작업은 2015년 5월~2017년 4월까지 2년여 동안 이루어졌다. 연구책임자를 맡은 신창호 교수를 비롯하여, 공동연구자인 윤원현 박사·김학목 박사·심의용 박사 등 우리 번역 연구진은 번역 연구기간 동안 수시로 만나 초교를 윤독하고 다양한 연구 자료를 교환하면서 『주역』의 학술 마당을 열었다. 한대부터 명대에 걸쳐 있는 『주역절중』의 특성상, 역학(易學) 사상의 방대함으로 인해 내용을 정확하게 이해하고 정돈하는데 애로 사항도 많았다. 하지만 전문 학자들의 자문과 번역 연구자 상호 간의 소통을 통해 문제점을 극복하려고 노력했다. 그러나 번역과 연구의 두 측면에서 여전히 아쉬운 부분이 많다. 대부분의 번역 연구가 장·단점을 지니고 있듯이, 본 번역 연구도 미비한 점이 있을 것이다. 특히, 제대로 연구가 이루어지지 않아 오류가 난 부분이 있다면, 사계의 권위 있는 학자들의 애정 어린 질정을 부탁한다.

본 번역 연구진 이외에 감사해야 할 분들이 있다. 먼저, 교정과 윤문 등 원고를 정돈하는 과정에서 수고해 준 고려대학교 대학원의 철학 및 교육철학 전공의 여러 제자들(김지은, 우버들, 위민성, 이유정, 임용덕, 장우재, 정순희, 한지윤 등)에게 고마운 마음을 전한다. 젊은 제자들은 그들의 시각에서 번역 연구 내용의 가독성과 표현 등 여러 부분을 꼼꼼하게 살피며 의미 있는 충고를 해 주었다.

또한 교육부와 한국연구재단에 감사를 드린다. 본 번역 연구는 2015년 한국연구재단의 '명저번역지원' 사업으로 2년 동안 지원을 받아 수행한 결과이다. 방대한 분량이기 때문에 한국연구재단의 지원이 없었다면, 실행하기 어려운 작업이었다. 마지막으로 어려운 사정에도 불구하고 편집과 출판을 맡아 책을 깔끔하게 정돈해 준 하운근 대표님을 비롯한 도서출판 학고방 가족들에게 감사의 말씀을 전한다.

어떤 저술이건 혼자만의 노력과 작업에 의해 이루어지는 성과는 존재하지 않는다. 마찬가지로 이『주역절중』의 번역 연구에도 많은 분들의 땀과 열정이 녹아들어 있다. 번역 연구에 직·간접으로 참여한 모든 분들과 이 책을 참고로 연구를 진행하는 여러 학인들도『주역』의 사유가 더욱 풍성해지기를 소망한다. 나아가 미래에 또 다른 공동 노력의 결실로, 본 번역 연구보다 세련된『주역절중』이 많이 저술되기를 기대해 본다.

2018. 6
번역 연구자를 대표하여
신창호 삼가 씀

1. 본 역서는 문연각(文淵閣)판본 『어찬주역절중(御纂周易折中)』을 저본으로 한다.

2. 본 역서는 원문을 먼저 제시하고 번역문을 붙이는 대조본 형식으로 한다.

3. 번역은 직역을 원칙으로 하되, 가독성을 높이기 위해 필요에 따라 의역을 가미한다.

4. 『역』의 경문(經文) 번역은 편자 이광지(李光地)가 정이(程頤)의 『이천역전』보다 주희(朱熹)의 『주역본의』를 전면으로 내세운 의도에 따라, 주희의 주장을 기준으로 한다.

5. 원문에는 최소한의 현대식 표점을 표기한다.

6. 인용한 선행 학설에 대해서는 가능한 출전을 밝히고, 요약문일 경우 필요에 따라 설명을 첨가한다.

7. 인용한 학설은 전체적으로 큰 따옴표(" ")로 묶고, 인용문 속의 인용문은 작은 따옴표(' '), 작은 꺽쇠(「 」) 순으로 한다.

8. 각주에서, 원문에 대한 각주는 원문을 먼저 제시하고(예 : 潛龍勿用[잠긴 용은 쓰지 않는다]), 번역문에 대한 각주는 한글을 먼저 제시한다(예 : 잠긴 용은 쓰지 않는다[潛龍勿用]).

9. 괘명(卦名)은 '곤(坤)괘'와 같은 형식으로 통일하되, 필요할 경우 '곤(坤䷁)괘', '곤(坤☷)괘'와 같이 괘상(卦象)을 병기한다.

10. 국한문 병기는 매 장과 매 괘의 첫 부분에서 표기하고, 나머지는

국문을 중심으로 하되, 각주에는 한문으로 처리한 것도 있다.

11. 번역문이 10줄을 초과할 경우, 가독성을 높이기 위해 가능한 단락을 구분한다.

12. 『역』과 관련된 전문적인 개념어는 주석에서 풀이하고, 번역문에는 해석하지 않고 드러내어 용어 통일을 기한다.

13. 제1권의 뒷부분에 『주역절중』에서 인용된 학자들의 약력을 정돈한 별도의 「인명사전」을 작성하여 첨부하였다.

14. 『주역절중』의 맨 마지막 부분인 22권 「서괘·잡괘명의(序卦·雜卦明義)」는 편의상 「서괘·잡괘전(序卦·雜卦傳)」 다음에 배치하였다.

주역상경周易上經

周易上經
주역상경
제3권

대유大有☲☰ 겸謙☷☶ 예豫☳☷ 수隨☱☳ 고蠱☶☴
임臨☷☱ 관觀☴☷ 서합噬嗑☲☳ 비賁☶☲

14. 대유大有괘

程傳

大有,「序卦」, "與人同者, 物必歸焉, 故受之以大有." 夫與人
同者, 物之所歸也, 大有所以次同人也. 爲卦火在天上. 火之
處高, 其明及遠, 萬物之衆, 无不照見, 爲大有之象. 又一柔
居尊, 衆陽竝應, 居尊執柔, 物之所歸也. 上下應之, 爲大有
之義, 大有, 盛大豐有也.

대유(大有)는 「서괘전」에서 "다른 사람과 함께 하는 자는 사물이 반
드시 그에게로 돌아오기 때문에 대유(大有)괘로 받았다"라고 하였
다. 다른 사람과 함께 하는 자는 사물이 그에게로 돌아오기 때문에
대유(大有☰)괘가 동인(同人☰)괘 다음에 온 것이다. 괘의 모양은
불[☲]이 하늘[☰]위에 있다. 불이 높은 곳에 있어 그 밝음이 멀리
비춰 만물의 많은 것들이 환히 드러내지 않음이 없는 것이 대유(大
有☰)괘의 상이다. 또 하나의 유순함이 존귀한 자리에 있어 여러 양
(陽)들이 함께 호응하고, 존귀한 자리에 있고 유순함을 잡고 있어
사물이 돌아오는 것이다. 위와 아래로 호응하는 것이 대유괘의 뜻
이니, 대유괘는 성대하고 풍성하다.

大有, 元亨.

대유는 크게 선하고 형통하다.

本義

大有, 所有之大也. 離居乾上, 火在天上, 无所不照. 又六五
一陰居尊得中, 而五陽應之, 故爲大有. 乾健離明. 居尊應天,
有亨之道. 占者有其德, 則大善而亨也.

대유는 소유한 것이 크다. 리(離☲)괘가 건(乾☰)괘의 위에 있으니,
불이 하늘 위에서 비추지 않음이 없다. 또 육오효 하나의 음이 존귀
한 자리에 있으면서 알맞음을 얻어 다섯 양들이 호응하기 때문에
대유(大有☲)괘이다. 건괘는 강건하고 리괘는 밝다. 존귀한 자리에
있으면서 하늘에 호응하니 형통한 도가 있다. 점을 치는 자가 이러
한 덕을 가지고 있다면 크게 선하고 형통하다.

程傳

卦之才, 可以元亨也. 凡卦德, 有卦名自有其義者, 如比吉,
謙亨, 是也. 有因其掛義, 便爲訓戒者, 如師貞丈人吉, 同人
于野亨, 是也. 有以其卦才而言者, 大有元亨, 是也. 由剛健
文明, 應天時行, 故能元亨也.

괘의 재질은 크게 선하고 형통할 수 있다. 괘의 덕은 괘의 이름에

본래 그 의미가 있는 경우가 있으니, 이를테면 '비(比☷)는 길하다'[1]
는 것과 '겸(謙☷)은 형통하다'[2]는 것이 여기에 해당한다. 괘의 뜻
에 따라 곧 훈계를 하는 경우가 있으니, 이를테면 '사(師☷)는 바르
게 하고 장인(丈人)이어야 길하다'[3]는 것과 '동인괘는 들에서 하면
형통하다'[4]라는 것이 여기에 해당한다. 그 괘의 재질을 가지고 말
하는 경우가 있으니, "대유괘는 크게 형통하다"는 것이 여기에 해당
한다. 강건하고 문명하여 하늘에 호응하고 때에 맞게 행하기 때문
에 크게 형통할 수 있다.

集說

● 鄭氏汝諧曰 : "陽爲大, 陰爲小, 一陰居尊, 而爲五陽所歸, 所
有者大也. 大非陰柔所能有也, 必沖虛不自滿者能有之. 六五明
體而虛中, 所以爲'大有', 所以爲'元亨'. 若直以大有爲富有盛大,
則失其義矣."[5]

정여해(鄭汝諧)가 말했다. "양은 크고 음은 작은데, 하나의 음이 존
귀한 자리에 있어 다섯 양이 귀의하니, 소유한 것이 크다. 큰 것은
부드러운 음이 소유할 수 있는 바가 아니니, 반드시 고요히 비워
스스로 채우지 않는 것이 그것을 소유할 수 있다. 육오는 밝은 몸
체인데 가운데가 비어 있기 때문에 '크게 소유하고[大有]', '크게 선

---

1) 『주역(周易)』「비괘(比卦)」: "象曰, '比, 吉也.'"
2) 『주역(周易)』「겸괘(謙卦)」: "謙, 亨, 君子有終."
3) 『주역(周易)』「사괘(師卦)」: "師, 貞, 丈人, 吉, 无咎."
4) 『주역(周易)』「동인괘(同人卦)」: "同人于野, 亨, 利涉大川, 利君子貞."
5) 정여해(鄭汝諧), 『역익전(易翼傳)』「대유괘(大有卦)」.

하고 형통하다[元亨]. 그러니 바로 대유를 부유하고 성대한 것으로 여기면 그 의미를 잃는다."

● 邱氏富國曰："一陰在上卦之中，而五陽宗之，諸爻之有，皆六五之有也，豈不大哉. 唯其所有者大，故其亨亦大也."

구부국(邱富國)이 말했다. "하나의 음이 위의 괘 가운데 있고 다섯 양이 높여주어 여러 효의 소유를 모두 육오효가 소유했으니, 어찌 크지 않겠는가? 오직 그 소유한 것이 크기 때문에 형통함도 크다."

案

比以九居五, 視大有之六五爲優矣. 然比之應之者, 五陰也, 則民庶之象也. 大有之應之者五陽也, 則賢人之象也. 賢人應之, 所有孰大於是哉. 故大有之柔中, 雖不如比之剛中, 而比之'吉无咎', 則不如大有之直言'元亨'也. 「彖辭」直言'元亨', 更無他辭者. 惟此與鼎卦而已, 皆以尙賢養賢之故也.

비(比☷)괘는 양(九)이 다섯 번째 자리에 있어 대유(大有☰)괘의 육오가 넉넉하다고 보았다. 그러나 비괘에서 호응하는 것은 다섯 음이니, 서민의 상이다. 대유괘에서 호응하는 것은 다섯 양이니, 현인의 상이다. 현인이 호응한다면, 소유하는 것에서 무엇이 이보다 크겠는가?
그러므로 대유(大有☰)괘의 부드러움이 가운데 있음은 비(比☷)괘의 군셈이 가운데 있는 것만 못할지라도 비괘의 '길하나 (두 번 점쳐 크고 영원하며 곧아야) 허물이 없다'는 뜻은 대유괘의 '크게 선하고 형통하다'고 말한 것만 못하다. 「단사」에서 곧바로 '크게 선하

고 형통하다'고 말하고 다시 다른 말이 없는 것은 오직 이 대유괘와
정(鼎☲☴)괘6)일 뿐이니, 모두 현자를 숭상하고 기르기 때문이다.

---

6) 『주역(周易)』「정괘(鼎卦)」: "鼎, 元(吉)亨.[정(鼎)은 크게 형통하다.]"라
고 하였다.

初九, 无交害, 匪咎, 艱則无咎.

초구효는 해로움에 교섭함이 없으니, 허물은 아니지만 어렵게 여기면 허물이 없다.

本義

雖當大有之時, 然以陽居下, 上无係應而在事初, 未涉乎害者也, 何咎之有. 然亦必艱以處之, 則无咎, 戒占者, 宜如是也.

대유의 때일지라도 양이 아래에 있고, 위로 매여 호응함이 없으면서 일의 처음에 있어 아직 해로움에 교섭하지 않았으니, 어찌 허물이 있겠는가? 그러나 또한 반드시 어렵게 여겨 처신해야 허물이 없으니, 점을 치는 자에게 이와 같이 해야 한다고 경계하였다.

程傳

九, 居大有之初, 未至於盛, 處卑无應與, 未有驕盈之失. 故 '无交害', 未涉於害也. 大凡富有, 鮮不有害, 以子貢之賢, 未能盡免, 況其下者乎! '匪咎, 艱則无咎', 言富有, 本匪有咎也, 人因富有, 自爲咎耳. 若能享富有而知難處, 則自无咎也, 處富有而不能思艱兢畏, 則驕侈之心, 生矣, 所以有咎也.

양[九]이 대유괘의 첫 효에 있어 아직 성대함에 이르지 않고, 낮은 데 있어 호응하고 함께 함이 없으니, 아직 교만하여 넘치는 잘못은 없다. 그러므로 '해로운 데 교섭함이 없다'는 것은 아직 해로운 데 교섭하지 않은 것이다. 대체로 부유하면 해롭지 않는 경우가 드무니, 자공(子貢)의 현명함으로도 모두 모면할 수 없는데, 하물며 그보다 현명하지 못한 사람들이야 말해 무엇 하겠는가!

'허물은 아니지만 어렵게 여기면 허물이 없다'는 부유함에 본래 허물이 있는 것은 아니지만 사람이 부유함 때문에 스스로 허물을 만든다는 말이다. 부유함을 누리면서도 어렵게 여겨 처신할 줄 안다면, 스스로 허물이 없겠지만, 부유하면서 어렵게 여기고 삼가며 두려워하지 않으면, 교만한 마음이 생기기 때문에 허물이 있게 된다.

集說

● 胡氏炳文曰 : "當大有之時, 反易有害. 初陽在下, 未與物接, 所以未涉於害也, 何咎之有. 然以爲匪咎而以易心處之, 反有咎矣. 無交害, 大有之初如此, 艱則無咎. 大有自初至終皆當如此."[7]

호병문(胡炳文)이 말했다. "대유의 때에는 도리어 쉽게 해로움이 있게 된다. 그런데 초효는 양으로 아래에 있어 아직 사물과 접하지 않았기 때문에 해로움에 교섭하지 않았으니, 어찌 허물이 있겠는가? 그러나 허물은 아니지만 얕보는 마음으로 처신하면 도리어 허물이 있게 된다. 해로움에 교섭함이 없는 것은 대유의 초효가 이와 같으니, 어렵게 여기면 허물이 없다. 대유괘는 초효부터 끝까지 모두 이와 같이 해야 한다."

----

7) 호병문(胡炳文), 『주역본의통석(周易本義通釋)』「대유괘(大有卦)」.

九二, 大車以載, 有攸往, 无咎.

구이효는 큰 수레로 실으니, 가는 것이 있어도 허물이 없다.

本義

剛中在下, 得應乎上, 爲大車以載之象, 有所往而如是, 可以
无咎矣. 占者必有此德, 乃應其占也.

굳세고 가운데 있는 것이 아래에 있으면서 위로 호응할 수 있어 큰
수레로 싣는 형상이니, 가는 것이 있어도 이와 같다면 허물이 없을
수 있다. 점을 치는 자는 반드시 이러한 덕을 가지고 있어야 그 점
(占)에 호응한다.

程傳

九以陽剛居二, 爲六五之君所倚任, 剛健則才勝, 居柔則謙
順, 得中則无過. 其才如此, 所以能勝大有之任, 如大車之材
強壯, 能勝載重物也, 可以任重行遠. 故有攸往而无咎也. 大
有豐盛之時, 有而未極, 故以二之才, 可往而无咎. 至於盛極,
則不可以往矣.

양(九)이 굳센 양[陽剛]으로 두 번째 자리에 있어 육오의 군주가 의
지하고 신임하니, 강건함은 재질이 감당해내고, 유순한 자리에 있
는 것은 겸손하고 순하며, 알맞음을 얻은 것은 허물이 없다. 그 재

질이 이와 같기 때문에 대유괘의 소임을 감당해낼 수 있으니, 큰 수레의 재질이 강하고 굳세어 무거운 물건들을 감당해 실을 수 있는 것처럼 중책을 맡아 멀리 갈 수 있다. 그러므로 가는 것이 있어도 허물이 없다. 크게 소유하고 풍성한 때에, 소유하고 있으나 아직 다하지 않기 때문에 구이의 재질로 가도 허물이 없을 수 있다. 그러나 성대함의 끝에 이르면 갈 수 없다.

集說

● 王氏弼曰 : "任重而不危."[8]

왕필(王弼)이 말했다. "중책을 맡아도 위태롭지 않다."

---

8) 호병문(胡炳文), 『주역본의통석(周易本義通釋)』「대유괘(大有卦)」.

九三, 公用亨于天子, 小人, 弗克.

구삼효는 공이 천자에게 드리니, 소인은 감당하지 못한다.

'亨'『春秋傳』作'享', 謂朝獻也. 古者, 亨通之亨, 享獻之享, 烹飪之烹, 皆作亨字. 九三居下之上, 公侯之象. 剛而得正, 上有六五之君, 虛中下賢, 故爲享于天子之象. 占者有其德, 則其占如是. 小人无剛正之德, 則雖得此爻, 不能當也.

'형(亨)'은 『춘추전』에 '드리다[享]'로 되어 있으니, 입조하여 조공을 드리는 것을 말한다. 옛날에 형통(亨通)의 형(亨)자와 향헌(享獻)의 향((享)자와 팽임(烹飪)의 팽((烹)자는 모두 형(亨)자(字)로 썼다. 구삼효는 아래 괘의 위에 있으니 공후의 상이다. 강하면서 바름[正]을 얻었는데, 위에 육오효의 임금이 마음을 비워 어진 사람에게 자신을 낮추기 때문에 천자에게 드리는 상이다. 점을 치는 사람이 그런 덕을 가지고 있다면 그 점이 이와 같을 것이다. 그러나 소인은 강하고 바른 덕이 없으니, 이 효를 얻을지라도 감당할 수 없다.

三居下體之上, 在下而居人上, 諸侯人君之象也. 公侯上承天子, 天子居天下之尊, 率土之濱, 莫非王臣, 在下者, 何敢專其有. 凡土地之富, 人民之衆, 皆王者之有也, 此理之正也.
故三當大有之時, 居諸侯之位, 有其富盛, 必用亨通乎天子,
謂以其有爲天子之有也, 乃人臣之常義也. 若小人處之, 則專
其富有, 以爲私, 不知公己奉上之道. 故曰'小人弗克'也.

삼효가 아래 괘의 위에 있어 아래에서 사람들의 위에 있으니, 제후
와 임금의 상이다. 공후(公侯)는 위로 천자를 받들고, 천자는 세상
의 존귀한 자리에 있어 세상에 왕의 신하가 아님이 없으니, 아래에
있는 자가 어찌 감히 그의 소유를 마음대로 할 수 있겠는가? 풍부한
토지와 많은 백성은 모두 왕의 소유인데, 이것이 이치의 바름이다.
그러므로 삼효는 대유의 때에 제후의 자리에 있으면서 그 부유하고
풍성함을 가지고 있어도 반드시 천자에게 형통하게 하니, 자신의
소유를 천자의 소유로 여기는 것이 바로 신하의 떳떳한 의리임을
말했다. 소인이 그 자리에 있으면 그 부유함을 마음대로 하고 사사
롭게 여기니, 자신을 공적으로 하여 위를 받드는 도리에 대해 알지
못하는 것이다. 그러므로 '소인은 감당하지 못한다'고 하였다.

集說

● 『朱子語類』云, "古文無'亨'字, 亨享烹並通用, 如'公用亨於天
子'解作亨字便不是."[9] 又曰: "亨享二字, 據『說文』本是一字, 故
『易』中多互用, 如'王用亨於岐山', 亦當爲享, 如'王用享于帝'之
云也. 字畫音韻, 是經中淺事, 故先儒得其大者, 多不留意. 然不
知此等處不理會, 却枉費了無限辭說牽補, 而卒不得其本義, 亦

---

9) 『주자어류』 권70, 145조목.

甚害事也."10)

『주자어류』에서 말했다. "옛글에는 '드린다[亨]'는 말이 없어 형(亨)자와 향(享)자와 팽(烹)자를 아울러 통용하였으니, 이를테면 '공이 천자에게 드린다[公用亨於天子]'고 할 때는 형(亨)자로 해석하면 옳지 않다.

또 말했다. "형(亨)과 향(享) 두 글자는 『설문해자』를 따르면 본래 하나의 글자였기 때문에 『역경』에서는 대부분 함께 사용했다. 이를테면 '왕이 기산에서 제향한다[王用亨於岐山]'11)고 할 때의 '제향한다[亨]'는 말도 향(享)자로 해야 하고, '임금이 상제께 제사지낸다[王用享于帝]'12)는 말도 마찬가지이다. 자획과 음운은 경학 공부에서 하찮은 일이기 때문에 선대의 학자들이 대단한 것을 터득했을지라도 대부분 마음에 두지 않았다. 그러나 이런 것을 이해하지 못하면, 한없이 설명을 얼버무리며 어떻게 해봐도 끝내 그 본래의 의미를 알 수 없으니, 일을 하는데 아주 해롭다."

---

10) 『문공역설(文公易說)』 23권.
11) 『주역(周易)』「승괘(升卦)」: "六四, 王用亨于岐山, 吉, 无咎.[육사효는 왕이 기산에서 제향하여 길하니 허물이 없다.]"라고 하였다.
12) 『주역(周易)』「익괘(益卦)」: "二, 或, 益之十朋之龜, 弗克違, 永貞, 吉, 王用享于帝, 吉.[이효는 어떤 이가 열 쌍의 거북으로 보태면 어길 수 없으나, 영원히 곧게 하면 길하니, 임금이 상제께 제사지내더라도 길하다.]"라고 하였다.

九四, 匪其彭, 无咎.

구사효는 그 성대함을 다하지 않으니 허물이 없다.

本義

'彭'字音義未詳. 『程傳』曰, 盛貌, 理或當然. 六五柔中之君. 九四以剛近之, 有僭偪之嫌, 然以其處柔也, 故有不極其盛之象而得无咎. 戒占者宜如是也.

'성대함[彭]'이라는 말의 음과 뜻은 잘 모르겠다. 『정전』에서는 성대한 모양이라 하였으니, 이치가 합당한 듯하다. 육오효는 유순하면서 알맞음을 얻은 군주이다. 그런데 구사효가 강건함으로 그를 가까이 해 참람하게 핍박하는 혐의가 있지만 유순한 자리에 있기 때문에 그 성대함을 다하지 않는 상이 있어 허물이 없을 수 있다. 점을 치는 사람이 이와 같이 해야 한다고 경계한 것이다.

程傳

九四居大有之時, 已過中矣, 是大有之盛者也. 過盛則凶咎所由生也, 故處之之道匪其彭, 則得无咎, 謂能謙損, 不處其太盛, 則得无咎也. 四近君之高位, 苟處太盛, 則致凶咎. '彭', 盛多之貌. 『詩』「載馳」, 云'汶水湯湯, 行人彭彭', 行人盛多之狀,「雅·大明」云 '駟騵彭彭', 言武王戎馬之盛也.

구사효는 대유의 때에 있으면서 이미 중앙을 지나쳤으니, 대유의 성대한 것이다. 성대함을 지나치게 하면 흉함과 허물이 생기기 때문에 대처하는 도가 그 성대함을 다하지 않으면 허물이 없는 것이니, 겸손할 수 있어 그 지나치게 성대하게 처신하지 않는다면 허물이 없음을 말한다.

구사효는 임금의 높은 자리에 가까워 너무 성대하게 처신하면 흉함과 허물에 이르게 된다. '성대함[彭]'은 아주 많은 모양이다. 『시경』 「재구(載馳)」에서 '문수는 세차게 흐르고, 행인은 많구나'라고 하였으니, 행인이 아주 많은 모양이고, 「대아(大雅)·대명(大明)」에서 '네 필의 배가 흰색 말이 건장하구나'라고 하였으니, 무왕의 전투마가 건장함[盛]을 말한 것이다.

集說

● 沈氏該曰 : "以剛處柔, 謙以自居, 而懼以戒其盛, 得明哲保身之義, 故無咎也."[13]

심해(沈該)가 말했다. "굳센 것이 부드러운 자리에 있어 겸손으로 처신하고 두려움으로 성대함을 경계하여 명철하게 자신을 지키는 의리를 얻었기 때문에 허물이 없다."

---

13) 심해(沈該), 『역소전(易小傳)』 「대유괘(大有卦)」.

六五, 厥孚交如, 威如, 吉.
육오효는 그 믿음으로 사귀니, 두렵게 하면 길하다.

本義

大有之世, 柔順而中, 以處尊位, 虛己以應九二之賢而上下歸
之, 是其孚信之交也. 然君道貴剛, 太柔則廢, 當以威濟之,
則吉. 故其象占如此, 亦戒辭也.

대유의 시대에 유순하고 알맞아 존귀한 자리에 있으면서 자신을 비
워 구이효의 어짊에 호응하여 윗사람과 아랫사람이 모두 그에게 돌
아가니, 바로 믿음을 가지고 교유한 것이다. 그러나 군주의 도는 귀
하고 강하므로 너무 크게 유순하면 폐하게 되니, 두렵게 다스려야
길하다. 그러므로 그 상과 점이 이와 같으니, 또한 경계한 말이다.

程傳

六五當大有之時, 居君位虛中, 爲孚信之象. 人君執柔守中,
而以孚信接於下, 則下亦盡其信誠, 以事於上, 上下孚信相交
也. 以柔居尊位, 當大有之時, 人心安易, 若專尚柔順, 則陵
慢生矣, 故必'威如', 則吉. 威如, 有威嚴之謂也. 旣以柔和孚
信, 接於下, 衆志說從, 又有威嚴, 使之有畏, 善處有者也, 吉
可知矣.

육오효가 대유의 때를 맞이하여 군주의 자리에 있으면서 마음을 비우니, 믿음의 상이다. 임금이 유순함을 잡고 알맞음을 지켜 믿음으로 아랫사람들을 대하면, 아랫사람들도 믿음과 정성을 다하여 윗사람을 섬기니, 윗사람과 아랫사람이 믿음을 가지고 서로 사귄다. 유순함으로 존귀한 자리에 있으면서 대유의 때를 맞으면 사람들의 마음이 안이해지니, 오로지 유순하게 하는 것만을 높인다면 오만불손과 경시함이 생기기 때문에 반드시 두렵게 하면 길하다. '두렵게 함[威如]'은 위엄 있게 함을 말한다. 이미 유순함과 믿음을 가지고 아랫사람들을 대해 여러 사람들이 마음으로 기뻐하며 따르고, 또 위엄이 있어 그들이 두렵게 여기도록 하면, 대유에 잘 대처하는 것이니, 길함을 알 수 있다.

● 俞氏琰曰 : "旣有誠信以接下而人信之, 又有威嚴以自重而人畏之, 爲大有」之君 而剛柔得宜如此, 故吉."[14]

유염(俞琰)이 말했다. "이미 정성과 믿음을 가지고 아랫사람을 대해 사람들이 믿고, 또 위엄을 가지고 스스로 자중하여 사람들이 두려워하니, 대유의 임금으로 굳셈과 유순함에 이처럼 마땅함을 얻었기 때문에 길하다."

---

14) 유염(俞琰), 『주역집설(周易集說)』「대유괘(大有卦)」.

上九, 自天祐之, 吉无不利.

상구효는 하늘에서 복을 주니, 길하여 이롭지 않음이 없다.

本義

大有之世, 以剛居上而能下從六五, 是能履信思順而尚賢也.
滿而不溢, 故其占如此.

대유의 시대에 강건함을 가지고 위에 있으면서 아래로 육오효를 따
를 수 있으니, 믿음을 행하고 순응함을 생각하여 어진 사람을 높일
수 있다. 가득 찼는데도 넘치지 않기 때문에 그 점사가 이와 같다.

程傳

上九在卦之終, 居无位之地, 是大有之極而不居其有者也. 處
離之上, 明之極也. 唯至明, 所以不居其有, 不至於過極也.
有極而不處, 則无盈滿之災, 能順乎理者也. 五之孚信而履其
上, 爲蹈履誠信之義, 五有文明之德, 上能降志以應之, 爲尚
賢崇善之義. 其處如此, 吉道之至也, 自當享其福慶, 自天祐
之. 行順乎天而獲天祐, 故所往皆吉, 无所不利也.

상구효는 괘의 끝에 있어 지위가 없는 곳에 있으니, 대유가 다해 그
소유를 자처하지 않는 것이다. 리괘(離卦)의 위에 있으니 지극히 밝
다. 오직 지극히 밝기 때문에 소유를 자처하지 않아 지나치게 다함

에 이르지 않는다. 소유함이 지극한데도 자처하지 않으니, 가득차서 넘치는 재앙이 없고, 이치에 순응할 수 있다. 오효가 믿음을 가지고 있는데 그 위를 밟고 있으니, 진실과 믿음을 행하는 뜻이 되고, 오효가 문명(文明)의 덕을 가지고 있는데 그 위에서 뜻을 낮추어 호응하니, 어진 사람을 높이고 선함을 숭상하는 의리이다. 그 처신이 이와 같으면 길한 도의 지극함이어서 저절로 복과 경사를 누리니, 하늘에서 돕는다. 행함이 하늘에 순응하여 하늘의 복을 받기 때문에 가는 곳마다 모두 길하고 이롭지 않음이 없다.

集說

● 郭氏雍曰 : "「繫辭」曰, '祐'者助也, 天之所助者順也, 人之所助者信也, 履信思乎順, 又以尙賢也. 六五之君實盡此, 而言於上九者, 蓋言大有之吉, 以此終也. 故「象」曰, '大有上吉', 則知此吉大有之吉也, 非止上九之吉也."[15]

곽옹(郭雍)이 말했다. "「계사전」에서 '복을 받는다[祐]'는 것은 돕는다는 말이다. 하늘이 도와주는 것은 순응하기 때문이고, 사람들이 도와주는 것은 미덥기 때문이니, 믿음을 이행하고 순응함을 생각하며 또 어진 이를 숭상한다고 했다. 육오효의 임금이 진실로 이것을 다하였는데 상구에서 말한 것은 대유의 길함이 이것으로 끝이라는 말이다. 그러므로 「상전」에서 '대유의 상구효가 길하다'고 하였으니, 여기의 길함은 대유의 길함이지 단지 상구효의 길함이 아님을 알겠다."

---

15) 곽옹(郭雍), 『곽씨전가역설(郭氏傳家易説)』「대유괘(大有卦)」.

● 鄭氏汝諧曰 : "履信思順, 又以尙賢, 蓋言五也. 五厥孚交如, 履信也. 居尊用柔, 思順也, 上九在上, 尙賢也. 五獲天之祐, 吉無不利, 由其有是也. 言五而繫之上, 何也? 五成卦之主, 上其終也, 五之德宜獲是福, 於終可驗也. 『易』之取義若是者衆. 小畜之上九曰, '婦貞, 厲, 月幾望', 言六四之畜陽, 至上而爲貞厲之婦, 幾望之月也. 若指上九而言, 則上九陽也. 不得爲婦與月. 說『易』者, 其失在於泥爻以求義, 故以履信思順尙賢, 歸之於上九也. 『易』之所謂'尙'者上也. 五尙上九之賢, 故自天之祐, 於上九見之."[16]

정여해(鄭汝諧)가 말했다. "믿음을 이행하고 순응함을 생각하며, 또 어진 이를 숭상함은 대개 오효를 말한 것이다. 오효가 믿음으로 사귐은 믿음을 이행하는 것이고, 존엄한 자리에서 부드러움으로 함은 순응함을 생각하는 것이며, 상구효가 위에 있음은 어진 이를 숭상하는 것이다. 오효가 하늘의 복을 얻어 길하여 이롭지 않음이 없는 것은 이를 가지고 있기 때문이다.

오효를 말하면서 그런 일들을 위에 연계시킨 것은 무엇 때문인가? 오효는 괘를 이루는 주인이고, 상효는 그 끝이니, 오효의 덕이 이런 복을 얻는 것이 당연하지만 끝에서야 증험할 수 있기 때문이다.

『주역』에서 이처럼 의미를 취한 것이 많다. 소축(小畜☲)괘의 상구효에서 '아내가 곧더라도 위태롭다. 달이 보름에 가깝다'[17]라고 했는데, 육사효에서 양을 멈추게 하는 것이 상구효에 와서 곧더라도 위

---

16) 정여해(鄭汝諧), 『역익전(易翼傳)』 「대유괘(大有卦)」.

17) 『주역(周易)』 「소축괘(小畜卦)」: "上九, 旣雨旣處, 尙德, 載, 婦貞, 厲. 月幾望, 君子征凶.[상구효는 이미 비가 왔고 이미 그쳤음은 덕을 숭상하여 가득 함이니, 아내가 곧더라도 위태롭다. 달이 보름에 가까우니, 군자가 가면 흉하다.]"라고 하였다.

태로운 아내가 되었으니, 보름에 가까운 달이라는 말이다. 상구효를 가리켜서 말했다면, 상구효는 양이어서 아내와 달이 될 수 없다. 『주역』을 설명하는 자들은 그 잘못이 효에 집착해 의미를 구하는 데 있기 때문에 믿음을 이행하고 순응함을 생각하며 어진 이를 숭상함을 상구효에게 돌린 것이다. 『주역』에서 이른바 '숭상한다[尙]'는 것은 상효이다. 오효가 상구효의 어짊을 숭상하기 때문에 하늘이 복을 주는 것을 상구효에서 드러내었다."

● 王氏宗傳曰:"六五以一柔有五剛, 上九獨在五上, 五能尙之.「繫辭傳」所謂'又以尙賢', 則上九是也. '祐之自天, 吉無不利', 謂大有至此, 愈有隆而無替也. 然則當大有之極, 莫大於得天. 而所以得天, 又莫大於尙賢也."[18]

왕종전(王宗傳)이 말했다. "육오효는 하나의 부드러움으로 다섯 굳셈을 소유하고 있는데, 상구효가 오효의 위에 있으니, 오효가 잘 숭상하는 것이다.「계사전」에서 말한 '또 어진 이를 숭상한다'[19]는 상구효가 이에 해당한다. '하늘에서 복을 주니 길하여 이롭지 않음이 없다'는 대유가 여기에 와서 더욱 융성한데도 쇠퇴하지 않는다는 것이다. 그렇다면 대유의 끝을 맞이하여 하늘을 얻는 것보다 큰 일이 없고, 하늘을 얻은 것으로는 어진 이를 숭상함 보다 큰 일이 없다."

....

18) 왕종전(王宗傳),『동계역전(童溪易傳)』「대유괘(大有卦)」.
19)『주역(周易)』「계사전(繫辭傳)」:"天之所助者, 順也, 人之所助者, 信也, 履信思乎順, 又以尙賢也.[하늘이 도와주는 것은 순응하기 때문이고, 사람들이 도와주는 것은 미덥기 때문이니, 믿음을 이행하여 순응함을 생각하고 또 어진 이를 숭상한다.]"라고 하였다.

● 胡氏炳文曰：“小畜上九, 畜之終也. 其占曰‘厲’曰‘凶’, 承六四言也. 大有上九, 有之終也. 其占吉無不利, 承六五言也. 小畜一陰畜衆陽, 故其終也如彼, 大有一陰有衆陽, 故其終也如此, 君臣大分, 豈不明哉. 蓋五之‘厥孚’, 履信也, 柔中思順也, 尙上九之一陽, 尙賢也, 所以其終也, ‘自天祐之, 吉無不利也’.”[20]

호병문(胡炳文)이 말했다. “소축(小畜䷈)괘의 상구효는 멈추게 하는 마지막이니, 그 점에서 ‘위태롭다’라고 하고 ‘흉하다’[21]고 한 것은 육사효를 이어 말한 것이다. 소축괘에서는 하나의 음이 여러 양을 멈추게 하기 때문에 그 끝이 저렇고, 대유괘는 하나의 음이 여러 양을 소유하기 때문에 그 끝이 이러니, 임금과 신하의 큰 본분이 어찌 분명하게 되지 않겠는가? 대개 오효의 ‘믿음’은 믿음을 이행하는 일이고, 부드러움이 가운데 있는 것은 순응함을 생각하는 일이며, 상구효의 한 양을 숭상하는 것은 어진 이를 숭상하는 일이기 때문에 그 끝에 ‘하늘에서 복을 주니, 길하여 이롭지 않음이 없다’고 하였다.

案

『傳』『義』皆以履信思順尙賢爲上九之事, 然『易』中以上爻終五爻之義者甚多. 如師之‘大君有命’, 離之‘王用出征’, 解之‘公用射隼’, 皆非以上爻爲王公也. 蒙五爻而終其義爾. 郭氏鄭氏王氏之說, 皆與卦意爻義

---

20) 호병문(胡炳文), 『주역본의통석(周易本義通釋)』「대유괘(大有卦)」.
21) 『주역(周易)』「소축괘(小畜卦)」: “上九, 旣雨旣處, 尙德, 載, 婦貞, 厲. 月幾望, 君子征凶.[상구효는 이미 비가 왔고 이미 그쳤음은 덕을 숭상하여 가득 함이니, 아내가 곧더라도 위태롭다. 달이 보름에 가까우니, 군자가 가면 흉하다.]”라고 하였다.

合. 胡氏最爲恪守『本義』者, 於此獨從郭氏諸說, 則亦未允於心故也.

『정전』과 『주역본의』에서는 모두 믿음을 이행하고 순응함을 생각하며 어진 이를 숭상하는 것을 상구효의 일로 보았으나 『주역』에서 상효로 오효의 의미를 끝내는 경우가 아주 많다. 이를테면 사(師☷)괘의 '대군이 명이 있다'[22], 리(離☲)괘의 '왕이 출정한다'[23], 해(解☵)괘의 '공이 새매를 쏜다'[24]는 말은 모두 상효를 왕공으로 여긴 것이니, 오효를 이어 그 의미를 마쳤다. 곽씨와 정씨와 왕씨의 설명은 모두 괘사의 의미와 효사의 의미와 합한다. 호씨는 『주역본의』를 가장 정성껏 지킨 경우인데, 여기에서 유독 곽씨와 여러 설명을 따른 것은 마음으로 동의할 수 없기 때문이다.

----

22) 『주역(周易)』「사괘(師卦)」: "上六, 大君有命, 開國承家, 小人勿用.[상육효는 대군이 명이 있어 나라를 열고 가문을 이으니, 소인을 쓰지 말아야 한다.]"라고 하였다.

23) 『주역(周易)』「리괘(離卦)」: "上九, 王用出征, 有嘉折首, 獲匪其醜, 无咎.[상구효는 왕이 출정하여 괴수(魁首)만 벰을 가상히 여기고, 잡은 것이 일반 무리가 아니니 허물이 없을 것이다.]"라고 하였다.

24) 『주역(周易)』「해괘(解卦)」: "上六, 公用射隼於高墉之上, 獲之, 无不利.[상육효는 공(公)이 높은 담 위에서 새매를 쏘아 잡음이니, 이롭지 않음이 없다.]"라고 하였다.

15. 겸謙괘

☷ 坤上
☶ 艮下

程傳

謙, 「序卦」, "有大者, 不可以盈, 故受之以謙." 其有旣大, 不
可至於盈滿, 必在謙損, 故大有之後, 受之以謙也. 爲卦坤上
艮下, 地中有山也. 地體卑下, 山高大之物而居地之下, 謙之
象也. 以崇高之德而處卑之下, 謙之義也.

겸(謙☷)괘는 「서괘전」에서 "큰 것을 소유한 경우는 가득 차게 해서
는 안 되기 때문에 겸괘로 받았다"고 하였다. 소유한 것이 이미 크
면 가득 차게 해서는 안 되고, 반드시 겸손에 있어야 하기 때문에
대유(大有☰)괘 다음에 겸괘로 받았다. 괘의 모양은 곤(坤☷)괘가
위에 있고 간(艮☶)괘가 아래에 있으니, 땅속에 산이 있는 것이다.
땅이 몸체가 낮아 아래에 있는데, 산이 높고 큰 물건이면서 땅의 아
래에 있으니, 겸손함의 상이다. 숭고한 덕을 가지고 낮은 것의 아래
에 있으니 겸손함의 뜻이다.

謙, 亨, 君子有終.

겸은 형통하니, 군자가 끝마침이 있다.

本義

謙者, 有而不居之義. 止乎內而順乎外, 謙之意也, 山至高而
地至卑, 乃屈而止於其下, 謙之象也. 占者如是, 則亨通而有
終矣, '有終'謂先屈而後伸也.

겸손은 가지고 있으면서도 자처하지 않는다는 뜻이다. 안으로 머무
르며 밖으로 순응함이 겸손함의 뜻이다. 산이 지극히 높고 땅이 지
극히 낮은데도 굽혀서 그 아래에 머무름이 겸손의 상이다. 점을 치
는 자가 이와 같이 한다면 형통하여 끝마침이 있으니, '끝마침이 있
음'은 먼저 굽혔다가 뒤에 펴는 것이다.

程傳

謙有亨之道也. 有其德而不居, 謂之謙. 人以謙巽自處, 何往
而不亨乎? '君子有終', 君子志存乎謙巽, 達理, 故樂天而不
競, 內充, 故退讓而不矜. 安履乎謙, 終身不易, 自卑而人益
尊之, 自晦而德益光顯, 此所謂'君子有終'也. 在小人, 則有欲
必競, 有德必伐, 雖使勉慕於謙, 亦不能安行而固守, 不能有
終也.

겸괘에는 형통하게 하는 도가 있다. 그 덕을 가지고 있으면서 자처하지 않은 것을 겸손이라 한다. 사람이 겸손으로 스스로 처신하면 어느 곳을 가더라도 형통하지 않겠는가? '군자가 끝마침이 있다'는 것은 군자는 뜻이 겸손함에 있어 이치에 통달하기 때문에 천명을 즐기어 다투지 않고, 안이 충실하기 때문에 물러나 사양하고 자랑하지 않는다는 말이다. 겸손함을 편안하게 이행하고 종신토록 바꾸지 않아 스스로 낮춰도 사람들이 더욱 존중하고 스스로 숨겨도 덕이 더욱 빛나며 드러나니, 이것이 이른바 '군자가 끝마침이 있다'는 말이다. 소인의 경우 욕심이 있으면 반드시 다투고, 덕이 있으면 반드시 자랑하여 힘써 겸손하고자 해도 또한 편안히 행하며 굳게 지킬 수 없으니, 끝마침이 있을 수 없다.

集說

● 馮氏椅曰: "一陽五陰之卦, 其立象也, 一陽在上下者爲剝復, 象陽氣之消長也, 在中者爲師比, 象衆之所歸也, 至於三四, 在二體之際, 當六畫之中, 故以其自上而退, 處於下者爲謙, 自下而奮出乎上者爲豫. 此觀畫立象之本指也."[1]

풍의(馮椅)가 말했다. "하나의 양과 다섯 음의 괘로 그 상(象)을 세움에 하나의 양이 위아래로 있는 경우는 박(剝☶)괘와 복(復☳)괘로 양기의 소멸과 생장을 상징한다. 가운데에 있는 경우는 사(師☷)괘와 비(比☵)괘로 많은 사람이 귀의하는 것을 상징한다. 삼효와 사효에 오면 두 몸체의 사이에 있어 여섯 획의 가운데 해당하기

---

1) 풍의(馮椅), 『후재역학(厚齋易學)』「겸괘(謙卦)」.

때문에 위에서 물러나 아래에 있는 경우는 겸(謙☷☶)괘이다. 아래에서 위로 떨치며 나가는 경우는 예(豫☳☷)괘이다. 이는 획으로 상을 세우는 본래의 취지를 드러낸 것이다."

案

『傳』『義』釋卦名, 皆不取九三之義, 實則成卦之由, 在於九三, 以「豫」卦反觀可見也. 夫子「象傳」所以不擧者, 因周公爻辭與象辭同. 則三爲成卦之主, 其義易見爾. 馮氏之說, 可相補備.

『정전』과『주역본의』에서 괘의 이름을 해석하면서 모두 구삼효의 의미를 취하지 않은 것은 실제로 괘를 이루는 연유가 구삼효에 있기 때문이니, 예(豫☳☷)괘를 가지고 반대로 보면 알 수 있다. 공자가 「단전」에서 거론하지 않은 것은 주공의 효사와 단사가 같기 때문이다. 그렇다면 삼효가 괘를 이루는 주인이고 그 의미는 쉽게 드러나니, 풍씨의 설명은 서로 보완하여 갖추어야 한다.

初六, 謙謙君子, 用涉大川, 吉.

초육효는 겸손하고 겸손한 군자이니, 큰 내를 건너는 것이 길하다.

本義

以柔處下, 謙之至也, 君子之行也. 以此涉難, 何往不濟. 故占者如是, 則利以涉川也.

부드러움으로 아래에 있어 겸손함의 지극함이니, 군자의 행함이다. 이것으로 어려움을 건넌다면, 어디를 간들 건너지 못하겠는가? 그러므로 점을 치는 자가 이와 같이 하면 내를 건넘이 이롭다.

程傳

初六, 以柔順, 處謙, 又居一卦之下, 爲自處卑下之至, 謙而又謙也. 故曰'謙謙', 能如是者, 君子也. 自處至謙, 衆所共與也, 雖用涉險難, 亦无患害, 況居平易乎, 何所不吉也. 初處謙而以柔居下, 得无過於謙乎. 曰柔居下, 乃其常也. 但見其謙之至. 故爲'謙謙', 未見其失也.

초육효는 유순함으로 겸괘에 있고 또 한 괘의 아래에 있어 스스로 낮추어 처신하는 지극함이니 겸손하고 또 겸손하다. 그러므로 '겸손하고 겸손하다'고 하였으니, 이와 같이 할 수 있는 것은 군자이다. 스스로 지극히 겸손하게 처신하여 여러 사람들이 함께 하니, 험난한 곳을 건널지라도 또한 걱정과 해로움이 없는데, 하물며 쉬운 곳에 있음에야 말해 무엇 하겠는가? 어느 곳인들 길하지 않음이 없다. 그런데 초효가 겸괘에 있고 부드러움으로 아래에 있으니, 지나치게 겸손하지 않겠는가? 말하자면, 부드러움이 아래에 있음은 떳떳한 것이다. 다만 겸손함의 지극함을 보일 뿐이기 때문에 '겸손하고 겸손하다'라고 하였으니, 그 잘못은 볼 수 없다.

集說

● 荀氏爽曰 : "初最在下, 故曰'謙謙'也."[2]

순상(荀爽)이 말했다. "초효가 가장 아래에 있기 때문에 '겸손하고 겸손하다'고 했다."

● 胡氏一桂曰 : "涉川貴於遲重, 不貴於急速. 用謙謙之道以涉川, 只是謙退居謙退, 居後而不爭先, 自然萬无一失, 故吉."[3]

호일계(胡一桂)가 말했다. "내를 건널 때는 천천히 신중하게 하는 것을 귀하게 여기고, 급히 서두르는 것을 귀하게 여기지 않는다. 겸손하고 겸손한 도리대로 내를 건너면서 겸손히 물러나며 그것으로 처신할 뿐이고, 뒤에 있으면서도 앞서기를 다투지 않으니. 저절로 모든 것에 하나의 실수도 없기 때문에 길하다."

---

2) 정정조(程廷祚), 『대역택언(大易擇言)』「겸괘(謙卦)」.
3) 정정조(程廷祚), 『대역택언(大易擇言)』「겸괘(謙卦)」.

● 胡氏炳文曰：“謙主九三，故三爻辭與卦辭，皆稱‘君子有終’. 初亦曰‘君子’，何也. 三在下卦之上，勞而能謙，在上之君子也，初在下卦之下，謙而又謙，在下之君子也. 在上者‘尊而光’，在下者‘卑而不可踰’，皆所以爲‘君子之終’也. ‘用涉大川，吉’，雖用以濟患可也，況平居乎.”4)

호병문(胡炳文)이 말했다. “겸괘는 구삼효를 근본으로 하기 때문에 삼효의 효사와 괘사에서 모두 ‘군자가 끝마침이 있다’고 하였다. 그런데 초효에서도 ‘군자’라고 한 것은 무엇 때문인가? 삼효는 하괘의 위에 있어 공로가 있으면서 겸손할 수 있으니 위에 있는 군자이고, 초효는 하괘의 아래에 있어 겸손하고 또 겸손하니 아래에 있는 군자이다. 위에 있는 자는 ‘높으면서 빛나고’, 아래에 있는 자는 ‘낮아도 넘을 수 없으니’, 모두 ‘군자의 끝마침’5)이 된다. ‘큰 내를 건너는 것이 길하다’는 것은 우환을 구제해도 된다는 말이니, 하물며 평범하게 처신함에 대해 말해 무엇 하겠는가!’

---

4) 호병문(胡炳文), 『주역본의통석(周易本義通釋)』「겸괘(謙卦)」.
5) 『주역(周易)』「겸괘(謙卦)」: “謙, 尊而光, 卑而不可踰, 君子之終也.[겸손함은 높으면서 빛나고, 낮아도 넘을 수 없으니, 군자의 끝마침이다.]”라고 하였다.

六二, 鳴謙, 貞吉.

육이효는 겸손함으로 울리니, 바르고 길하다.

本義

柔順中正, 以謙有聞, 正而且吉者也. 故其占如此.

유순하고 중정하여 겸손함으로 울리니, 바르고 또한 길한 것이다. 그러므로 그 점이 이와 같다.

程傳

二以柔順居中, 是爲謙德積於中. 謙德充積於中, 故發於外, 見於聲音顏色, 故曰'鳴謙'. 居中得正, 有中正之德也, 故云 '貞吉'. 凡'貞'吉, 有爲'貞且吉'者, 有爲'得貞則吉'者, 六二之 '貞吉', 所自有也.

육이효가 유순함으로 가운데 있으니, 겸손한 덕이 마음에 쌓인다. 겸손한 덕이 마음에 가득 쌓여 있기 때문에 밖으로 발현되어 말소리와 안색에 드러나기 때문에 '겸손함으로 울린다'고 하였다. 가운데 있고 바름을 얻어 중정한 덕이 있기 때문에 '바르고 길하다'고 하였다. '바르고 길하다'로 해석한 '정길(貞吉)'이란 말에는 '바르고 또 길하다'는 의미가 있고, '바름을 얻으면 길하다'의 뜻이 있다. 육이효의 '바르고 길함[貞吉]'은 본래 갖고 있는 것이다.

● 蘇氏軾曰 : "雄鳴則雌應, 故『易』以陰陽唱和, 寄之於鳴. 謙之
所以爲謙者三, 六二其鄰也, 上九其配也, 故皆和之而鳴於謙."6)

소식(蘇軾)7)이 말했다. "수컷이 울면 암컷이 호응하기 때문에 『주
역』에서 음양의 화답을 울리는 것에 붙였다. 겸(謙䷠)괘가 겸괘가
되게 하는 것은 삼효이니, 육이효는 그 이웃이고, 상구효는 그 짝이
기 때문에 모두 화합하며 겸손함으로 울리는 것이다."

---

6) 소식(蘇軾), 『동파역전(東坡易傳)』「겸괘(謙卦)」.

7) 소식(蘇軾, 1037~1101) : 자는 자첨(子瞻), 화중(和仲)이고, 호는 동파거
사(東坡居士), 설당(雪堂), 단명(端明), 미산적선객(眉山謫仙客), 소염
경(笑髥卿), 적벽선(赤壁仙) 등이며, 북송 미주 미산(眉州眉山 : 현 사천
성 미산〈眉山〉) 사람이다. 소순(蘇洵)의 아들이고 소철(蘇轍)의 형으로
대소(大蘇)라고도 불렸다. 송대 저명한 문필가로 당송팔대가(唐宋八大
家)의 한 사람이다. 북송 인종(仁宗) 가우(嘉祐) 2년(1057) 진사에 급제
하여, 벼슬은 중서사인(中書舍人), 한림학사겸시독(翰林學士兼侍讀),
한림승지(翰林承旨), 예부상서(禮部尙書) 등을 역임했다. 저서에 『동파
칠집(東坡七輯)』, 『동파역전(東坡易傳)』, 『동파서전(東坡書傳)』, 『동파
악부(東坡樂府)』, 『논어설(論語說)』 등이 있다.

九三, 勞謙, 君子有終吉.

구삼효는 공로가 있으면서도 겸손하니, 군자가 끝마침이 있어 길하다.

卦唯一陽, 居下之上, 剛而得正, 上下所歸, 有功勞而能謙, 尤人所難. 故有終而吉. 占者如是, 則如其應矣.

괘에서 유일한 양이 아래 괘의 위에 있고 굳세면서 바른 자리를 얻었으니, 위아래의 괘가 돌아오는 곳이고, 공로가 있으면서도 겸손할 수 있으니, 뛰어난 사람도 어려워한다. 그러므로 끝마침이 있어 길하다. 점치는 자가 이와 같으면 그 호응도 같을 것이다.

三, 以陽剛之德而居下體, 爲衆陰所宗, 履得其位, 爲下之上, 是上爲君所任, 下爲衆所從. 有功勞而持謙德者也, 故曰'勞謙'. 古之人有當之者, 周公是也. 身當天下之大任, 上奉幼弱之主, 謙恭自牧, 虁虁如畏然, 可謂有勞而能謙矣. 旣能勞謙, 又須君子行之, 有終則吉. 夫樂高喜勝, 人之常情, 平時能謙, 固已鮮矣, 況有功勞可尊乎. 雖使知謙之善, 勉而爲之, 若矜負之心不忘, 則不能常久, 欲其有終, 不可得也. 唯君子安履謙順, 乃其常行, 故久而不變, 乃所謂'有終', 有終則吉也. 九三以剛居正, 能終者也. 此爻之德最盛, 故「象」辭特重.

구삼효는 양의 굳센 덕으로 아래 괘에 있어 여러 음들이 높이는 것이고, 밟고 있는 것이 제자리를 얻어 아래 괘의 위가 되었으니, 위로는 임금이 신임하고 아래로는 무리가 따른다. 공로가 있으면서 겸손한 덕을 지키는 자이기 때문에 '공로가 있으면서 겸손하다'고 하였다.

옛 사람이 이에 해당되는 이가 있었으니, 주공이 이런 분이다. 몸소 세상의 큰 직분을 맡아 위로는 어리고 약한 임금을 받들면서 겸손함과 공손함으로 스스로 길러 조심조심 두려운 듯이 하였으니, 공로가 있으면서 겸손하였다고 할 수 있다.

이미 공로가 있으면서 겸손할 수 있고 또 반드시 군자가 행함에 끝마침이 있으면 길하다. 높음을 좋아하고 이김을 기뻐하는 일은 사람의 일반적인 감정이니, 평소에 겸손할 수 있는 것도 참으로 이미 드문데, 하물며 높일만한 공로가 있음에야 말해 무엇 하겠는가! 겸손함이 좋다는 것을 알게 하여 힘써 노력하더라도, 자랑하고 자부하는 마음을 잊지 못하면 오래도록 할 수 없으니, 끝마치려 해도 할 수가 없다.

군자만이 편안히 이행하고 겸손히 순종함이 바로 그의 일상적인 행실이기 때문에 오래도록 변하지 않으니, 이른바 '끝마침이 있다'는 것으로 끝마침이 있으면 길하다. 구삼은 굳셈으로 바른 자리에 있어 끝마칠 수 있는 것이다. 이 효의 덕이 가장 성대하기 때문에 「상전」의 말을 특별히 중시하였다.

集說

● 王氏弼曰 : "處下體之極, 履得其位, 上下無陽以分其民, 衆陰所宗, 尊莫先焉. 上承下接, 勞謙匪懈, 是以吉也."[8]

왕필(王弼)이 말했다. "아래 괘의 끝에 있고 밟고 있는 것이 제자리를 얻어 위 아래로 양이 그 백성을 나눠가짐이 없으며, 여러 음들이 받드는 바이니, 존귀함이 그보다 앞서는 것이 없다. 위로 받들고 아래로 맞이하며 공로가 있으면서도 겸손하고 나태하지 않기 때문에 길하다."

● 王氏宗傳曰 : "謙之成卦, 在此一爻, 故卦之德曰, '君子有終', 而九三實當之."[9]

왕종전(王宗傳)이 말했다. "겸괘가 괘를 이룬 것이 여기 한 효에 있기 때문에 괘의 덕에서 '군자가 끝마침이 있다'고 하였으니, 구삼효가 실로 그것에 해당한다."

● 胡氏炳文曰 : "文王卦辭曰, '謙, 亨, 君子有終', 周公於三之爻辭, 以'吉'代'亨'字, '謙'之上加一'勞'字, 蓋謙非難, '勞而能謙'爲難. 九三之勞, 當在上位, 而位止於下, 所謂'勞而能謙'者也. 乾之三以'君子'稱, 坤之三以'有終'言, 謙之三兼乾坤之占辭. 蓋所謂'勞'者, 卽乾之'終日乾乾', 而'謙'則又坤之'含章'也."[10]

---

8) 왕필(王弼), 『주역주소(周易注疏)』「겸괘(謙卦)」.
9) 왕종전(王宗傳), 『동계역전(童溪易傳)』「겸괘(謙卦)」.
10) 호병문(胡炳文), 『주역본의통석(周易本義通釋)』「겸괘(謙卦)」.

호병문이 말했다. "문왕의 괘사에서 '겸은 형통하니 군자가 끝마침이 있다'고 하였고, 주공은 삼효의 효사에서 '길하다'는 말로 '형통하다'는 말을 대신하고 '겸손하다'는 말 앞에 '공로가 있다'는 말을 덧붙였으니, 겸손함이 어려운 일이 아니라 '공로가 있으면서 겸손할 수 있는 것'이 어렵다. 구삼효의 공로는 윗자리에 있어야 하는데도 자리가 아래에서 머무르니, 이른바 '공로가 있으면서도 겸손할 수 있는 것'이다. 건(乾䷀)괘의 삼효를 '군자'로 칭하고,[11] 곤(坤䷁)괘의 삼효를 '끝마침이 있음'으로 말했으니,[12] 겸(謙䷎)괘의 삼효는 건괘와 곤괘의 점사를 아우른 것이다. 이른바 '공로가 있다'는 것은 건괘의 '종일토록 힘쓰고 힘쓴다'는 말[13]이고, '겸손하다'는 것은 또 곤괘의 '아름다움을 머금었다'는 말[14]이다."

● 吳氏曰愼曰：“諸儒皆以‘君子有終’爲句, 然據初六‘謙謙君子’, 則此爻當‘勞謙君子’爲句,「象傳」明矣.”

----

11) 『주역(周易)』「건괘(乾卦)」："九三, 君子, 終日乾乾, 夕惕若, 厲, 无咎. [구삼은 군자가 종일토록 힘쓰고 힘써 저녁까지 두려워하니, 위태로우나 허물이 없을 것이다.]"라고 하였다.

12) 『주역(周易)』「곤괘(坤卦)」："六三, 含章可貞, 或從王事, 无成有終. [육삼은 아름다움을 머금어 곧을 수 있으나, 혹 왕의 일에 종사하면 이룸은 없어도 끝마침은 있을 것이다.]"라고 하였다.

13) 『주역(周易)』「건괘(乾卦)」："九三, 君子, 終日乾乾, 夕惕若, 厲, 无咎. [구삼은 군자가 종일토록 힘쓰고 힘써 저녁까지 두려워하니, 위태로우나 허물이 없을 것이다.]"라고 하였다.

14) 『주역(周易)』「곤괘(坤卦)」："六三, 含章可貞, 或從王事, 无成有終. [육삼은 아름다움을 머금어 곧을 수 있으나, 혹 왕의 일에 종사하면 이룸은 없어도 끝마침은 있을 것이다.]"라고 하였다.

오왈신(吳曰愼)이 말했다. "여러 학자들이 모두 '군자가 끝마침이 있다'는 것을 구절로 여겼는데, 초육의 '겸손하고 겸손한 군자'에 의거하면, 이 효에서도 '공로가 있으면서 겸손한 군자'를 구절로 해야 하니, 「상전」에서 분명히 하였다."[15]

---

15) 『주역(周易)』 「겸괘(謙卦)」: "象曰, 勞謙君子, 萬民服也.[「상전」에서 말했다. 공로가 있으며 겸손한 군자는 만 백성이 승복한다.]"라고 하였다.

六四, 无不利, 撝謙.

육사효는 이롭지 않음이 없으나 겸손함을 펼쳐야 한다.

柔而得正, 上而能下, 其占无不利矣. 然居九三之上, 故戒以
更當發揮其謙, 以示不敢自安之意也.

부드러우면서 바름을 얻고, 위에 있으면서 낮출 수 있으니, 그 점이
이롭지 않음이 없다. 그러나 구삼효의 위에 있기 때문에 더욱 겸손
을 발휘하도록 경계하여 감히 스스로 편안해 해서는 안 된다는 뜻
을 보였다.

四居上體, 切近君位, 六五之君, 又以謙柔自處. 九三又有大
功德, 爲上所任, 衆所宗. 而己居其上. 當恭畏以奉謙德之君,
卑巽以讓勞謙之臣, 動作施爲, 无所不利於撝謙也. '撝', 施布
之象, 如人手之撝也. 動息進退, 必施其謙, 蓋居多懼之地,
又在賢臣之上故也.

육사효는 위의 괘에 있어 임금의 자리와 매우 가까운데, 육오효의
임금이 또 겸손과 부드러움으로 자처하고 있고, 구삼효는 또 큰 공
덕이 있어 윗사람이 신임하고 무리가 높이는 것인데 자신이 그 위

에 있다. 그러니 공손하고 두려워함으로 겸손한 덕을 가진 임금을 받들고, 낮추고 사양함으로 공로가 있으면서 겸손한 신하에게 양보하여 움직임과 행위가 겸손의 펼침에 이롭지 않음이 없게 해야 한다. '펼침[撝]'은 시행하는 상이니, 사람이 손으로 펼치는 것과 같다. 움직이고 쉬며 나아가고 물러남에 반드시 겸손함을 시행해야 하니, 두려움이 많은 자리에 있고 또 현명한 신하의 위에 있기 때문이다.

集說

● 梁氏寅曰: "六四柔而得正, 上而能下, 可謂謙矣, 無不利矣. 然處近君之地, 在功臣之上, 故戒以更當發揮其謙也. 世之人臣, 固有執柔守正, 不與物競者矣. 然或暗於事理, 辭受失宜, 無功而受其祿, 無實而處其名. 若是者失謙之道矣, 不可以不戒也."16)

양인(梁寅)이 말했다. "육사효가 부드러우면서 바름을 얻고 위에 있으면서 낮출 수 있으니, 겸손하여 이롭지 않음이 없다고 할만하다. 그러나 임금과 가까운 곳에 있어 공이 있는 신하의 위에 있기 때문에 경계하여 더욱 겸손을 발휘해야 한다. 대대로 벼슬한 집안의 신하는 진실로 부드러움을 잡고 바름을 지켜 사람들과 다투지 않는다. 그러나 간혹 사리에 어두워 사양하고 받아들임에 마땅함을 잃고 공이 없는데도 봉록을 받으며 실질이 없는데도 이름을 지킨다. 이와 같이 하는 자들은 겸손의 도를 잃은 것이니, 경계하지 않을 수 없다."

---

16) 양인(梁寅), 『주역참의(周易參義)』「겸괘(謙卦)」.

'無不利撝謙', 『本義』作兩句, 『程傳』作一句, 觀夫子「象傳」, 則
程說近是.

'이롭지 않음이 없으나 겸손함을 펼쳐야 한다'로 해석한 '무불리휘
겸(無不利撝謙)'이라는 구절은 『주역본의』에서는 '이롭지 않음이 없
으나 겸손함을 펼쳐야 한다'라고 두 구절로 봤고, 『정전』에서는 '육
사는 겸손함을 펼침에 이롭지 않음이 없다'라고 한 구절로 봤는데,
공자의 「상전」을 보면,17) 『정전』의 설명이 옳은 듯하다.

---

17) 『주역(周易)』「겸괘(謙卦)」: "象曰, '无不利撝謙', 不違則也.[「상전」에서
말했다. '겸손함을 펼침에 이롭지 않음이 없음'은 법칙에 어긋나지 않는
것이다.]"라고 하였다.

六五, 不富, 以其鄰, 利用侵伐, 无不利.

육오효는 부유함으로 하지 않아도 그 이웃이 되니, 습격해서 치는 것이 이로워 이롭지 않음이 없다.

本義

以柔居尊, 在上而能謙者也. 故爲不富而能以其鄰之象. 蓋從之者衆矣, 猶有未服者, 則利以征之, 而於他事亦无不利. 人有是德, 則如其占也

부드러움으로 존귀한 자리에 있어 위에 있으면서 겸손할 수 있기 때문에 부유함으로 하지 않아도 이웃이 될 수 있는 상이다. 따르는 사람이 많은데도 여전히 승복하지 않는 자가 있다면 치는 것이 이로워 다른 일에도 또한 이롭지 않음이 없다. 사람이 이러한 덕이 있으면, 그 점괘도 같다.

程傳

富者, 衆之所歸, 唯財爲能聚人. 五以君位之尊而執謙順以接於下, 衆所歸也. 故不富而能有其鄰也. 鄰, 近也, 不富而得人之親也, 爲人君而持謙順, 天下所歸心也. 然君道不可專尚謙柔, 必須威武相濟然後, 能懷服天下, 故利用行侵伐也, 威德竝著然後, 盡君道之宜而无所不利也. 蓋五之謙柔, 當防於過, 故發此義.

부유함을 사람들이 따르는 것은 단지 재물로 사람을 모을 수 있어서 이다. 육오효는 임금이라는 지위의 존엄함을 가지고도 겸손함과 유순함을 지키면서 아래 사람을 대해 무리가 따르기 때문에 부유함으로 하지 않아도 이웃이 될 수 있다. 이웃은 가까이 있어 부유함으로 하지 않아도 사람들의 친함을 얻으니, 임금으로 겸손함과 유순함을 지켜 세상이 마음으로 돌아오는 것이다. 그러나 임금의 도리는 오로지 겸손함과 유순함만을 숭상해서는 안 되고, 반드시 위엄과 무력으로 서로 구제한 뒤에야 세상을 회유하여 승복시킬 수 있기 때문에 습격해서 치는 것이 이로우니, 위엄과 덕이 함께 드러난 뒤에 임금된 도리의 마땅함을 다하여 이롭지 않음이 없다. 육오효의 겸손함과 유순함은 지나침을 막아야 하기 때문에 이런 뜻을 말했다.

集說

● 楊氏萬里曰 : "五以君上之尊, 體謙柔之德, 欲然不有其崇高富貴之勢, 此一卦謙德之盛也. 推不富之心, 則其臣鄰翕然, 焉往不利哉? 利用侵伐, 姑擧其大者."[18]

양만리(楊萬里)가 말했다. "오효가 임금의 존엄함을 가지고 겸손하고 유순한 덕을 몸체로 했는데 아쉽게도 높고 부귀한 기세가 없으니, 이는 하나의 괘에서 겸손한 덕이 성대한 것이다. 부유함으로 하지 않은 마음을 미루면 그 신하와 이웃이 화합하니 어디를 갈지라도 이롭지 않음이 있겠는가? 습격해서 치는 것이 이롭다는 말은 잠시 그 큰 것을 거론하였다."

---

18) 양만리(楊萬里), 『성재역전(誠齋易傳)』「겸괘(謙卦)」.

● 胡氏炳文曰：“謙之一字, 自禹征有苗, 而伯益發之, 六五一
爻不言謙, 而曰'利用侵伐', 何也. 蓋'不富'者, 六五虛中而能謙
也, '以其鄰'者, 衆莫不服五之謙也. 如此而猶有不服者, 則征之
固宜.”[19]

호병문이 말했다. “겸손함이란 말은 우(禹)가 유묘(有苗)를 정벌하
면서 백익이 그것을 펼친 것에서 유래한다.[20] 육오효의 한 효에서
는 겸손함에 대해 말하지 않고 '습격해서 치는 것이 이롭다'고 하였
으니 무엇 때문인가? '부유함으로 하지 않는다'는 육오효가 가운데
가 비어 겸손할 수 있다는 말이고, '그 이웃이 된다'는 무리들이 오
효의 겸손함에 승복하지 않음이 없다는 말이다. 이렇게 했는데도
여전히 승복하지 않는 자가 있다면 치는 것이 진실로 마땅하다.”

---

19) 호병문(胡炳文), 『주역본의통석(周易本義通釋)』「겸괘(謙卦)」.
20) 『서경(書經)』「대우모(大禹謨)」.

上六, 鳴謙, 利用行師, 征邑國.

상육효는 겸손함으로 울리니, 군사를 움직여도 읍국을 정벌함이
이롭다.

本義

謙極有聞, 人之所與, 故可用行師. 然以其質柔而无位, 故可
以征己之邑國而已.

겸손의 지극함이 알려져서 사람들이 함께 하기 때문에 군사를 움직
일 수 있다. 그러나 바탕이 부드럽고 지위가 없기 때문에 자신의 읍
국을 정벌할 수 있을 뿐이다.

程傳

六以柔處柔, 順之極, 又處謙之極, 極乎謙者也. 以極謙而反
居高, 未得遂其謙之志, 故至發於聲音. 又柔處謙之極, 亦必
見於聲色, 故曰'鳴謙'. 雖居无位之地, 非任天下之事, 然人之
行己, 必須剛柔相濟. 上謙之極也, 至於太盛, 則反爲過矣,
故利在以剛武自治. '邑國', 己之私有, '行師', 謂用剛武, '征
邑國', 謂自治其私.

상육효는 부드러움으로 부드러운 자리에 있고 순응함의 끝이 또 겸
괘의 끝에 있어 겸손함을 끝까지 한 것이다. 지극히 겸손한데 도리

어 높은 자리에 있어 겸손한 뜻을 이룰 수 없기 때문에 말로 드러낸 것이다. 또한 부드러움이 겸괘의 끝에 있어 반드시 소리와 안색으로 드러내기 때문에 '겸손함으로 울린다[鳴謙]'라고 하였다. 지위 없는 자리에 있어 천하의 일을 맡은 것은 아닐지라도 사람으로 자신을 행함에는 반드시 굳셈과 부드러움으로 서로 도와야 한다. 그런데 상육효의 겸손함이 지극하여 너무 성대하게 되어 도리어 지나쳤기 때문에 이로움이 굳센 무력으로 스스로 다스리는 것에 있다. '읍국(邑國)'은 자신이 사사롭게 소유한 땅이다. '군사를 움직임[行師]'은 굳센 무력을 쓰는 일을 말하고, '읍국을 정벌함[征邑國]'은 스스로 그 사사로움을 다스리는 것을 말한다.

集說

● 楊氏時曰 : "君子行有不得, 則反求諸己, 故曰'利用行師征邑國也'. '邑國', 私於己者也, '征邑國', 自治也. 不用剛克而能勝己之私者, 未之有也."[21]

양시(楊時)가 말했다. "임금이 무엇인가 행하면서 얻지 못하면 도리어 자신에게서 반성하기 때문에 '군사를 움직여도 읍국을 정벌함이 이롭다'고 한 것이다. '읍국'은 자신이 사적으로 소유한 땅이니, '읍국을 정벌한다'는 말은 스스로 다스리는 것이다. 굳건하여 공을 이루지 못하면서 자신의 사사로움을 이기는 경우는 없다."

● 朱氏震曰 : "征邑國者, 非侵伐也, 克己之謂也. 君子自克則

---

21) 정정조(程廷祚), 『대역택언(大易擇言)』「겸괘(謙卦)」.

誠, 誠則物無不應. 有不應焉, 誠未至也."22)

주진(朱震)23)이 말했다. "'읍국을 정벌한다'는 습격해서 치는 것이
아니라 자신을 극복함을 말한다. 군자는 스스로 극복하면 진실해지
고 진실해지면 사물이 호응하지 않음이 없다. 호응하지 않는다면
진실이 아직 지극하지 않은 것이다."

● 『朱子語類』, 問 : "謙是不與人爭, 如何, 五上二爻, 皆言利用
侵伐, 利用行師."
曰 : "老子言'大國下小國, 則取小國, 小國下大國, 則取大國'. 又
言'抗兵相加, 哀者勝矣. 大抵謙自是用兵之道, 只退處一步耳,
如必也臨事而懼, 皆是此意."24)

『주자어류』에서 물었다. "겸손함은 남들과 다투지 않는 것인데, 어
떻게 오효와 상효 두 효에서 모두 습격해서 치는 것이 이롭다고 했
습니까?
대답했다. "노자는 '큰 나라가 작은 나라에 낮추면 작은 나라를 취
하고, 작은 나라가 큰 나라에 낮추면 큰 나라를 취한다'25)고 하였

---

22) 정정조(程廷祚), 『대역택언(大易擇言)』「겸괘(謙卦)」.
23) 주진(朱震, 1072~1138) : 자는 자발(子發)이고, 세칭 한상선생(漢上先生)
    이라 불렸다. 송대 형문군(荊門軍 : 현 호북성 소속) 사람으로 1115년에
    진사에 급제하여 벼슬은 예부원외랑(禮部員外郞), 비서소감 겸 임시경연
    (秘書少監兼任侍經筵), 중서사인(中書舍人), 한림학사(翰林學士) 등을
    역임하였다. 『역』과 『춘추』에 해박하였고 저서에는 『한상역전(漢上易
    傳)』이 있다.
24) 『주자어류』 권70, 164조목.
25) 『도덕경(道德經)』 61장.

고, 또 '군사를 일으켜 서로 싸움에 안타까워하는 쪽이 승리한다'[26]
고 하였습니다. 대체로 겸손함은 본래 군대를 움직이는 도로 한 발
물러나는 것일 뿐이니, 이를테면 일을 하면서 두려워한다는 것은
모두 이런 의미입니다."

● 何氏楷曰 : "所征止於邑國, 毋敢侵伐, 亦謙之象."[27]

하해(何楷)가 말했다. "치는 것을 읍국에 그치고 감히 습격해서 치
지 못하는 것도 겸손한 상이다."

總論

● 王氏弼曰 : "夫吉凶悔吝, 生乎動者也, 動之所起, 興於利者
也. 故飮食必有訟, 訟必有衆起. 未有居衆人之所惡, 而爲動者
所害, 處不競之地, 而爲爭者所奪. 是以六爻雖有失位無應乘剛,
而皆無凶咎悔吝者, 以謙爲主也. '謙尊而光, 卑而不可踰', 信矣
哉."[28]

왕필(王弼)이 말했다. "길함·흉함·후회·부끄러움은 움직이는 일
에서 생기고, 움직임의 시작은 이롭게 여기는 것에서 일어난다. 그
러므로 먹고 마시는 것에는 반드시 다툼이 있고, 다투는 것에는 반
드시 여러 사람이 일어나게 된다. 사람들이 싫어하는 곳에 있으면
서 움직이는 자에게 해로움을 당하고 경쟁하지 않는 곳에 있으면서

26) 『도덕경(道德經)』 69장.
27) 하해(何楷), 『고주역정고(古周易訂詁)』「겸괘(謙卦)」.
28) 왕필(王弼), 『주역주소(周易注疏)』「겸괘(謙卦)」.

다투는 자에게 빼앗기는 경우는 없다. 이 때문에 육효가 지위를 잃고 호응함이 없으며 굳셈을 타고 있을지라도 모두 흉함·허물·후회·부끄러움이 없는 것은 겸손함을 근본으로 했기 때문이다. '겸손함은 높으면서 빛나고 낮아도 넘을 수가 없다'[29]는 「단전」의 말이 믿을 만하다."

● 胡氏一桂曰：“謙一卦, 下三爻皆吉而無凶, 上三爻皆利而無害. 『易』中吉利, 罕有若是純全者, 謙之效固如此."

호일계(胡一桂)가 말했다. "겸이라는 하나의 괘는 아래의 세 효가 모두 길하여 흉함이 없고, 위의 세 효는 모두 이로워 해로움이 없다. 『주역』에서 길하고 이로운 것이 이처럼 순전한 경우가 드무니, 겸손함의 효과는 진실로 이와 같다."

---

29) 『주역(周易)』「겸괘(謙卦)」：“謙, 尊而光, 卑而不可踰, 君子之終也.[겸손함은 높으면서 빛나고, 낮아도 넘을 수 없으니, 군자의 끝마침이다.]" 라고 하였다.

16. 예豫괘

䷏ 震上
坤下

豫,「序卦」, "有大而能謙, 必豫, 故受之以豫." 承二卦之義而
爲次也. 有旣大而能謙, 則有豫樂也. 豫者, 安和悅樂之義.
爲卦震上坤下, 順動之象. 動而和順, 是以豫也. 九四, 爲動
之主, 上下羣陰, 所共應也. 坤又承之以順, 是以動而上下順
應, 故爲和豫之義. 以二象言之, 雷出於地上. 陽始潛閉於地
中, 及其動而出地, 奮發其聲, 通暢和豫, 故爲豫也.

예(豫䷏)괘는 「서괘전」에서 "큰 것을 가지고 있으면서 겸손할 수 있
으면 반드시 기쁘기 때문에 예괘로 받았다"라고 하였다. 그러니 대
유(大有䷍)괘와 겸(謙䷎)괘 두 괘의 뜻을 이어 다음에 왔다. 이미
큰 것을 가졌는데도 겸손할 수 있으면 즐거움이 있다. 예(豫)란 편
안하고 즐겁다는 의미이다.
괘의 모양은 진(震☳)괘가 위에 있고 곤(坤☷)괘가 아래에 있으니,
순응하며 움직이는 모습이다. 움직이면서 순응하기 때문에 즐겁다.
구사효는 움직임의 주인이니 위아래의 모든 음효가 함께 호응하고,
또 곤괘가 받들어 따른다. 이 때문에 움직이면서 위아래가 순응하
므로 화합하며 즐거워하는 의미이다.

내외괘의 모습으로 말하면, 우레가 땅 위로 솟아나온다. 양이 처음에는 땅 속에 깊이 감추어져 있다가 움직여 땅을 뚫고 나오게 되자 그 소리를 크게 떨침이 활발하고 편안하기 때문에 '예(豫)'이다.

豫, 利建侯行師.

예괘는 제후를 세워 군대를 움직이는 것이 이롭다.

本義

豫, 和樂也, 人心和樂以應其上也. 九四一陽, 上下應之, 其志得行. 又以坤遇震, 爲順以動, 故其卦爲豫, 而其占, 利以立君用師也.

예(豫)는 화합하여 즐거움이니, 사람의 마음이 화합하고 즐거워 그 윗사람에게 호응하는 것이다. 구사효 하나의 양은 위아래가 호응하니, 그 뜻을 행할 수 있다. 또 곤(坤☷)괘가 진(辰☳)괘를 만나 순응하여 움직이기 때문에 그 괘가 예(豫)가 되었으니, 그 점(占)은 제후를 세워 군대를 움직이는 것이 이롭다.

程傳

豫, 順而動也. 豫之義, 所利在於建侯行師. 夫建侯樹屛, 所以共安天下. 諸侯和順, 則萬民悅服. 兵師之興, 衆心和悅, 則順從而有功. 故悅豫之道, 利於建侯行師也. 又上動而下順, 諸侯從王, 師衆順令之象. 君萬邦聚大衆, 非和悅, 不能使之服從也.

예(豫)란 순응하면서 움직이는 것이다. 예괘의 의미는 그 이로움이 제후를 세워 군대를 움직이는 데 있다. 제후를 세워 울타리를 치는 것은 함께 천하를 편안하게 하려는 까닭이다. 제후가 화락하고 순리대로 하면 모든 백성들이 기쁘게 복종한다. 군대를 일으킬 때 여러 사람들의 마음이 화합하여 기뻐하면 순종하여 공이 있다. 그러므로 화합하여 기뻐하는 도는 제후를 세워 군대를 움직이는 것이 이롭다. 또한 위에서 움직이고 아래에서 순응하니, 제후가 임금을 따르고 군대의 무리들이 명령을 따르는 형상이다. 모든 나라에 임금노릇을 하며 대중을 모을 때 화합하여 기뻐하는 것이 아니면 그들을 복종하게 할 수 없다.

集說

● 孔氏穎達曰 : "謂之豫者, 取逸豫之義. 以和順而動, 動不違衆. 衆皆悅豫, 故謂之豫也, 動而衆悅, 故利建侯, 以順而動, 故可以行師也."[1]

공영달(孔穎達)이 말했다. "예(豫)라고 한 것은 편안하고 즐겁다는 의미를 취했다. 화합하고 순응하면서 움직이고, 움직임이 무리들을 어기지 않는다. 무리들이 모두 기뻐하기 때문에 그것을 예(豫)라고 하고, 움직이는데도 무리가 기뻐하기 때문에 제후를 세우는 것이 이로우며, 순응하면서 움직이기 때문에 군대를 움직일 수 있다."

● 邱氏富國曰 : "屯有震無坤, 則言建侯而不言行師, 謙有坤無震, 則言行師而不言建侯, 此合震坤成卦, 故兼之."

----

1) 공영달(孔穎達), 『주역주소(周易注疏)』 「예괘(豫卦)」.

구부국(邱富國)이 말했다. "준(屯☳☵)괘에는 진(辰☳)괘가 있고 곤(坤☷)괘가 없으니, 제후를 세우는 일은 말했으나 군대를 움직이는 것은 말하지 않았고,[2] 겸(謙☷☶)괘에서는 곤(坤☷)이 있고 진(辰☳)이 없으니, 군대를 움직이는 것은 말했으나 제후를 세우는 일은 말하지 않았다.[3] 예(豫☳☷)괘에서는 진(辰☳)과 곤(坤☷)을 합해 괘를 이루었기 때문에 제후를 세우는 일과 군대를 움직이는 것을 아울렀다."

---

2) 『주역(周易)』「준괘(屯卦)」: "屯, 元亨, 利貞, 勿用有攸往, 利建侯.[준은 크게 형통하고 바름이 이로우니, 갈 곳을 두지 말고 제후를 세움이 이롭다.]"라고 하였다.

3) 『주역(周易)』「겸괘(謙卦)」: "六五, 不富, 以其鄰, 利用侵伐, 无不利.[육오효는 부유한 것으로 하지 않아도 그 이웃이 되니, 습격해서 치는 것이 이롭고, 이롭지 않음이 없다.]"라고 하였다.

初六, 鳴豫, 凶.

초육효는 즐거움에 소리를 지르니 흉하다.

本義

陰柔小人, 上有强援, 得時主事. 故不勝其豫而以自鳴, 凶之
道也. 故其占如此. 卦之得名, 本爲和樂. 然卦辭, 爲衆樂之
義, 爻辭除九四與卦同外, 皆爲自樂, 所以有吉凶之異.

음으로 유약한 소인인데, 위에 굳센 후원이 있어 때를 얻어 일을 주
관한다. 그러므로 그 즐거움을 감당하지 못하여 스스로 소리를 지
르니 흉한 도리이다. 그러므로 그 점이 이와 같다. 괘 이름이 예
(豫)인 것은 본래 즐겁기 때문이다. 그런데 괘사는 여럿이 즐거워하
는 의미이고, 효사는 구사효가 괘사와 같은 것 외에 모두 자기 혼자
즐거워하기 때문에 길흉에 다름이 있다.

程傳

初六, 以陰柔居下, 四豫之主也而應 之, 是不中正之小人, 處
豫而爲上所寵, 其志意滿極, 不勝其豫, 至發於聲音. 輕淺如
是, 必至於凶也. '鳴'發於聲也.

초육효는 유약한 음으로 아래에 있는데, 구사효는 예괘의 주인이면
서 호응하니, 중정하지 못한 소인이 즐거움을 차지하고 있으면서

윗사람의 총애를 받아 득의양양하여 그 즐거움을 감당하지 못해 소리를 지르게 된다. 이처럼 경박하면 흉함에 반드시 흉하게 된다. '소리를 지름[鳴]'은 소리 내어 떠드는 것이다.

集說

● 石氏介曰 : "四爲豫之主, 初與之相應, 小人得志, 必極其情欲以至於凶. 形於聲鳴, 豫之甚也."[4]

석개(石介)[5]가 말했다. "사효가 예괘의 주인인데 초효가 함께 서로 호응함은 소인이 뜻을 얻어 그 정욕을 끝까지 하여 흉하게 되는 것이다. 소리를 질러 드러내는 일은 즐거움이 심한 것이다."

● 蘇氏軾曰 : "所以爲豫者四也, 而初和之, 故曰'鳴'. 己無以自

---

4) 이형(李衡), 『주역의해촬요(周易義海撮要)』 「예괘(豫卦)」.

5) 석개(石介, 1005~1045) : 자는 수도(守道) 또는 공조(公操)이고, 호는 조래선생(徂徠先生)이다. 손복(孫復)을 사사했다. 북송 연주(兗州) 봉부(奉符) 사람으로, 인종(仁宗) 천성(天聖) 8년(1030)에 진사(進士)에 급제하여, 벼슬은 운주관찰추관(鄆州觀察推官), 남경유수추관(南京留守推官), 진남절도장서기(鎭南節度掌書記), 국자감직강(國子監直講), 태자중윤(太子中允) 등을 역임했다. 문장은 기운이 있어야 한다면서 도통(道統)과 문통(文統)이 합일되어야 한다고 주장했다. 그러나 노불(老佛)이나 병려문(騈驪文)에는 반대했다. 손복, 호원(胡瑗)과 함께 인의예악(仁義禮樂)을 학문의 근본으로 삼아야 한다고 주장했으며, 이들과 함께 '송초삼선생(宋初三先生)'으로 불렸다. 나중에 조래산(徂徠山)에 은거하여 『주역』을 가르쳐 조래선생이라 불렸다. 저서에 『당감(唐鑑)』과 『조래집(徂徠集)』이 있다.

樂, 而恃其配以爲樂, 不得不凶."[6]

소식(蘇軾)이 말했다. "즐겁게 해주는 것은 사효인데 초효가 그에 화답하기 때문에 '소리를 지른다'고 하였다. 자신에게는 스스로 즐거울 것이 없어 그 짝에 의지해 즐거워하니, 흉하지 않을 수 없다."

● 王氏應麟曰: "鳴謙則吉, 鳴豫則凶. 鳴者, 心聲之發也."[7]

왕응린(王應麟)이 말했다. "겸손함에 소리를 내면 길하고, 즐거움에 소리를 지르면 흉하다. 소리를 지르는 일은 마음이 소리로 드러난 것이다."

● 龔氏煥曰: "豫之初六, 卽謙上六之反對, 故謙上六曰'鳴謙', 豫初六曰'鳴豫'. 謙之上六應九三, 故鳴其謙, 豫之初六應九四, 故不勝其豫以自鳴. 謙而鳴則吉, 豫而鳴則凶."[8]

공환(龔煥)이 말했다. "예(豫☷☰)괘의 초효는 겸괘(謙☷☰)의 상육효와 반대이기 때문에 겸괘 상육효에서는 '겸손함으로 드러나니'라고 했고, 예괘 초효에서는 '즐거움에 소리를 지르니'라고 했다. 겸괘의 상육효는 구삼효와 호응하기 때문에 겸손함을 드러내는 것이고, 예괘의 초육은 구사효와 호응하기 때문에 그 즐거움을 감당하지 못해 저절로 소리를 지르는 것이다. 겸손한데 드러나면 길하고, 즐거운데 소리를 지르면 흉하다."

....

6) 소식(蘇軾), 『동파역전(東坡易傳)』「예괘(豫卦)」.
7) 안사성(晏斯盛), 『역익종(易翼宗)』「예괘(豫卦)」.
8) 안사성(晏斯盛), 『역익종(易翼宗)』「예괘(豫卦)」.

六二, 介于石, 不終日, 貞吉.

육이효는 돌처럼 견고하니, 날이 저물도록 있지 않으면, 바르고
길하다.

本義

豫雖主樂, 然易以溺人. 溺則反而憂矣. 卦獨此爻中而得正,
是上下皆溺於豫而獨能以中正自守, 其介如石也. 其德安靜
而堅確, 故其思慮明審, 不俟終日而見凡事之幾微也. 『大學』
曰, "安而后能慮, 慮而后能得," 意正如此. 占者如是, 則正而
吉矣.

예괘가 즐거움을 주로 할지라도 사람을 쉽게 그것에 탐닉하게 한
다. 탐닉하면 반대로 되어 근심하게 된다. 괘에서 이 효만 가운데
있고 바름을 얻었으니, 위아래가 모두 즐거움을 탐닉하는데, 홀로
중정으로 스스로 지켜 그 절개가 돌과 같다.

그 덕이 안정되고 확고하기 때문에 그 생각이 분명하고 자세하여
날이 저물도록 기다리지 않아도 모든 일의 기미를 안다. 『대학(大
學)』에서 "편안한 뒤에 생각할 수 있고 생각한 뒤에 얻을 수 있다"[9]
고 하였으니 뜻이 바로 이와 같다. 점치는 사람이 이처럼 하면 바르
고 길할 것이다.

----

9) 『대학(大學)』 1장.

逸豫之道, 放則失正. 故豫之諸爻多不得正, 才與時合也. 唯六二一爻, 處中正, 又无應, 爲自守之象. 當豫之時, 獨能以中正, 自守, 可謂特立之操, 是其節介如石之堅也. '介于石', 其介如石也. 人之於豫樂, 心悅之, 故遲遲遂致於耽戀, 不能已也. 二以中正, 自守, 其介如石, 其去之速, 不俟終日. 故貞正而吉也. 處豫, 不可安且久也, 久則溺矣. 如二, 可謂見幾而作者也. 夫子因二之見幾而極言知幾之道曰, "知幾其神乎. 君子上交不諂, 下交不瀆, 其知幾乎. 幾者動之微, 吉之先見者也, 君子見幾而作, 不俟終日. 『易』曰'介于石, 不終日, 貞, 吉.' 介如石焉, 寧用終日? 斷可識矣. 君子知微知彰知柔知剛, 萬夫之望."

편안하게 즐기는 도리는 방탕하면 바름을 잃는다. 그러므로 예괘의 여러 효가 바름을 얻지 못한 것이 많으니 재질이 때와 합했기 때문이다. 육이효 한 효만이 중정한 자리에 있고 또 호응이 없어 스스로 지키는 상이다. 예괘의 때에 홀로 중정함으로 자신을 지키므로, '홀로 우뚝 세운 지조'라고 할 만하니, 그 절개가 돌처럼 견고하다. '돌처럼 견고하다[介于石]'는 말은 그 절개가 돌과 같다는 것이다. 사람이 편안하게 즐거운 때는 마음이 기쁘기 때문에 느릿느릿 마침내 탐닉하고 벗어나지 못하게 된다. 그런데 이효는 중정으로 스스로 지켜 그 절개가 돌과 같으니, 신속하게 버리고 날이 저물도록 있지 않기 때문에 바르고 길하다. 즐거움에 대한 대처는 편안히 여기고 또 오래도록 해서는 안 되니, 오래도록 하면 그것을 탐닉하기 때문이다. 이효와 같은 것은 기미만 보고도 일어나 떠나가는 자라고 할 만하다.

공자는 이효가 기미를 본 것을 가지고, 「계사전」에서 지극하게 말했다. "기미를 아는 것은 신묘하구나! 군자는 윗사람과 사귈 때 아첨하지 않고 아랫사람과 사귈 때 함부로 대하지 않으니, 기미를 아는 것이다. '기미[幾]'는 움직임이 미미한 것으로, 길함에 앞서 보인다. 군자는 기미만 보고도 일어나고 날이 저물도록 있지 않는다. 그러니 『주역』에서 '돌처럼 견고하니, 날이 저물도록 있지 않으면, 바르고 길하다'라고 하였다. 절개가 돌과 같은데, 어찌 날이 저물도록 기다리겠는가? 결단을 알 수 있다. 군자는 미미한 것을 알고 드러날 것을 알며 부드러운 것을 알고 굳센 것을 아니 모든 사람이 바라본다."

夫見事之幾微者, 其神妙矣乎! 君子上交不至於諂, 下交不至於瀆者, 蓋知幾也. 不知幾則至於過而不已. 交於上, 以恭巽. 故過則爲諂. 交於下, 以和易. 故過則爲瀆. 君子見於幾微, 故不至於過也. 所謂'幾'者, 始動之微也, 吉凶之端, 可先見而未著者也. 獨言吉者, 見之於先, 豈復至有凶也. 君子明哲, 見事之幾微, 故能其介如石. 其守旣堅則不惑而明, 見幾而動, 豈俟終日也? '斷', 別也, 其判別, 可見矣. 微與彰柔與剛, 相對者也, 君子見微則知彰矣, 見柔則知剛矣. 知幾如是, 衆所仰也, 故贊之曰'萬夫之望'.

일의 기미를 아는 것은 신묘하구나! 군자가 윗사람과 사귈 때 아첨하지 않고, 아랫사람과 사귈 때 함부로 대하지 않는 것은 기미를 알기 때문이다. 기미를 알지 못하면 너무 지나치게 하면서도 멈추지 못한다. 윗사람을 사귈 때는 공손하게 한다. 그러므로 지나치면 아첨이다. 아랫사람을 사귈 때에는 온화하게 한다. 그러므로 지나치면 모독이다.

군자는 기미를 알기 때문에 지나치게 하지 않는다. 이른바 '기미
[幾]'는 처음에 움직이는 은미함이니, 길흉의 단서를 미리 알 수 있
으나, 아직 드러나지는 않은 것이다. 길(吉)함만을 말한 것은 미리
보았는데, 어찌 다시 흉하게 되겠느냐는 뜻이다. 군자는 명철하여
일의 기미를 알기 때문에 그 절개가 돌과 같을 수 있다. 지키는 것
이 이미 견고하면 헷갈리지 않고 밝아 기미를 알고 움직이니, 어찌
해가 지도록 기다리겠는가?

'결단[斷]'은 분별이니, 그 판별을 알 수 있다. 미미함과 드러남, 부
드움과 굳셈은 상대되는 것이니, 군자는 미미함을 보면 드러남을
알고 부드러움을 보면 굳셈을 안다. 기미를 아는 것이 이와 같아 사
람들이 우러러보는 것이기 때문에 '모든 사람들이 바라본다'라고 칭
찬하였다.

集說

● 王氏宗傳曰 : "凡人之情, 於逸豫之事, 心焉悅之, 必至於耽
戀而不舍, 何者. 有所溺故也. 唯知幾之君子, 其視樂豫之事, 如
將浼已, 斷而識之, 速而去之, 又豈俟終日也哉. 此其所以當豫
之時而獲吉也."[10]

왕종전(王宗傳)이 말했다. "사람들의 심정은 기쁜 일에 대해 기뻐
하여 반드시 탐닉하고 벗어나지 못하니 무엇 때문인가? 그것에 빠
져버리기 때문이다. 오직 기미를 아는 군자는 더럽혀질 것 같으면

---

10) 왕종전(王宗傳), 『동계역전(童溪易傳)』「예괘(豫卦)」.

결단코 알아서 신속하게 벗어나니, 또 어찌 날이 저물도록 기다리겠는가? 이 때문에 즐거운 때도 길하다."

● 邱氏富國曰, "豫諸爻以無所係應者爲吉. 豫初應四, 而三五比四, 皆有係者也. 是以爲凶爲悔爲疾. 獨六二陰靜而中正, 與四無係, 特立於衆陰之中, 而無遲遲耽戀之意. 方其靜也, 則確然自守而介于石, 及其動也, 則見幾而作不俟終日. 蓋其所居得正, 故動靜之間, 不失其正, 吉可知矣."

구부국(邱富國)이 말했다. "예괘의 여러 효에서는 매여서 호응함이 없음 길한 것으로 여긴다. 예괘의 초효는 사효와 호응하고 삼효와 오효는 사괘와 나란히 있으니, 모두 매여 있는 것들이다. 이 때문에 흉하고 후회가 있으며 병을 앓는다. 육이효만이 음으로 고요하고 중정하며 사효와 매여 있지 않으니, 여러 음효 가운데에 우뚝서서 느릿느릿 탐닉하는 마음이 없다. 고요히 있을 때는 굳게 스스로 지켜 돌처럼 견고하고, 움직일 때는 기미를 알아차리고 일어나 날이 저물도록 기다리지 않는다. 처신이 바름을 얻었기 때문에 움직이거나 고요히 있을 때에 그 바름을 잃지 않으니, 길함을 알 수있다."

六三, 盱豫, 悔, 遲, 有悔.

육삼효는 쳐다보며 즐기다가 후회함이니, 느리게 하면 후회가
있다.

本義

'盱', 上視也. 陰不中正而近於四. 四爲卦主, 故六三上視於四
而下溺於豫, 宜有悔者也. 故其象如此, 而其占爲事當速悔.
若悔之遲則必有悔也.

'쳐다본다[盱]'는 위로 올려다보는 것이다. 음이 중정하지 않고 사효
와 가깝다. 사효는 예괘의 주인이기 때문에 육삼효가 위로 사효를
쳐다보며 아래에서 즐기는 데 빠져 있다가 후회한다. 그러므로 그
상이 이와 같아 그 점이 일을 할 때 빨리 후회해야 하는 것이다.
후회를 느리게 하면 반드시 후회할 일이 있다.

程傳

六三, 陰而居陽, 不中不正之人也. 以不中正而處豫, 動皆有
悔. '盱', 上視也. 上瞻望於四則以不中正, 不爲四所取. 故有
悔也. 四豫之主, 與之切近, 苟遲遲而不前則見棄絶, 亦有悔
也. 蓋處身不正, 進退皆有悔咨, 當如之何. 在正身而已. 君
子處已 有道, 以禮制心, 雖處豫時, 不失中正. 故无悔也.

육삼효는 음이면서 양의 자리에 있으니 중정하지 못한 사람이다. 중정하지 못한데 즐겁게 처신하면 움직일 때마다 모두 후회하게 된다. '쳐다본다[盱]'는 위로 올려다보는 것이다. 위로 사효를 바라보면 중정하지 못해 사효가 취하지 않기 때문에 후회가 있다. 예괘의 주인인 사효가 그것과 매우 가까이 있다고 느릿느릿하며 앞으로 나아가지 않으면 버려지니, 이 또한 후회가 있는 것이다. 처신이 바르지 못하면 나아가고 물러남에 모두 후회와 부끄러움이 있으니, 어찌 해야 하겠는가? 몸을 바르게 해야 할 뿐이다. 군자의 처신에는 도리가 있으니, 예로써 마음을 제어하여 즐거운 때에 있을지라도 중정을 잃지 않기 때문에 후회가 없다.

集說

● 郭氏忠孝曰 : "處豫之道, 戒在不能自立, 而優遊無斷, 睢盱上視而悅之, 非介於石者也. 遲疑而有待, 非不終日者也."[11]

곽충효(郭忠孝)[12]가 말했다. "즐거움에 대처하는 도는 자립할 수

....

11) 정정조(程廷祚), 『대역택언(大易擇言)』 「예괘(豫卦)」

12) 곽충효(郭忠孝, ?~1128) : 자는 입지(立之)이고, 호는 겸산(兼山)이다. 북송대 낙양(현 하남성 낙양시) 사람으로 곽규(郭逵)의 아들이고 곽옹(郭雍)의 아버지이다. 정이(程頤)에게 『역(易)』과 『중용(中庸)』을 배웠다. 부친의 음사(蔭仕)로 우반전직(右班殿直)에 올랐다가 진사가 된 뒤 벼슬은 하동로제거(河東路提擧), 군기소감(軍器少監)을 역임했다. 금나라가 영흥(永興)을 침공할 때 수성(守城)하다가 성이 함락되자 전사했다. 그의 역학사상은 순희(淳熙) 연간에 편찬된 『대역수언(大易粹言)』에 정호(程顥)와 정이(程頤), 장재(張載), 양시(楊時), 유초(游酢), 곽옹

없어 한가롭게 결단하지 않고 벙글벙글 위로 쳐다보고 기뻐하며 돌처럼 견고하지 않는 것을 경계하였다. 마음을 결정하지 않고 기다리고 있으니, 날이 저물도록 하지 않는 것이 아니다."

● 胡氏炳文曰 : "二中而得正, 三陰不中正. 故'盰豫'與'介石'相反, '遲'與'不終日'相反, 中正與不中正故也. 六三雖柔, 其位則陽, 猶有能悔之意, 然悔之速可也, 悔之遲, 則又必有悔矣."[13]

호병문이 말했다. "이효는 가운데 있어 바름을 얻었는데, 삼효는 음으로 중정하지 않다. 그러므로 '올려다보는 것'과 '돌처럼 견고한 것'이 상반되고, '느리게 하는 것'과 '날이 저물도록 하지 않는 것'이 상반되니, 중정한 것과 중정하지 않은 것 때문이다. 육삼효가 부드러울지라도 그 위치가 양의 자리여서 여전히 후회할 수 있는 의미가 들어 있다. 그러나 후회는 빨리해야 되니, 후회를 느리게 하면 반드시 후회함이 있게 된다."

(郭雍) 등의 학설과 함께 실려 있다. 저서에 『중용설(中庸說)』, 『겸산역해(兼山易解)』, 『역서(易書)』, 『사학연원론(四學淵源論)』 등이 있다.
13) 호병문(胡炳文), 『주역본의통석(周易本義通釋)』「예괘(豫卦)」.

九四, 由豫, 大有得, 勿疑, 朋盍簪.

구사효는 말미암아 즐거워 크게 얻음이 있으니, 의심하지 않으면 벗들이 몰려올 것이다.

本義

九四, 卦之所由以爲豫者也. 故其象如此, 而其占爲大有得. 然又當至誠不疑, 則朋類合而從之矣, 故又因而戒之, '簪', 聚也, 又速也.

구사효는 괘가 즐거움이 된 이유이기 때문에 그 상이 이와 같고, 그 점이 크게 얻음이 있다. 그렇지만 또 지극한 정성으로 하고 의심하지 않아야 하니, 그렇게 하면 벗들이 합하여 따르기 때문에 또 그것을 가지고 경계하였다. '몰려온대[簪]'는 모인다는 것이며, 또 신속하다는 것이다.

程傳

豫之所以爲豫者, 由九四也. 爲動之主, 動而衆陰悅順, 爲豫之義. 四, 大臣之位, 六五之君, 順從之, 以陽剛而任上之事. 豫之所由也, 故云'由豫'. '大有得', 言得大行其志, 以致天下之豫也. '勿疑, 朋盍簪', 四居大臣之位, 承柔弱之君而當天下之任, 危疑之地也, 獨當上之倚任而下无同德之助, 所以疑

也, 唯當盡其至誠, 勿有疑慮, 則朋類自當盍聚. 夫欲上下之
信, 唯至誠而已. 苟盡其至誠, 則何患乎其无助也?

예괘가 예괘가 된 까닭은 구사효로 말미암은 것이다. 움직임의 주
인이 되어 움직이자 여러 음들이 기뻐하고 순종하니, 즐겁다는 뜻
이다. 사효는 대신의 자리인데, 육오의 임금이 순순히 따라주어 굳
센 양으로서 위의 일을 맡았다. 즐거움이 이로 말미암아 생기기 때
문에 '말미암아 즐거워한다'라고 하였다.

'크게 얻음이 있다'는 것은 그 뜻을 크게 행하여 온 천하의 즐거움을
이룬다는 말이다. '의심하지 않으면 벗들이 몰려든다'고 한 말은 구
사효가 대신의 지위에 있으면서 유약한 임금을 받들고 천하의 임무
를 담당해 위태롭고 의심받을 수 있는 자리인데, 홀로 윗사람의 의
지함과 신임을 받고 아래에 덕(德)이 같은 이들의 도움이 없기 때문
에 의심하는 것이니, 오직 지극한 정성을 다하고 의심하는 마음을
두지 않으면 벗들이 저절로 당연히 몰려든다는 뜻이다. 위아래로
신임을 받고자 한다면 지극한 정성을 다 해야 할 뿐이다. 지극히 정
성을 다한다면, 어찌 돕는 이가 없는 것에 대해 근심하겠는가?

'簪', 聚也. '簪'之名簪, 取聚髮也. 或曰, "卦唯一陽, 安得同德
之助?" 曰, "居上位而至誠求助, 理必得之, 姤之九五曰, '有隕
自天', 是也. 四以陽剛, 迫近君位, 而專主乎豫, 聖人宜爲之
戒而不然者, '豫', 和順之道也. 由和順之道, 不失爲臣之正
也. 如此而專主於豫, 乃是任天下之事, 而致時於豫者也, 故
唯戒以至誠勿疑."

'몰려온다[簪]'는 모여든다는 말이다. '모으는 것[簪]'을 '비녀'로 이름

붙인 것은 머리카락을 모으는 데서 그 의미를 취하였다. 어떤 이가 "괘에 오직 양이 하나인데, 어떻게 덕이 같은 이의 도움을 얻을 수 있습니까?"라고 하여 다음과 같이 대답했다. "윗자리에 있으면서 지극한 정성으로 도움을 구한다면, 이치상 반드시 얻을 수 있을 것입니다. 구(姤☰)괘 구오효에서 '하늘에서 떨어지는 것이 있다'는 말이 여기에 해당합니다. 구사효는 양의 군셈으로 임금의 자리에 매우 가까이 있어 오로지 즐거움을 주관하니, 성인(聖人)이 마땅히 경계하는데 그렇게 하지 않은 것은 '예(豫)'는 온순한 도리이기 때문입니다. 화순하게 하는 도리를 따르면 신하의 바름을 잃지 않습니다. 이렇게 하고서 오로지 즐거움을 주장한다면, 이는 바로 세상의 일을 맡아 그때에 세상을 즐거움에 이루기 때문에 오직 지성으로 하고 의심하지 말라고 경계하였던 것입니다."

集說

● 侯氏行果曰:"爲豫之主, 衆陰所宗, 莫不由之, 以得其逸. 體剛心直, 志不懷疑, 故得群物依歸, 朋從大合, 若以簪蔘之固括也."[14]

후행과(侯行果)[15]가 말했다. "예괘의 주인이 되어 여러 음이 높이

---

14) 이정조(李鼎祚), 『주역집해(周易集解)』 「예괘(豫卦)」.
15) 후행과(侯行果) : 당대(唐代) 상곡(上穀) 사람으로 후과(侯果)라고도 한다. 벼슬은 국자사업(國子司業)·대황태자독(待皇太子讀)을 지냈다. 저서는 모두 전해지지 않지만, 이정조(李鼎祚)의 『주역집해(周易集解)』에서 그의 주요사상을 엿볼 수 있다. 황석(黃奭)의 『황씨일서고(黃氏逸書考)』 가운데 『후과역주(侯果易注)』 한 책이 실려 있다.

니, 이것으로 말미암아 즐거움을 얻지 않음이 없다. 몸은 강하고
마음은 곧아 뜻이 의심하지 않기 때문에 모든 사람들이 귀의하고
벗들이 크게 합하니, 비녀로 굳게 묶어놓은 것과 같다."

● 耿氏南仲曰 : "九四爲震之主. 以象言之, 萬物莫不由雷以豫,
以爻言之, 五陰莫不由陽以豫, 是以大有得也. '大有得而勿疑',
乃能協衆力以安其上, 猶簪之總衆髮以安其冠. 若自疑則衆斯
睽矣, 未聞疑事而有功者也."16)

경남중(耿南仲)17)이 말했다. "구사효는 진(辰☳)괘의 주인이다. 상
으로 말하면, 만물이 우레로 말미암아 기뻐하지 않음이 없고, 효로
말하면 다섯 음이 양으로 말미암아 기뻐하지 않음이 없기 때문에
크게 얻음이 있다. '크게 얻음이 있으니 의심하지 않는다'는 여러
사람들의 힘을 모아 윗사람을 편하게 하는 일이 비녀로 머리카락을
모두 묶어 갓을 편하게 하는 것과 같다는 말이다. 스스로 의심하면
여러 사람들이 이 때문에 등지니, 일을 의심하면서 공이 있는 것에
대해서는 들어본 적이 없다."

16) 경남중(耿南仲), 『주역신강의(周易新講義)』「예괘(豫卦)」.
17) 경남중(耿南仲, ?~1129) : 송나라 유학자로 개봉(開封) 사람이며, 자는
   희도(晞道)이다. 신종(神宗) 5년(1082)에 진사가 된 후 흠종(欽宗)때는
   상서좌승과 문하시랑에 발탁되었다. 금나라가 공격해오자 적극 화친을
   주장해 이강(李綱) 등과 충돌했는데, 이 때문에 제대로 방어할 기회를
   놓쳐 버리고 말았다. 고종(高宗)이 즉위하자 화친을 주장해 나라를 그르
   쳤다면서 언관들이 따져 별가(別駕)로 좌천되고 남웅주(南雄州)에 안치
   되었는데, 가는 도중 길주(吉州)에서 죽었다. 저서로는 『주역신강의(周
   易新講義)』가 있다.

● 梁氏寅曰 : “由豫者, 言人心之和豫, 由四而致也. 處近君之地, 以剛而能柔, 衆陰之所順附, 此所謂‘大有得’也. 然人旣樂從, 則當開誠心, 布公道, 待以曠大之度, 不爲物我之私. 然後有以致人心之皆服, 故曰‘勿疑朋盍簪’.”[18]

양인(梁寅)[19]이 말했다. “‘말미암아 즐겁다’는 사람들의 마음이 화락하고 즐거운 것이 사효로 말미암아 그렇게 되었다는 말이다. 임금과 가까운 자리에 있고 굳셈이 부드러울 수 있어 여러 음이 따르니, 이것이 이른바 ‘크게 얻음이 있다’는 말이다. 그러나 사람들이 이미 기뻐하여 따른다면, 정성스런 마음을 열고 공평한 도를 펴며 광대한 헤아림을 갖추어 사물과 자신의 사사로움을 행하지 않아야 한다. 그런 다음에 사람들이 마음으로 복종하기 때문에 ‘의심하지 않으면 벗들이 몰려온다’라고 하였다.”

---

18) 양인(梁寅), 『주역참의(周易參義)』「예괘(豫卦)」.

19) 양인(梁寅, 1309~1390) : 원말명초 강서(江西) 신유(新喩) 사람으로 자는 맹경(孟敬)이고, 호는 양오경(梁五經) 또는 석문선생(石門先生)이다. 대대로 농사를 지어 가난했다. 스스로 배우기를 게을리 하지 않아 오경(五經)에 정통했고, 백가(百家)의 학설을 두루 익혔다. 여러 차례 과거에 응시했지만 떨어졌다. 원나라 말에 일찍이 집경로유학훈도(集慶路儒學訓導)로 부름을 받아 2년 동안 있다가 사직하고 은거하여 학생들을 가르쳤다. 명나라 초기에 명유(名儒)로 불려 예국(禮局)에서 각종 예제(禮制)에 대해 토론했는데, 논리가 정확하고 예리해 여러 학자들이 탄복했다. 예악서(禮樂書)를 찬수하고 벼슬을 내렸지만 사양하고 귀향하여 석문산(石門山)에서 학문을 강론했다. 저서에 『예서연의(禮書演義)』, 『주례고주(周禮考注)』, 『춘추고서(春秋考書)』 등이 있었지만 전해지지 않고, 『석문집』과 『주역참의(周易參義)』, 『시연의(詩演義)』만 남아 있다.

● 蔡氏清曰 : "九四由豫大有得矣, 又必戒以勿疑明盍簪者, 誠心由豫, 任大責重, 難以獨力, 必得同德者以自輔. 自古以聖哲之資, 而居元臣之任者, 如舜則擧八元八凱, 伊尹周公, 皆有俊乂吉人之助, 諸葛孔明, 亦必開誠心以來諸賢之益, 聖人命辭之意深矣哉."[20]

채청(蔡清)이 말했다. "구사효는 말미암아 즐거워 크게 얻음이 있는데, 또 반드시 의심하지 않으면 벗들이 몰려온다라고 경계한 것은 정성스러운 마음으로 말미암아 즐거우나 책임이 중대하여 혼자힘으로 하기 어려우니, 반드시 같은 덕을 가진 자들을 얻어 스스로 돕게 하려는 뜻이다. 옛날부터 성인과 철인의 자질로 중신의 책임을 맡은 경우는 이를테면 순임금은 여덟 명의 온화한 사람과 여덟명의 선량한 사람을 등용했고, 이윤(伊尹)과 주공(周公)은 모두 자질이 출중하고 좋은 사람들의 도움을 받았으며, 제갈공명(諸葛孔明)도 반드시 정성스러운 마음을 열어 여러 현인들의 도움을 불러들였으니, 성인이 괘사에 붙인 의미가 심오하다."

● 何氏楷曰 : "'簪', 聚也. 簪之名簪, 取聚髮也. 或謂古冠服無簪, 按鹽鐵論, 神禹治水, 遺簪不顧, 非簪而何, 卽弁服之笄是也."[21]

하해(何楷)가 말했다. "'몰려온다'는 모은다는 것이다. '모으는 것 [簪]'을 '비녀'로 이름붙인 것은 머리카락을 모으는 의미를 취하였다. 어떤 사람이 '옛 관복(冠服)에는 비녀가 없다'고 한다. 그런데

....

20) 채청(蔡清), 『역경몽인(易經蒙引)』 「예괘(豫卦)」.
21) 하해(何楷), 『고주역정고(古周易訂詁)』 「소축괘(小畜卦)」.

살펴보건대, 『염철론(鹽鐵論)』[22]에서 '우(禹)가 물길을 다스릴 때, 비녀를 잃어버리고도 돌아보지 않았다'는 것은 비녀가 아니고 무엇이겠는가? 곧 변복(弁服)에서 비녀가 여기에 해당한다."

---

22) 『염철론(鹽鐵論)』: 중국(中國) 전한(前漢)의 환관이 엮은 책(冊)으로 소금·철(鐵)·술 등의 전매(專賣) 정책의 가부(可否)를 둘러싼 토론을 정리한 것이다. 의논(議論)은 정치·경제·문화 등에 미쳤으며 전한 시대의 상황을 아는 데 중요한 12권의 문헌이다.

六五, 貞疾恒, 不死.

육오효는 고질병으로 늘 앓지만 죽지 않는다.

本義

當豫之時, 以柔居尊, 沈溺於豫, 又乘九四之剛, 衆不附而處勢危. 故爲貞疾之象, 然以其得中, 故又爲恒不死之象. 卽象而觀, 占在其中矣.

즐거운 때에 유약한 음이 존귀한 자리에 있으면서 즐거움에 빠지고, 또 굳센 구사효를 올라타서 무리가 따르지 않으니 처한 형세가 위태롭다. 그러므로 고질병을 앓는 상이지만 가운데 자리에 있기 때문에 늘 앓으면서 죽지는 않는 상이다. 상으로 보면 점이 그 가운데 있다.

程傳

六五以陰柔居君位, 當豫之時, 沈溺於豫, 不能自立者也. 權之所主, 衆之所歸, 皆在於四. 四之陽剛得衆, 非耽惑柔弱之君, 所能制也. 乃柔弱不能自立之君, 受制於專權之臣也. 居得君位, 貞也, 受制於下, 有疾苦也. 六居尊位, 權雖失而位未亡也, 故云‘貞, 疾恒, 不死’, 言貞而有疾. ‘常疾而不死’, 如漢魏末世之君也. 人君致危亡之道非一, 而以豫爲多. 在四不言失正, 而於五乃見其强逼者, 四本無失. 故於四言大臣任天下之事之義, 於五則言柔弱居尊, 不能自立, 威權去己之義. 各據爻以取義, 故不同也.

육오효가 유약한 음으로 임금의 자리에 있으면서 즐거운 때를 만나 그것에 빠져 스스로 일어나지 못한다. 권세를 주관하고 사람들이 모여드는 것이 모두 사효에 있다. 굳센 양인 사효가 대중을 얻는 것은 유혹에 빠진 유약한 임금이 제재할 수 있는 일이 아니니, 바로 유약하여 스스로 설 수 없는 임금이 권력을 마음대로 하는 신하에게 견제를 받는다. 거처가 임금의 자리에 있음은 바른 것이고, 아랫사람에게 견제를 받음은 병을 앓는 고통이 있는 것이다.

음이 존귀한 자리에 있어 권력은 잃었을지라도 지위는 잃지 않았기 때문에 '바를지라도 늘 병을 앓고 죽지는 않는다'라고 하였으니, 바르지만 병을 앓는다는 말이다. '늘 병을 앓지만 죽지 않는다'는 것은 한(漢)나라와 위(魏)나라 말세의 임금과 같다. 임금이 위태로워 망하게 되는 길은 한 가지가 아니지만 즐기다가 대부분 그렇게 된다. 사효에서는 바름을 잃었다고 말하지 않다가 오효에서 굳셈이 핍박하는 것을 드러내었으니, 사효는 본래 잘못이 없다. 그러므로 사효에서는 대신(大臣)이 천하의 일을 맡는 뜻을 말하였고, 오효에서는 유약한 것이 존귀한 자리에 있어 스스로 일어나지 못해 권위가 자신에게서 떠난 뜻을 말하였다. 각각 효에 따라 뜻을 취했기 때문에 같지 않은 것이다.

若五不失君道, 而四主於豫, 乃是任得其人, 安享其功, 如太甲成王也. 蒙亦以陰居尊位, 二以陽爲蒙之主. 然彼吉而此疾者, 時不同也. 童蒙而資之於人, 宜也, 耽豫而失之於人, 危

亡之道也. 故蒙相應則倚任者也. 豫相逼則失權者也, 又上下
之心, 專歸於四也.

오효가 임금의 도리를 잃지 않았는데 구사효가 즐거움을 주관한다
면, 맡긴 것이 그 사람을 얻어 그 공을 편안히 누리는 상황이니, 이
를테면 태갑(太甲)[23]과 성왕(成王)[24]이다.

몽(蒙☷☶)괘도 음이 존귀한 자리에 있어 구이가 양(陽)으로 몽괘의
주인이 되었다. 그런데 거기에서는 길하고[25] 여기에서 병으로 앓는

----

23) 태갑(太甲) : 상(商)나라의 제2대 왕인 태종(太宗)이다. 은왕 중임(仲壬)
이 죽자 이윤(伊尹)이 성탕(成湯)의 적장손인 태정(太丁)의 아들 태갑을
세웠다. 태갑이 즉위하고 3년이 지나 욕망을 억제하지 못하고 포학해지
며 탕의 법을 존중하지 않고 덕을 어지럽혔기 때문에 이윤은 그를 동궁
(桐宮)에 가두었다. 그곳에서 3년 뒤 태갑이 잘못을 뉘우치고 스스로 선
해지려고 노력했다. 이에 이윤은 태갑을 맞이하여 정사를 맡겼고, 태갑
은 덕을 닦았다. 그러니 제후가 모두 그에게 돌아오고, 백성이 안녕하여
은나라가 흥했다. 이윤이 이를 기뻐하며 『태갑(太甲)』 3편을 지었다고
한다. 재위기간은 33년인데, 일설에는 13년이라고 한다. 태종이라고도
부른다.

24) 성왕(成王) : 주나라 제2대 왕으로 이름은 송(誦)이고 무왕(武王)의 아들
이다. 무왕이 죽었을 때는 아직 어려 무왕의 아우 주공(周公) 단(旦)이
섭정했다. 이를 계기로 은(殷)나라의 왕족 무경(武庚)과 무왕의 아우인
관(管), 채(蔡) 형제의 반란이 일어났다. 주공은 이를 진압하고 다시 성
왕과 함께 동이(東夷)로 원정했다고 한다. 성왕은 귀환한 뒤 하남(河南)
의 낙읍(洛邑)에 새로 동도(東都)를 정하고, 동방제국(東方諸國) 지배의
중진으로서 주공을 그곳에 있게 했다. 주공은 섭정 7년에 성왕에게 정사
를 넘겨주었다고 한다. 성왕은 미자계(微子啓)를 송(宋)에, 강숙(康叔)
을 위(衛)에 봉하면서 나라의 기초를 다지고, 주공 단과 소공(召公) 석
(奭)의 보좌를 받아 치세에 힘썼기에 그때부터 강왕(康王) 시대까지 주
나라의 성시(盛時)를 실현했다고 한다.

것은 때가 같지 않기 때문이다. 철부지 어린아이여서 남에게 도움을 받음은 마땅한 것이고, 즐기는 데 빠져 남에게 권세를 잃음은 위태롭고 망하는 길이다. 그러므로 몽괘에서 서로 호응함은 의지해 일을 맡기는 것이다. 예괘에서 서로 가까워짐은 권세를 잃는 것인데, 위아래의 마음은 오로지 구사에게로 돌아간다.

集說

● 王氏宗傳曰 : "當逸豫之時, 恣驕侈之欲, 宜其死於安樂有餘也. 然乘九四之剛, 恃以拂弼於己, 故得恒不死也. 孟子曰, '入則無法家拂士, 出則無敵國外患者, 國恒亡, 然後知生於憂患, 而死於安樂也.' 則六五之得九四, 得法家拂士也, 故雖當豫之時, 不得以縱其所樂. 唯不得以縱其所樂, 則恒不死宜也. 夫當豫之時, 而不爲豫者, 以正自守也, 六二是也. 當豫之時, 而不得豫者, 見正於人也, 六五是也. 此豫之六爻, 唯六二六五, 所以不言豫焉."26)

왕종전27)이 말했다. "즐거운 때에 잘난 체 거만한 욕심을 마음대로 하면 안락이 넘치는 데서 죽는 것이 당연하다. 그러나 구사효라는

─────────

25) 『주역(周易)』「몽괘(蒙卦)」: "六五, 童蒙, 吉.[육오효는 철부지 어린이이니 길하다.]"라고 하였다.

26) 왕종전(王宗傳), 『동계역전(童溪易傳)』「예괘(豫卦)」.

27) 왕종전(王宗傳) : 자는 경맹(景孟)이고, 송대 영덕(寧德 : 현 복건성 영덕시) 사람이다. 1181년에 진사에 급제하여 소주교수(韶州敎授)를 역임하였다. 왕필의 의리역학을 추종하여 상수역학을 배척하였다. 저서에는 『동계역전(童溪易傳)』이 있다.

굳셈을 올라타고 있어 자신을 한껏 돕는 것에 의지하기 때문에 항상됨을 얻어 죽지 않는다. 『맹자(孟子)』「고자하(告子下)」에서 '안으로는 법도를 지키는 대신과 보필하는 선비가 없으며, 밖으로는 적국과 외환이 없을 경우에 나라는 언제나 망하니, 그런 다음에 우환에서 살고 안락에서 죽는다는 것을 안다'라고 하였다.

그렇다면 육오효가 구사효를 얻음은 법도를 지키는 신하와 보필하는 선비를 얻은 것이기 때문에 즐거운 때일지라도 그것을 즐길 수 없다. 오직 그 즐거움을 즐기지 않으면 언제나 죽지 않는 것은 당연하다. 즐거운 때에 그렇게 하지 않는 것은 바로 스스로 지키는 일이니, 육이효가 여기에 해당한다. 즐거운 때인데 즐거울 수 없는 것은 사람들에게서 바름을 보는 일이니, 육오가 여기에 해당한다. 이것은 예괘의 여섯 효에서 육이효와 육오효뿐이기 때문에 즐거움을 말하지 않았다."

● 何氏楷曰 : "六五以柔居尊, 當豫之時, 易於沈溺. 必戰兢畏惕, 常如疾病在身, 乃得恒而不死, 所謂'生於憂患'者也."[28]

하해(何楷)[29]가 말했다. "육오효는 부드러운 것이 존귀한 자리에 있어 즐거운 때에 그것에 탐닉하기 쉽다. 반드시 전전긍긍하고 두

28) 하해(何楷), 『고주역정고(古周易訂詁)』「예괘(豫卦)」.
29) 하해(何楷) : 자는 현자(玄子)이고 호는 황여(黃如)이다. 명말청초 때 장주 진해위(漳州鎭海衛 : 현 복건성 용해시〈龍海市〉) 사람이다. 천계(天啓) 5년(1625)에 진사에 급제하여 벼슬은 호부주사(戶部主事), 공과급사중(工科給事中), 호부상서(戶部尙書) 등을 역임했다. 직언과 직간으로 유명했는데, 말년에 정성공(鄭成功)의 부친인 정지룡(鄭芝龍)과 뜻이 어긋나서 사직하고 귀향했다. 저서에는 『고주역정고(古周易訂詁)』, 『시경세본고의(詩經世本古義)』 등이 있다.

렵게 여기고 삼가기를 항상 몸에 병이 있는 것처럼 해야 항상됨을
얻어 죽지 않으니, 이른바 '우환에서 산다[30]'는 것이다."

案

● 王氏、何氏說, 深得爻義.

왕씨와 하씨의 설명이 효의 의미를 깊이 얻었다.

---

30) 『맹자』「고자(告子)하」: "生於憂患而死於安樂也.[우환에서 살고 안락에
서 죽는다.]"라고 하였다.

上六, 冥豫成, 有渝无咎.

상육효는 즐거움에 눈멂이 이루어졌으나 변함이 있을 것이니, 허물이 없다.

以陰柔, 居豫極, 爲昏冥於豫之象. 以其動體, 故又爲其事雖成, 而能有渝之象. 戒占者如是, 則能補過而无咎, 所以廣遷善之門也.

유약한 음으로 즐거움의 끝에 있으니 즐거움에 눈이 먼 상이다. 그러나 움직이는 몸체이기 때문에 또 그 일이 이루어졌을지라도 변화할 수 있는 상이다. 점치는 자가 이와 같이 하면 잘못을 보충하여 허물이 없다고 경계했으니, 착한 데로 옮겨갈 수 있는 문을 넓혔다.

上六, 陰柔, 非有中正之德, 以陰居上, 不正也, 而當豫極之時. 以君子居斯時, 亦當戒懼, 況陰柔乎! 乃耽肆於豫, 昏迷不知反者也. 在豫之終, 故爲昏冥已成也, 若能有渝變, 則可以无咎矣. 在豫之終, 有變之義. 人之失, 苟能自變, 皆可以无咎. 故冥豫雖已成, 能變則善也. 聖人發此義, 所以勸遷善也. 故更不言冥之凶, 專言渝之无咎.

상육효는 유약한 음이어서 중정한 덕이 있지 않고, 음으로 끝에 있어 바르지 못한데, 극도로 즐거운 때를 만났다. 군자는 이러한 때에도 경계하고 두려워해야 하는데, 하물며 유약한 음임에야 말해 무엇 하겠는가! 마침내 즐거움을 마음대로 탐닉함으로 눈이 멀어 돌아갈 줄 모르는 것이다.

즐거움의 끝에 있기 때문에 눈멂이 이미 이루어졌을지라도 변할 수 있다면 허물이 없을 수 있다. 즐거움의 끝에 있기에 변하는 뜻이 있다. 사람들이 잘못을 하더라도 스스로 변할 수 있으면, 모두 허물이 없을 수 있다. 그러므로 즐거움에 눈멂이 이미 이루어졌을지라도 변할 수 있으면 좋다. 성인이 이런 뜻을 말한 이유는 착한 데로 옮겨갈 것을 권한 것이다. 그러므로 눈이 멀어 흉하다는 것을 다시 말하지 않고, 변하면 허물이 없다고 오로지 말하였다.

集說

● 王氏應麟曰 : "冥於豫而勉其有渝, 開遷善之門也. 冥於升而勉其不息, 回進善之機也."[31]

왕응린(王應麟)이 말했다. "즐거움에 눈이 멀었으나 변함이 있기를 권했으니, 착한 데로 옮겨가는 문을 열어놓았다. 올라가는 것에 눈이 멀었으나 쉬지 않는 바름을 권했으니, 착한 데로 나아가는 기틀로 되돌린 것이다."[32]

---

31) 왕응린(王應麟), 『곤학기문(困學紀聞)』「역(易)」.
32) 『주역(周易)』「승괘(升卦)」 : "上六, 冥升, 利于不息之貞.[상육효는 올라가는 것에서 어둡게 되었으니, 쉬지 않는 바름에서야 이로울 것이다.]"라고 하였다.

‘貞疾’與‘成有渝’兩爻之義, 亦相爲首尾. 如人之耽於逸樂, 而不
能節其飲食起居者, 是致死之道也. 苟使縱其欲而無病, 則將一
病不支, 而亡也無日矣. 唯其常有疾也, 故常能憂懼儆戒而得不
死也. 然所貴乎憂懼儆戒者, 以其能改變爾. 向也耽於逸樂, 昏
冥而不悟, 殆將習與性成矣. 今乃一變所爲, 而節飲食, 愼起居,
則可以復得其性命之理, 豈獨不死而已乎? 故於五不言無咎, 而
於上言之, 所以終卦義而垂至戒也.

‘고질병’과 ‘이루어졌으나 변함이 있을 것’이라는 두 효의 의미는 또
한 서로 머리와 꼬리가 된다. 이를테면 사람이 즐거움에 빠져 음식
과 생활을 절제할 수 없는 것은 죽음에 이르는 길이다. 욕심대로
마음대로 하고도 병이 없다면, 하나의 병을 막지 못해 바로 망하게
된다. 다만 언제나 병이 있기 때문에 항상 걱정하고 경계하면 죽지
않을 수 있다.

그런데 걱정과 경계를 귀하게 여기는 것은 고쳐서 변할 수 있기 때
문이다. 먼저는 즐거움에 빠져 어둡게 되었는데도 깨닫지 못해 거
의 습관이 본성처럼 된 것이다. 이제 한 번 그것을 고쳐 음식을 절
제하고 생활을 삼가면, 다시 성명의 이치를 얻을 것이니, 어찌 죽지
않을 뿐이겠는가? 그러므로 오효에서 허물이 없다고 말하지 않고
상효에서 말했으니, 괘의 의미를 마치면서 지극한 경계를 내리기
위한 것이다.

17. 수隨괘

震上
兌下

程傳

隨,「序卦」, "豫必有隨, 故受之以隨." 夫悅豫之道, 物所隨也,
隨所以次豫也. 爲卦兌上震下. 兌爲說, 震爲動, 說而動, 動
而說, 皆隨之義. 女隨人者也, 以少女從長男, 隨之義也. 又
震爲雷, 兌爲澤, 雷震於澤中, 澤隨而動, 隨之象也. 又以卦
變言之, 乾之上來居坤之下, 坤之初徃居乾之上, 陽來下於
陰也. 以陽下陰, 陰必說隨, 爲隨之義. 凡成卦旣取二體之
義, 又有取爻義者, 復有更取卦變之義者, 如隨之取義, 尤爲
詳備.

수(隨)는 「서괘전」에서 "기뻐하면 반드시 따르기 때문에 수괘(隨卦)
로 받았다"라고 하였다. 기뻐하는 도는 만물이 따르니, 수(隨☱)괘
가 예(豫☷)괘의 다음에 있다. 괘의 모양은 태(兌☱)괘가 위에 있고
진(震☳)괘가 아래에 있다.

태괘가 기쁨이고 진괘가 움직임이니, 기뻐해서 움직이고 움직여서
기뻐하는 것은 모두 수괘의 뜻이다. 여자는 남자를 따르니, 막내딸
이 맏아들을 따르는 것이 수괘의 뜻이다. 또 진괘는 우레이고 태괘
는 못이니, 우레가 못 속에서 움직이고 못이 따라서 움직이는 것이

수괘의 모양이다.

또 괘의 변화로 말하면, 건(乾☰)괘의 상효가 와서 곤(坤☷)괘의 아래에 있고 곤괘의 초효가 가서 건괘의 위에 있으니, 양이 와서 음에게 낮추는 것이다. 양이 음에게 낮추면 음이 반드시 기뻐하여 따르는 것이 수괘의 뜻이 된다.

괘를 이룸에 이미 두 몸체의 뜻을 취했는데, 또 효의 뜻을 취하는 경우가 있고, 다시 괘가 변화는 뜻을 취한 경우가 있으니, 이를테면 수괘가 뜻을 취한 것에 자세히 구비되어 있다.

隨, 元亨, 利貞无咎.

수괘는 크게 형통하나, 곧게 하는 것이 이롭고 허물이 없다.

'隨', 從也. 以卦變言之, 本自困卦九來居初, 又自噬嗑九來居五, 而自未濟來者, 兼此二變, 皆剛來隨柔之義. 以二體言之, 爲此動而彼說, 亦隨之義, 故爲隨. 己能隨物, 物來隨己, 彼此相從, 其通易矣. 故其占爲元亨. 然必利於貞, 乃得无咎, 若所隨不貞, 則雖大亨, 而不免於有咎矣.『春秋傳』, "穆姜曰, '有是四德, 隨而无咎, 我皆无之, 豈隨也哉?'" 今按, 四德雖非本義, 然其下云云, 深得占法之意.

'수(隨)'는 따르는 것이다. 괘의 변화로 말하면, 본래 곤(困☶)괘에서 양이 와서 초효의 자리에 있고, 또 서합(噬嗑☲)괘에서 양이 와서 오효의 자리에 있으며, 미제(未濟☲)괘에서 온 것은 여기의 두 가지 변화를 겸하였으니, 모두 굳센 것이 와서 부드러운 것을 따르는 뜻이다. 두 괘로 말하면, 이것이 움직이고 저것이 기뻐하는 것이 또한 따른다는 뜻이기 때문에 수(隨☶)괘이다.

자신이 사물을 따를 수 있고, 사물이 와서 자신을 따라 피차가 서로 따르니 통하기 쉽다. 그러므로 그 점은 크게 형통한 것이다. 그러나 반드시 곧은 것을 이롭게 여겨야 허물이 없으니, 따르는 것이 곧지 못하면 비록 크게 형통하더라도 허물을 벗어나지 못한다.

『춘추전』에 "목강(穆姜)이 '이 네 가지 덕이 있어야 따라도 허물이 없을 것인데, 나에게는 전혀 없으니, 어찌 따르겠는가?'"[1]라고 하였다. 지금 살펴보건대, 네 가지 덕은 본래의 뜻이 아닐지라도 그 아래에서 말한 것은 점치는 법의 의미를 깊이 이해했다고 하겠다.

程傳

隨之道, 可以致大亨也. 君子之道, 爲衆所隨, 與己隨於人, 及臨事擇所隨, 皆隨也. 隨得其道, 則可以致大亨也. 凡人君之從善, 臣下之奉命, 學者之徙義, 臨事而從長, 皆隨也. 隨之道, 利在於貞正, 隨得其正, 然後能大亨而无咎. 失其正, 則有咎矣, 豈能亨乎?

따르는 도는 크게 형통할 수 있다. 군자의 도는 사람들이 따르는 바와 자기가 남을 따르는 것, 일을 하면서 따를 바를 선택하는 것이 모두 따름이다. 따름이 도리를 얻으면 크게 형통할 수 있다. 임금이 선을 따르고 신하가 명을 받들며 학자가 의를 따르고 일을 하며 어른을 따르는 것이 모두 따름이다. 따르는 도는 이로움이 곧고 바른 것에 있으니, 따름이 그 바름을 얻은 다음에야 크게 형통하여 허물이 없을 수 있다. 바름을 잃으면 허물이 있으니, 어떻게 형통할 수 있겠는가?

集說

● 石氏介曰 : "凡隨之義, 可隨則隨. 若唯隨之務, 不以正道, 安

1) 『춘추좌전(春秋左傳)』「양공9년(襄公九年)」.

得亨乎?"[2]

석개(石介)가 말했다. "수괘의 의미는 따라야 되면 따르는 것이다. 그런데 따라야만 할 일이 바른 도리로 하는 것이 아니라면 어떻게 형통할 수 있겠는가?"

案

以二體言之, 震剛下兌柔, 以卦畫言之, 剛爻下於柔爻, 六十四卦中唯此一卦, 此卦名爲「隨」之第一義也. 其象則如以貴下賤, 以多問於寡, 乃堯舜所謂舍己從人者, 其義最大, 故其辭曰, '元亨'. 又曰, '利貞无咎者', 明所隨必得其正, 所以終'元亨'之義也. 然則卦義所主, 在以己隨人, 至於物來隨己, 則其效也. 若以爲物所隨爲卦名之本義, 則非矣.

두 괘로 말하면 진(震☳)괘의 굳셈이 태(兌☱)괘의 부드러움 아래에 있고, 괘의 획으로 말하면 굳센 효가 부드러운 효의 아래에 있는 것은 64괘에서 이 하나의 괘일 뿐이니, 이 괘의 이름이 수(隨☳)괘가 된 첫 번째 의미이다.

그 모양은 귀한 것이 천한 것에게 낮추고 많은 것이 적은 것에게 묻는 것과 같으니, 바로 요임금과 순임금이 이른바 자신을 버리고 남을 따르는 것으로 그 의미의 가장 큰 것이다. 그러므로 그 말에 '크게 형통하다'라고 하였다.

그런데 또 '곧게 함이 이롭고 허물이 없다'라고 한 것은 따름이 반드시 바름을 얻어야 됨을 밝혔고, '크게 형통하다'는 의미를 종결하였다. 그렇다면 괘의 의미에서 주로 하는 것은 자신이 남을 따름에

---

2) 정정조(程廷祚), 『대역택언(大易擇言)』「수괘(隨卦)」.

있고, 사물이 와서 자신을 따르는 것은 그 효과이다. 사물이 따르는 것을 괘 이름의 본래 의미로 여겼다면 잘못이다.

初九, 官有渝, 貞吉, 出門交, 有功.

초구효는 주장함에 변함이 있으니, 곧게 하면 길하고 문을 나가 사귐에 공이 있다.

本義

卦以物隨爲義, 爻以隨物爲義. 初九以陽居下, 爲震之主, 卦之所以爲隨者也. 旣有所隨, 則有所偏主, 而變其常矣. 惟得其正則吉, 又當出門以交, 不私其隨, 則有功也. 故其象占如此, 亦因以戒之.

괘에서는 사물이 따르는 것을 뜻으로 하였고, 효에서는 사물을 따르는 것을 뜻으로 하였다. 초구효는 양으로 아래에 있어 진(震☳)괘의 주인이 되었으니, 괘가 수(隨䷐)괘가 된 까닭이다. 이미 따르는 것이 있었으면 치우치게 주장하는 바가 있어 그 일정한 것을 변하게 한다. 그러니 오직 바름을 얻으면 길하고, 또 문을 나가 사귀면서 따르는 것을 사사롭게 하지 않으면 공이 있다. 그러므로 그 상과 점이 이와 같고, 또한 그것으로 경계하였다.

程傳

九居隨時而震體, 且動之主, 有所隨者也. '官', 主守也. 旣有所隨, 是其所主守有變易也. 故曰, '官有渝'. '貞吉'所隨得正

則吉也. 有渝而不得正, 乃過動也. '出門交, 有功', 人心所從,
多所親愛者也, 常人之情, 愛之則見其是, 惡之則見其非. 故
妻孥之言, 雖失而多從, 所憎之言, 雖善爲惡也. 苟以親愛而
隨之, 則是私情所與, 豈合正理? 故出門而交, 則有功也. '出
門', 謂非私暱. 交不以私, 故其隨當而有功.

구(九)는 따르는 때에 있고 진괘의 몸체이며 또 움직임의 주인이니,
따르는 것이 있다. '주장한다[官]'는 주장하여 지키는 것이다. 이미
따름이 있었으면 주장하여 지킴에 변함이 있다. 그러므로 '주장함에
변함이 있다'라고 하였다.
'곧게 하면 길하다'는 따르는 것이 바르면 길하다는 말이다. 변함이
있는데 바르지 못함은 지나치게 움직인 것이다. '문을 나가 사귐에
공이 있다'는 것은 다음과 같은 의미이다. 사람이 마음으로 따르는
것은 친애하는 경우가 많으니, 보통 사람의 감정은 사랑하면 그가
옳은 것을 보고 미워하면 그가 잘못인 것을 보기 때문에 처자식의
말은 잘못되었을지라도 대부분 따르고, 싫어하는 사람의 말은 좋을
지라도 나쁘게 여긴다. 친애한다고 따르면 사사로운 감정으로 함께
하는 것이니, 어찌 바른 이치에 합하겠는가? 그러므로 문을 나가 사
귀면 공이 있다는 것이다. '문을 나감'은 사사롭게 친애하는 것이 아
님을 말한다. 사귀는 일을 사사롭게 하지 않기 때문에 따르는 것이
마땅하여 공이 있다.

集說

● 孔氏穎達曰 : "人心所主謂之'官'. '渝', 變也. 初九無應, 無所
偏係, 可隨則隨, 是所執之志能渝變也. 唯正是從, 故貞吉也. 所

隨不以私, 見善則往隨之, 以此出門, 交獲其功."3)

공영달(孔穎達)이 말했다. "사람이 마음으로 주장하는 것을 '주장함[官]'이라 한다. '변함[渝]'은 달라짐이다. 초구효는 호응함이 없고 치우치게 걸려 있는 일이 없어 따라야 되는 것은 따르니, 지키고 있는 뜻에 변화가 있다. 오직 바른 것을 따르기 때문에 곧게 하면 길하다. 따르는 것을 사사롭게 하지 않으니, 선을 보면 가서 따르고, 이렇게 문을 나가 사귐에 공을 얻는다."

● 房氏喬曰 : "出門有功, 先擇後交."4)

방교(房喬)5)가 말했다. "문을 나가 공이 있는 것은 먼저 선택하고 후에 사귄다."

● 石氏介曰 : "陽在二陰之下, 以剛下柔, 孰不從之. 故出門則人從之."6)

---

3) 공영달(孔穎達), 『주역주소(周易注疏)』「수괘(隨卦)」.

4) 이형(李衡), 『주역의해촬요(周易義海撮要)』「수괘(隨卦)」.

5) 방교(房喬, 579~648) : 제주(齊州) 임치(臨淄) 사람으로 자는 현령(玄齡)이다. 당(唐)나라 대신(大臣) 방언겸(房彦謙)의 아들이다. 18세에 진사(進士)가 되었고, 벼슬은 우기위(羽騎尉)가 되었다. 뒤에 이세민(李世民)에게 투항하여 참모가 되었다. 그는 이세민의 현무문(玄武門) 변란을 두여회(杜如晦), 장손무기(長孫無忌), 위지경덕(尉遲敬德), 후군집(侯君集) 등과 주도적으로 추진하여 일등공신이 되었다. 이세민이 황제가 된 후에 중서령(中書令), 상서좌부야(尙書左仆射)가 되었고, 양국공(梁國公)으로 봉해졌다. 그 뒤에 사공(司空)이 되어 조정의 정사를 총괄하였다. 시호는 문소(文昭)이다.

석개가 말했다. "양이 두 음의 아래에 있어 굳셈이 부드러움에 낮추니, 누군들 따르지 않겠는가? 그러므로 문을 나가면 사람들이 따르는 것이다."

● 『朱子語類』, 問 : "'初九, 官有渝, 貞吉, 出門交, 有功', '官'是主字之義, 是一卦之主首, 變得正便吉, 不正便凶."
曰 : "是如此."[7]

『주자어류』에서 물었다. "'초구효는 주장함에 변함이 있으니, 곧게 하면 길하고 문을 나가 사귐에 공이 있다'에서 '주장함'은 주로 함이라는 의미로 한 괘의 주인이니, 변함에 바름을 얻으면 길하고 바르지 못하면 흉합니다."
대답했다. "그렇습니다."

● 張氏淸子曰 : "'官', 主也. '渝', 變也. 當隨之初, 剛來下柔, 爲震之主, 震, 動也, '官有渝', 是主守有變動之象. 隨時而動, 有所變易, 不能保其無偏也, 故必變而從正則吉. '出門而交', 卽'同人于門'之意. 得隨之正而不牽於私, 則有功而無失矣."[8]

장청자(張淸子)가 말했다. "'주관함'은 주로 함이고, '변함'은 달라짐이다. 따르는 처음에 굳셈이 와서 부드러움에 낮추니, 진(震☳)괘의 주인이다. 진(震)은 움직임이다. '주장함에 변함이 있다'는 주인이 지키는 것에 변동이 있는 모양이다. 때를 따라 움직임에 달라짐이 있으면, 치우침이 없는 것을 유지할 수 없기 때문에 반드시 변해

----

6) 이형(李衡), 『주역의해촬요(周易義海撮要)』「수괘(隨卦)」.
7) 『주자어류』 권70, 181조목.
8) 정정조(程廷祚), 『대역택언(大易擇言)』「수괘(隨卦)」.

야 하는데 바름을 따르면 길하다. '문을 나가 사귄다'는 것은 동인
(同人☰)괘의 '문밖에서 사람들과 함께 한다'[9]는 의미이다. 따름의
바름을 얻어 사사롭게 이끌리지 않으면 공은 있고 잘못은 없다."

● 俞氏琰曰 : "隨之六爻, 專取相比相隨, 不取其應. 初九震體,
震以剛爻爲主, 官也. 官雖貴乎有守, 然處隨之時, 不可守常而
不知變也. 變者何? 趨時從權, 不以主自居也. 故曰, '官有渝'.
初九乃成卦之主爻, 主不可以隨人, 故不言隨而言'交'. '係'者,
隨而攀戀不舍之義. 六二六三上六, 其性皆陰柔, 而攀戀相隨不
舍, 故皆言 '係'."[10]

유염(俞琰)이 말했다. "수괘의 여섯 효에서는 오로지 서로 나란히
함과 서로 따름만 취하고 호응은 취하지 않았다. 초구효는 진(震
☳)괘의 몸체인데, 그것은 굳센 효로 주인을 삼으니, 주장함이다.
주장함은 지킴이 있는 것을 귀하게 여길지라도 따르는 때에 일정함
을 지켜 변함을 몰라서는 안 된다. 변함은 무엇인가? 시기적절함을
따르고 권도를 추종하며 주인으로 자처하지 않는 것이다. 그러므로
'주장함에 변함이 있다'고 하였다. 초구는 바로 괘를 이루는 주인이
되는 효여서 주장함에 남을 따라서는 안 되기 때문에 '따름'이라고
하지 않고 '사귐'이라고 하였다. '얽매인다'는 것은 따르고 이끌려서
버리지 못하는 의미이다. 육이효·육삼효·상육효는 그 성질이 모
두 음이자 부드러움이므로 이끌려 서로 따르며 버리지 못하기 때문
에 모두 '얽매인다'고 했다."

---

9) 『주역(周易)』「동인괘(同人卦)」: "初九, 同人于門, 无咎.[초구효는 문밖
에서 사람들과 함께 하니, 허물이 없다.]"라고 하였다.
10) 유염(俞琰), 『주역집설(周易集說)』「수괘(隨卦)」.

剛爲陰主, 故曰, '官'. 夫陽爲主而陰隨之者, 正也. 今以剛而下
柔, 是其變也, 故曰, '官有渝'. 然當隨而隨, 變而不失其正者也,
故可以得吉, 而出門交有功.

굳셈은 음의 주인이기 때문에 '주장함'이라 하였다. 양이 주인이어
서 음이 따름은 바른 것이다. 지금 굳센데도 유약함에 낮추는 일은
변한 것이기 때문에 '주장함에 변함이 있다'고 하였다. 그러나 따라
야 되어 따르고, 변하였으나 그 바름을 잃지 않는 것이기 때문에
길함을 얻고 문을 나가 사귐에 공이 있다.

六二, 係小子, 失丈夫.

육이효는 어린아이에게 얽매여 장부를 잃는다.

本義

初陽在下而近, 五陽正應而遠. 二陰柔, 不能自守以須正應. 故其象如此, 凶吝可知, 不假言矣.

초효인 양은 아래에 있어 가깝고, 오효인 양은 바르게 호응하지만 멀리 있다. 이효는 부드러운 음으로 스스로 지켜 바른 호응을 기다리지 못한다. 그러므로 그 상이 이와 같아 흉함과 어려움을 알 수 있으니, 굳이 말할 것도 없다.

程傳

二應五而比初, 隨先於近, 柔不能固守. 故爲之戒云, '若係小子, 則失丈夫也'. 初陽在下小子也, 五正應在上丈夫也. 二若志係於初, 則失九五之正應, 是失丈夫也. 係小子而失丈夫, 捨正應而從不正, 其咎大矣. 二有中正之德, 非必至如是也, 在隨之時, 當爲之戒也.

이효는 오효와 호응하지만 초효와 나란히 있어 가까운 것을 먼저 따르니, 유약함이 굳게 지킬 수 없다. 그러므로 경계하여 '어린아이에게 얽매이면 장부를 잃는다'라고 하였다.

양인 초효가 아래에 있으니 어린아이이고, 바른 호응인 오효가 위에 있으니 장부이다. 이효가 뜻이 초효에 얽매여 있으면 구오의 바른 호응을 잃으니, 장부를 잃는다. 어린아이에게 얽매여 장부를 잃는 것은 바른 호응을 버리고 바르지 않음을 따르는 것이니, 그 허물이 크다. 이효는 중정의 덕이 있어 반드시 이렇게 되지는 않을 것이니, 따르는 때에 경계해야 한다.

六三, 係丈夫, 失小子, 隨有求得, 利居貞.

육삼효는 장부에 얽매여 어린아이를 잃으니, 따르던 것에서 구하여 얻으나 곧게 처신하는 것이 이롭다.

丈夫謂九四, 小子亦謂初也. 三近係四, 而失於初, 其象與六二正相反. 四陽當任, 而己隨之, 有求必得. 然非正應, 故有不正, 而爲邪媚之嫌. 故其占如此, 而又戒以居貞也.

장부는 구사효를 말하고, 어린아이는 또한 초구효를 말한다. 삼효는 사효를 가까이 하고 얽매여 초효를 잃으니, 그 상이 육이효와 정반대이다. 양인 사효가 책임을 맡았는데 자신이 따르고 있으니, 구하는 것을 반드시 얻는다. 그러나 바른 호응이 아니기 때문에 바르지 못함이 있고 간사하게 아첨하는 혐의가 있다. 그러므로 그 점이 이와 같고 또 곧게 처신하라고 경계하였다.

丈夫九四也, 小子初也. 陽之在上者丈夫也, 居下者小子也. 三雖與初同體, 而切近於四, 故係於四也. 大抵陰柔不能自立, 常親係於所近者. 上係於四, 故下失於初. 舍初從上, 得隨之宜也. 上隨則善也, 如昏之隨明, 事之從善, 上隨也. 背

是從非, 舍明逐暗, 下隨也. 四亦无應, 无隨之者也, 近得三
之隨, 必與之親善. 故三之隨四, 有求必得也. 人之隨於上,
而上與之, 是得所求也, 又凡所求者, 可得也. 雖然固不可非
理枉道以隨於上, 苟取愛說, 以遂所求. 如此, 乃小人邪諂趨
利之爲也. 故云'利居貞'. 自處於正, 則所謂有求而必得者, 乃
正事, 君子之隨也.

장부는 구사효이고 어린아이는 초구효이다. 양효가 위에 있는 것은
장부이고, 아래에 있는 것은 어린아이이다. 삼효는 초효와 같은 괘
에 속해 있을지라도 사효와 매우 가깝기 때문에 그것에 얽매인다.
대체로 부드러운 음은 자립하지 못하여 항상 가까운 것과 친하여 얽
매인다. 위의 괘 사효에 얽매이기 때문에 아래괘의 초효를 잃는다.
초효를 버리고 위의 괘에 있는 사효를 따름은 따름에 마땅함을 얻
은 것이다. 위로 따르면 좋으니, 이를테면 어두움이 밝음을 따름과
일에서 선을 따름은 위로 따르는 것이다. 옳음을 버리고 그름을 따
름과 밝음을 버리고 어둠을 따름은 아래로 따르는 것이다. 사효 또
한 호응이 없어서 따를 자가 없으니, 가까이에서 삼효가 따르는 것
을 얻으면 반드시 함께 선을 가까이 한다. 그러므로 삼효가 사효를
따르면 구하는 것을 반드시 얻는다.
사람이 윗사람을 따르고 윗사람이 그와 함께함은 구하는 것을 얻고
또 모든 구하는 것을 얻을 수 있다. 그렇다 할지라도 진실로 이치가
아닌데 도를 굽혀서 위를 따르거나, 사랑과 기쁨을 구차하게 취하
여 구하는 것을 이루어서는 안 된다. 이와 같이 하는 것은 바로 소
인들이 간사하게 아첨하여 이익을 따르는 행태이기 때문에 '곧게 처
신하는 것이 이롭다'라고 하였다. 스스로 곧게 처신하면, 이른바 구
해서 반드시 얻는다는 말이 바로 바른 일로 군자가 따르는 것이다.

● 虞氏翻曰 : "陰隨陽, 三之上無應, 上係於四, 失初小子, 故係丈夫, 失小子."11)

우번(虞翻)이 말했다. "음이 양을 따르는 것은 삼효의 위에 호응이 없음으로 위로 사효에 얽매여 초효의 어린아이를 잃었기 때문에 장부에 얽매여 어린아이를 잃는 것이다."

● 王氏弼曰 : "雖體下卦, 二已據初, 將何所附? 故舍初係四, 志在丈夫. 四俱無應, 亦欲於己隨之, 則得其所求矣, 故曰, '隨有求得'也. 應非其正, 以係於人, 何可以妄. 故利居貞也. 初處己下, 四處己上, 故曰, '係丈夫, 失小子'."12)

왕필(王弼)이 말했다. "몸체가 아래의 괘일지라도 이효가 이미 초효에 의지하고 있으니 어디로 따르겠는가? 그러므로 초효를 버리고 사효에 얽매이니 뜻이 장부에 있다. 사효가 함께 호응함이 없어도 이미 따르던 것을 원하면, 구하는 것을 얻기 때문에 '따르던 것에서 구하는 것을 얻는다'고 하였다. 호응함이 바른 것이 아니고 사람에게 얽매였으니, 어떻게 함부로 하겠는가? 그러므로 곧게 처신하는 것이 이로운 것이다. 초효가 자신의 아래에 있고 사효가 자신의 위에 있기 때문에 '장부에 얽매여 어린아이를 잃는다'라고 하였다.

● 陸氏希聲曰 : "三非正而隨, 其義可尙者, 以承陽爲順也."13)

---

11) 이정조(李鼎祚), 『주역집해(周易集解)』「수괘(隨卦)」.
12) 왕필(王弼), 『주역주소(周易注疏)』「수괘(隨卦)」.

육희성(陸希聲)[14]이 말했다. "삼효가 바르지 않은데도 따르고 그 뜻을 높일 수 있는 것은 양을 받듦을 순종으로 여겼기 때문이다."

---

13) 이형(李衡), 『주역의해촬요(周易義海撮要)』「수괘(隨卦)」.
14) 육희성(陸希聲, ?~905) : 자는 홍경(鴻磬)이고, 호는 군양둔수(君陽遁叟) 혹은 단양도인(君陽道人)이며, 당나라 소주(蘇州) 오현(吳縣) 사람이다. 의흥(義興)에 은거했다가 천거되어 벼슬은 우습유(右拾遺), 합주자사(歙州刺史), 급사중(給事中), 호부시랑(戶部侍郎), 동중서문하평장사(同中書門下平章事) 등을 역임했다. 『역(易)』, 『춘추(春秋)』, 『도덕경(道德經)』에 정통했고, 문장을 잘 지었다. 저서에 『춘추통례(春秋通例)』, 『도덕경전(道德經傳)』이 있다.

九四, 隨有獲, 貞凶. 有孚在道以明, 何咎.

구사효는 따라서 얻음이 있으니 곧더라도 흉하다. 믿음이 도에 있어 밝으면 무엇이 허물이겠는가?

本義

九四, 以剛居上之下, 與五同德. 故其占隨而有獲. 然勢陵於五, 故雖正而凶. 惟有孚在道而明, 則上安而下從之, 可以无咎也. 占者當時之任, 宜審此戒.

구사효는 굳센 양으로 위 괘의 아래에 있어 오효와 덕을 같이 하기 때문에 그 점이 따라서 얻음이 있다. 그러나 세력이 오효를 능멸하기 때문에 바르더라도 흉하다. 오직 믿음이 도에 있어 밝으면 윗사람이 편안하고 아랫사람이 따라서 허물이 없을 수 있다. 점치는 사람이 시대의 임무를 맡으면 이런 경계를 살펴야 한다.

程傳

九四, 以陽剛之才, 處臣位之極, 若於隨有獲, 則雖正亦凶. '有獲', 謂得天下之心隨於己. 爲臣之道, 當使恩威一出於上, 衆心皆隨於君. 若人心從已, 危疑之道也, 故凶. 居此地者, 奈何? 唯孚誠積於中, 動爲合於道, 以明哲處之, 則又何咎? 古之人有行之者, 伊尹周公孔明是也. 皆德及於民, 而民隨

之, 其得民之隨, 所以成其君之功, 致其國之安. 其至誠存乎
中, 是有孚也, 其所施爲, 无不中道, 在道也. 唯其明哲, 故能
如是以明也, 復何過咎之有. 是以下信而上不疑, 位極而无逼
上之嫌, 勢重而无專强之過, 非聖人大賢, 則不能也. 其次如
唐之郭子, 儀威震主而主不疑, 亦由中有誠孚, 而處无甚失
也. 非明哲, 能如是乎?

구사효는 굳센 양의 재질인데 신하의 지위로는 가장 높은 자리에
있으니, 따르고 있으면서 얻는 것이 있다면 올바르더라도 또한 흉
하다. '얻음이 있다[有獲]'는 것은 세상 사람들의 마음이 자신을 따
라 얻는 것을 말한다. 신하된 도리는 은혜와 위엄이 한결같이 임금
에게서 나와 뭇 사람들의 마음이 모두 임금을 따르게 해야 한다.
사람들의 마음이 자기를 따른다면, 위태롭고 의심받는 길이기 때문
에 흉하다. 이런 처지에 있을 경우에는 어떻게 해야 하는가? 오직
믿음과 정성이 마음에 쌓이고 행위가 도리에 합해 명철하게 처신하
면, 또 무슨 허물이 있겠는가? 옛사람 가운데 이를 행한 사람이 있
으니, 이윤·주공·공명이 여기에 해당한다. 모두 덕이 백성에게 미
치고 백성들이 따랐으니, 백성의 따름을 얻은 것은 임금의 공을 이
루고 나라의 편안함을 이루기 위해서였다.
지극한 정성이 마음에 있음은 믿음이 있는 것이고, 시행함이 중도
(中道)이지 않음이 없는 것은 도에 있다. 오직 명철하기 때문에 이
처럼 밝음을 사용했으니, 다시 어찌 잘못과 허물이 있겠는가? 이 때
문에 아랫사람들이 믿고 윗사람이 의심하지 않아, 지위가 지극한데
도 윗사람을 핍박하는 혐의가 없고, 권세가 무거운데도 제멋대로
강하게 한 허물이 없었으니, 성인이나 큰 현인이 아니면 할 수 없
다. 그 다음으로 당나라의 곽자의(郭子儀)와 같은 자는 위엄이 임

금을 움직였으나 임금이 의심하지 않았으니, 이 또한 마음에 정성과 믿음이 있고 처신에 어떤 잘못도 없었기 때문이다. 명철하지 않으면서 이와 같이 할 수 있겠는가?

集說

● 虞氏翻曰 : "謂獲三也."[15]

우번이 말했다. "삼효를 얻는 것에 대한 말이다."

● 王氏弼曰 : "處說之初, 下據二陰, 三求係己, 不距則獲, 故曰, '隨有獲'也. 居於臣地, 履非其位, 以擅其民, 失於臣道, 故曰, '貞凶'. 雖違常義, 心存公誠, 著信在道, 以明其功, 何咎之有?"

왕필이 말했다. "기쁨의 시작에 있고 아래로 두 음에 의지하고 있는데, 삼효가 자신과 관계하기를 구하니, 거부하지 않으면 얻기 때문에 '따라서 얻음이 있다'고 하였다. 신하의 지위에 있으면서 제자리가 아닌 것을 밟고 그 백성들을 마음대로 하여 신하의 도리를 잃었기 때문에 '곧더라도 흉하다'고 하였다. 떳떳한 의리를 어겼을지라도 마음에 공평함과 정성을 가지고 있고 도에서 믿음을 드러내어 그 공을 밝히니, 어찌 허물이 있겠는가?"

● 郭氏雍曰 : "六三隨有求得, 蓋隨人而有得者, 九四隨有獲, 蓋以得人之隨爲獲也. 夫尊近之臣, 勢疑於君, 又獲天下之隨,

---

15) 이정조(李鼎祚), 『주역집해(周易集解)』「수괘(隨卦)」.

守此爲貞, 則凶矣. 是必有至誠之道, 足以使天下無疑焉, 斯无咎."16)

곽옹(郭雍)이 말했다. "육삼효가 따라서 구하는 것을 얻음은 남을 따라 얻는 것이고, 구사효가 따라서 얻음이 있음은 사람들이 따름을 얻음으로 삼는 것이다. 존귀함에 가까운 신하는 세력을 임금에 견주고 또 세상의 따름을 얻으니, 이를 지키는 것으로 바름을 삼으면 흉하다. 이런 상황에서는 반드시 지극히 정성스러운 도를 가지고 충분히 세상의 사람들이 의심하지 않도록 해야 하니, 이렇게 해야 허물이 없다."

● 徐氏幾曰 : "六三九四, 相比相從. 三言有得者, 得乎四也; 四言"有獲"者, 獲乎三也."17)

서기(徐幾)가 말했다. "육삼효와 구사효는 서로 나란히 있어 서로 따른다. 삼효에서 '얻는다'는 사효에서 얻는 것이고, 사효에서 '얻음이 있다'는 삼효에서 얻는 것이다."

● 龔氏煥曰 : "隨卦諸爻, 皆以陰陽相隨爲義, 三四皆無正應, 相比而相隨者也. 然六三上而從陽, 理之正也. 九四下爲陰從, 固守則凶, 若心所孚信在於道焉, 以明自處, 何咎之有?"18)

공환(龔煥)19)이 말했다. "수괘의 여러 효는 모두 음양이 서로 따르

---

16) 곽옹(郭雍), 『곽씨전가역설(郭氏傳家易説)』 「수괘(隨卦)」.
17) 안사성(晏斯盛), 『易翼宗(역익종)』 「수괘(隨卦)」.
18) 안사성(晏斯盛), 『易翼宗(역익종)』 「수괘(隨卦)」.

는 것으로 뜻을 삼았는데, 삼효와 사효는 모두 바른 호응이 없어 서로 나란히 하며 서로 따르는 것들이다. 그러나 육삼효가 올라가 양을 따름은 이치의 바른 것이다. 그런데 구사효가 아래에서 음이 따르는 것은 굳게 지킨다면 흉하니, 마음으로 믿는 것이 도리에 있어 그것으로 자신의 처신을 밝히면, 무슨 허물이 있겠는가?"

案

● 郭氏徐氏龔氏之說, 皆與卦意爻義相合, 龔氏尤簡明也.

곽씨·서씨·공씨의 설명은 모두 괘의 의미나 효의 의미와 서로 부합하는데, 공씨의 설명은 더욱 간결하고 분명하다.

---

19) 공환(龔煥) : 자는 유문(幼文)이고, 천봉선생(泉峯先生)이라고 불렀다. 원(元)대 임천(臨川)사람이다. 요응중(饒應中)에게 사사하여 본체를 밝히고 실천에 옮기는 데 힘썼다. 당시 아직 과거제도가 시행되지 못했는데, 시행되면 반드시 정자와 주자의 학문을 법식으로 삼아야 한다고 주장했다. 과연 뒤에 그의 말대로 시행되었다.

九五, 孚于嘉, 吉.

구오효는 훌륭함을 믿으니, 길하다.

陽剛中正, 下應中正, 是信於善也. 占者如是, 其吉宜矣.

군센 양으로서 중정하여 아래로 중정한 이효에 호응하니, 선함을
믿는 것이다. 점치는 자가 이와 같으면 그 길함은 당연하다.

九五居尊得正而中實, 是其中誠在於隨善, 吉可知. '嘉', '善'
也. 自人君至於庶人, 隨道之吉, 唯在隨善而已. 下應二之正
中, 爲隨善之義.

구오효는 존귀한 자리에 있고 바름을 얻었으며 가운데가 차 있어
그 마음의 정성이 선을 따르는 데 있으니, 길함을 알 수 있다. '훌륭
함'은 '선함'이다. 임금에서 서민까지 따르는 도의 길함은 오직 선함
을 따르는 데 있다. 아래로 바른 자리에 있으면서 가운데 있음과 호
응함이 선함을 따른다는 뜻이다.

集說

● 楊氏萬里曰 : "九五以陽剛居兌之中正, 爲一卦說隨之主.
此聖君至誠樂從天下之善者也, 吉孰大焉? '孚', 誠也. '嘉', 善
也."[20]

양만리(楊萬里)가 말했다. "구오효는 양의 굳셈이 태(兌☱)괘의 중
정함에 있는 것으로 하나의 괘가 즐겁게 따르는 주인을 삼았다. 이
는 거룩한 임금이 지극한 정성으로 세상의 선함을 기꺼이 따르는
것이다. 길함이 무엇이 이보다 크겠는가? '믿는다'는 것은 정성이
고, '훌륭함'은 선함이다."

● 王氏應麟曰 : "信君子者, 治之原, 隨之九五曰, '孚於嘉吉', 信
小人者, 亂之機. 兌之九五曰, '孚於剝有厲'."[21]

왕응린(王應麟)이 말했다. "군자를 믿는 것은 다스림의 근원이니,
수(隨☱)괘의 구오효에서 '훌륭함을 믿으니 길하다'라고 하였고, 소
인을 믿는 것은 혼란의 기미이니, 태(兌☱)괘의 구오에서 '해치는
것을 믿으면 위태로움이 있을 것이다'[22]라고 했다."

---

20) 양만리(楊萬里), 『성재역전(誠齋易傳)』 「수괘(隨卦)」.
21) 왕응린(王應麟), 『곤학기문(困學紀聞)』 「역(易)」.
22) 『주역(周易)』 「태괘(兌卦)」 : "九五, 孚于剝, 有厲.[구오효는 해치는 것을
믿으면 위태로움이 있을 것이다.]"라고 하였다.

上六, 拘係之, 乃從維之, 王用亨于西山.

상육효는 잡아매 놓고 이에 따르면서 동여매니, 임금이 서쪽 산에 제사드린다.

本義

居隨之極, 隨之固結而不可解者也. 誠意之極, 可通神明, 故 其占爲王用亨于西山. '亨', 亦當作祭享之享. 自周而言, 岐山 在西. 凡筮祭山川者得之, 其誠意如是, 則吉也.

따름[隨]의 끝에 있으니 따름이 굳게 맺어져 풀 수 없는 것이다. 성 의가 지극하여 신명(神明)에 통할 수 있기 때문에 그 점은 임금이 서쪽의 산에서 제사 드린다는 것이다. '형[亨]'자는 또한 제사드린다 는 제향(祭享)의 향(享)으로 해야 한다. 주(周)나라로부터 말하면 기산(岐山)은 서쪽에 있다. 점에서 산천에 제사할 것을 얻고, 그 정 성이 이와 같다면 길하다.

程傳

上六以柔順而居隨之極, 極乎隨者也. '拘係之', 謂隨之極, 如 拘持縻係之. '乃從維之', 又從而維繫之也, 謂隨之固結如此. '王用亨于西山', 隨之極如是. 昔者太王用此道, 亨王業于西 山. 太王避狄之難, 去豳來岐, 豳人老稚, 扶携以隨之如歸市, 蓋其人心之隨固結如此. 用此故, 能亨盛其王業於西山. '西山’, 岐山也, 周王之業, 蓋興於此. 上居隨極, 固爲太過, 然在得民之隨, 與隨善之固, 如此乃爲善也. 施於他則過矣.

상육효는 유순함으로 따름의 끝에 있으니, 따름을 지극하게 하는 것이다. ‘잡아매 놓다[拘係之]’는 따름의 끝이어서 붙잡아 매놓은 것과 같음을 말한다. ‘이에 따르면서 동여맨다[乃從維之]’는 것은 또 따르면서 밧줄로 묶어놓는 것이니, 따르면서 이처럼 굳게 맺어놓는 것을 말한다.

‘임금이 서쪽 산에서 형통하게 하였다[王用亨于西山]’는 따름의 끝이 이와 같다는 것이다. 옛날에 태왕(太王)[23]이 이 방법을 써서 서쪽 산에서 왕업을 형통하게 하였다. 태왕이 북쪽 오랑캐의 난을 피하여 빈(豳) 땅을 버리고 기산(岐山)으로 오자, 빈(豳) 땅의 늙은이와 어린이가 붙잡고 끌면서 따르기를 시장에 가듯 하였으니,[24] 인심의 따름이 이처럼 굳게 맺어졌다. 이 때문에 서쪽 산에서 왕업을 형통하고 창성하게 할 수 있었다. ‘서쪽 산’은 기산으로 주(周)나라의 왕업이 여기에서 일어났다.

---

23) 태왕(太王) : 주나라 문왕(文王)의 할아버지인 고공단보(古公亶父)의 존호(尊號)이다. 공류(公劉)의 9세손(九世孫)인데, 고공(古公)은 태왕(大王)의 본래 호이고, 단보(亶父)는 태왕(大王)의 이름이다. 단보를 자(字)라고도 말한다. 기산(岐山) 기슭에서 덕을 닦아 주나라의 기반을 이룬 사람이다.

24) 『맹자(孟子)』「양혜왕(梁惠王)」: “昔者, 大王居邠, 狄人侵之 … 去邠踰梁山, 邑于岐山之下居焉. 邠人曰, ‘仁人也, 不可失也’. 從之者, 如歸市.[옛날이 태왕이 빈(邠)땅에 있을 때, 북쪽 오랑캐들이 침범하자 … 빈땅을 떠나 양산을 넘고는 기산 아래로 도읍하여 거주하니, 빈땅의 사람들이 ‘어진 분을 놓쳐서는 안 된다’고 하면서 따라오는 자가 시장에서 돌아오는 듯하였다.]”라고 하였다.

상육효는 따름의 끝에 있어 진실로 너무 지나친 것이지만, 백성을 얻는 따름과 선(善)을 따르는 견고함은 이와 같이 해야 훌륭함이 된다. 다른 곳에 시행하면 지나친 것이다.

집설(集說)

● 呂氏祖謙曰 : "拘係而不可解, 隨之極者也. 如有客詩, '言授之縶, 以縶其馬', 白駒詩, '縶之維之, 以永今朝', 正合此爻."

여조겸(呂祖謙)[25]이 말했다. "잡아매어 놓아 풀 수 없는 것은 따름의 끝이기 때문이다. 이를테면 『시경』「유객(有客)」의 시에서 '끈을 주어 말을 묶어놓겠다'는 것과 「백구(白駒)」의 시에서 '붙잡아 매어두어 오늘 아침을 영원하게 하리!'라는 것이 바로 이 효와 합한다."

---

25) 여조겸(呂祖謙, 1137~1181) : 자는 백공(伯恭)이고, 호는 동래선생(東萊先生)이다. 남송(南宋)때 무주(婺州 : 현 절강성 금화〈金華〉시) 사람이다. 주희(朱熹), 장식(張栻)과 더불어 동남삼현(東南三賢)으로 일컬어진다. 임지기(林之奇)와 왕응진(汪應辰) 등에게 사사했으며 저명한 이학(理學)의 대가로 무학(婺學)을 창립했는데, 당시에 가장 영향력있었던 학파(學派)였다. 융흥(隆興) 1년(1163)에 진사에 급제하여 벼슬은 장사랑(將仕郎), 적공랑(迪功郎), 감담주남악묘(監潭州南嶽廟), 우적공랑(右迪功郎), 태학박사(太學博士), 국사원편수관(國史院編修官), 실록원검토관(實錄院檢討官), 비서성비서랑(秘書省秘書郎) 등을 역임했다. 저서에는 『좌전설(左傳說)』, 『동래좌씨박의(東萊左氏博議)』, 『역대제도상설(歷代制度詳說)』, 『송문감(宋文鑑)』 등이 있고, 주희(朱熹)와 더불어 『근사록(近思錄)』을 편집했다.

● 項氏安世曰：“大有九三, ‘公用亨于天子’, 隨上六, ‘王用亨於西山’, 益六二, ‘王用亨於帝’, 升六四, ‘於用亨於岐山’, 四爻句法皆同. 古文‘亨’卽‘享’字. 今獨益作‘享’讀者, 俗師不識古字, 獨於‘享’帝, 不敢作‘亨帝’也.”[26]

항안세(項安世)가 말했다. “대유(大有䷍)괘의 구삼효에서 ‘공이 천자에게 드린다[27]’는 것, 수(隨䷐)괘 상육효에서 ‘임금이 서쪽 산에 제사드린다’는 것, 익(益䷩)괘 육이효에서 ‘임금이 상제께 제사지낸다[28]’는 것, 승(升䷭)괘 육사효에서 ‘육사효는 왕이 기산에서 제향하여 길하니 허물이 없다[29]’는 것, 네 효의 구두법은 모두 같다. 옛 글에서 ‘제사드린다’는 ‘형(亨)’자는 곧 ‘제사드린다’는 ‘향(享)’자이다. 그런데 이제 익괘(益卦)에서만 ‘제사드린다’는 ‘향(享)’자로 읽는 것은 평범한 선생들이 옛 글자를 몰라 오직 ‘상제께 제사지낸다[亨帝]’는 것에 대해 감히 ‘상제께 제사지낸다[亨帝]’로 하지 못했던 것이다.”

---

26) 항안세(項安世), 『주역완사(周易玩辭)』「수괘(隨卦)」.
27) 『주역(周易)』「대유괘(大有卦)」: “九三 公用亨于天子, 小人弗克.[구삼효는 공이 천자에게 드리니, 소인은 감당하지 못한다.]”라고 하였다.
28) 『주역(周易)』「익괘(益卦)」: “六二, 或, 益之十朋之龜, 弗克違, 永貞, 吉, 王用享于帝, 吉.[육이효는 어떤 이가 열 쌍의 거북으로 보태면 어길 수 없으나, 영원히 곧게 하면 길하니, 임금이 상제께 제사지내더라도 길하다.]”라고 하였다.
29) 『주역(周易)』「승괘(升卦)」: “六四, 王用亨于岐山, 吉, 无咎.[육사효는 왕이 기산에서 제향하여 길하니 허물이 없다.]”라고 하였다.

案

卦之初剛, 下於二柔, 則九五之剛, 亦下於上柔也. 而諸儒說兩
爻義, 皆不及此. 故於'九五孚嘉', 以爲應六二猶可, 而於'上六拘
系', 則說得全無根據矣.

괘에서 초효의 굳셈이 두 유순함보다 아래에 있으니, 구오효의 굳
셈도 상육효의 유순함보다 아래에 있다. 그런데 여러 학자들이 두
효의 의미를 설명하면서 모두 여기에 미치지는 못했다. 그러므로
'구오효는 훌륭함을 믿는다'에서 육이효에 호응함으로 여기는 것은
오히려 괜찮지만, '상육효는 잡아매어 놓는다'는 말에서는 설득하는
데 전혀 근거가 없다.

總論

● 王氏宗傳曰 : "隨之六爻, 其半陰也, 其半陽也. 陽剛之才, 則
有所隨而無所係, 初九九四九五, 是也. 故初之'有渝', 四之'有
獲', 五之'孚於嘉', 此有所隨而無所係者也. 以柔從之才, 而當隨
之時, 則均不免於有所係, 六二六三上六, 是也. 故二則'係小子
失丈夫', 三則'係丈夫失小子', 上則曰, '拘係之', 此均不免於有
所係者也."[30]

왕종전(王宗傳)이 말했다. "수(隨☰)괘의 여섯 효는 그 반이 음이고
그 반이 양이다. 양의 굳센 재질은 따름이 있지만 얽매임이 없으니,
초구효·구사효·구오효가 여기에 해당한다. 그러므로 초효의 '변함
이 있다'는 것·사효의 '얻음이 있다'는 것·오효의 '훌륭함을 믿는
다'는 것, 이들은 따름이 있지만 얽매임이 없다. 유순함이 따르는

---

30) 왕종전(王宗傳), 『동계역전(童溪易傳)』「수괘(隨卦)」.

재질을 가지고 따르는 때를 맞이하면 모두 얽매임을 면하지 못하니, 육이효·육삼효·상육효가 여기에 해당한다. 그러므로 이효라면 '어린아이에게 얽매여 장부를 잃는다'는 것이고, 삼효라면 '장부에 얽매여서 어린아이를 잃는다'는 것이며, 상효라면 '잡아매어 놓는다'는 것이니, 이들은 모두 얽매임을 벗어나지 못한다."

18. 고蠱괘

艮上
巽下

程傳

蠱,「序卦」, "以喜隨人者, 必有事, 故受之以蠱". 承二卦之義,
以爲次也. 夫喜悅以隨於人者, 必有事也. 无事, 則何喜何隨?
蠱所以次隨也. '蠱, 事也', '蠱'非訓事, 蠱乃有事也. 爲卦, 山
下有風. 風在山下, 遇山而回則物亂, 是爲'蠱'象. '蠱'之義, 壞
亂也. 在文, 爲'蟲''皿'. 皿之有蟲, 蠱壞之義. 左氏傳云, "風落
山, 女惑男", 以長女下於少男, 亂其情也. 風遇山而回, 物皆
撓亂, 是爲有事之象. 故云'蠱者事也'. 旣蠱而治之, 亦事也.
以卦之象言之, 所以成蠱也, 以卦之才言之, 所以'治蠱'也.

고(蠱)는 「서괘전」에서 "기쁨으로 남을 따를 경우에는 반드시 일이
있기 때문에 고괘로 받았다"라고 하였다. 그러니 예(豫)괘와 수(隨)
괘 두 괘의 뜻을 이어 다음에 있다. 기쁘게 남을 따를 경우는 반드
시 일이 있다. 일이 없다면 무엇을 기뻐하고 무엇을 따르겠는가? 고
(蠱☶)괘가 이 때문에 수(隨☳)괘 다음에 있다. '고(蠱)는 일이다'[1]

---

1) 『주역(周易)』「서괘전」: "以喜隨人者, 必有事. 故受之以蠱. 蠱者, 事
也.[기쁨으로 사람을 따를 경우에는 반드시 일이 있기 때문에 고괘(蠱
卦)로써 받았다. 고(蠱)는 일이다.]"라고 하였다.

라는 것은 '고(蠱)'자를 일로 풀이한 것이 아니라, 고(蠱)에는 바로 일이 있는 것이다.

괘의 모양은 산[☶] 아래에 바람[☴]이 있는 것이다. 바람이 산 아래에 있다가 산으로 불며 돌아가면 사물이 어지러워지는 것이 '고(蠱)'의 모양이다. '고(蠱)'의 뜻은 망가져서 어지러운 것이다. 글자로는 '벌레 충[蟲]'자와 '그릇 명[皿]'자이다. 그릇에 벌레가 있는 것은 좀 먹어 망가졌다는 의미이다.

『춘추좌전』에 "바람이 산으로 불어 닥치고 여자가 남자를 유혹한다"2)라 하였으니, 나이 많은 여자가 젊은 남자에게 낮춤은 남녀의 바른 정(情)을 어지럽힌 것이다. 바람이 산으로 불며 돌아가면 사물이 모두 흔들리며 어지러워지는 것은 일이 있는 상이다. 그러므로 「서괘전」에서 '고(蠱)는 일이다'라고 말하였다. 이미 '망가져 어지러워져서[蠱]' 다스리는 것도 일이다. 괘의 모양으로 말하면 '망가져 어지럽게 되는 것[成蠱]'이고, 괘의 재질로 말하면 '망가져 어지럽게 된 것을 다스리는 것[治蠱]'이다.

---

2) 『좌전(左傳)』 권41 「소공(昭公)」: "在周易女惑男風落山謂之蠱☶☴『주역』에서 여자가 남자를 유혹하고 바람이 산으로 불어 닥치는 것을 고☶☴라고 한다.]"라고 하였다.

蠱, 元亨. 利涉大川, 先甲三日, 後甲三日.

고(蠱)는 크게 형통하여 큰 시내를 건너는 것이 이로우니, 갑(甲)보다 삼일 앞서 하고, 갑보다 삼일 뒤로 한다.

本義

蠱, 壞極而有事也. 其卦艮剛居上, 巽柔居下, 上下不交, 下卑巽而上苟止. 故其卦爲蠱. 或曰: "剛上柔下, 謂卦變, 自賁來者, 初上二下, 自井來者, 五上上下, 自旣濟來者, 兼之, 亦剛上而柔下, 皆所以爲蠱也."

고(蠱)는 망가짐이 다하여 일이 있는 것이다. 그 괘는 굳센 간(艮 ☶)괘가 위에 있고 유약한 손(巽☴)괘가 아래에 있어 위아래가 사귀지 못하고, 아래는 낮추어 공손하고 위는 구차하게 멈춰있기 때문에 그 괘가 고(蠱)이다.

어떤 이는 "굳셈이 위에 있고 부드러움이 아래에 있는 것은 괘의 변화를 말하니, 비(賁☲)괘에서 올 경우에는 초구효가 올라가고 육이효가 내려왔고, 정(井☵)괘에서 올 경우에는 구오가 올라가고 상육이 내려왔으며, 기제(旣濟☵)괘에서 올 경우에는 이들을 겸하였으니, 또한 굳셈이 올라가고 부드러움이 내려오는 것은 모두 고(蠱)가 된 까닭이다"라고 하였다.

蠱壞之極, 亂當復治. 故其占爲元亨而利涉大川. 甲, 日之始, 事之端也. 先甲三日, 辛也, 後甲三日, 丁也. 前事過中而將壞, 則可自新以爲後事之端, 而不使至於大壞, 後事方始而尙新, 然更當致其丁寧之意, 以監其前事之失而不使至於速壞. 聖人之戒深也.

좀먹어 망가지는 끝에는 어지러움이 다시 다스려져야 하기 때문에 그 점(占)이 크게 형통하여 큰 시내를 건너는 것이 이롭다. 갑(甲)은 날의 시작이고 일의 단서이다. 갑(甲)에서 삼일 앞서면 신(辛)이고, 갑(甲)보다 삼일 뒤로 하면 정(丁)이다. 앞의 일이 중간을 지나 망가지려 하면, 스스로 새롭게 하는 것으로 뒷일의 단서로 삼아 크게 망가지지 않게 해야 하고, 뒷일이 막 시작되면 여전히 새롭지만 다시 그 간곡한 뜻을 다하여 지난 일의 잘못을 거울삼아 급속히 무너지지 않게 해야 한다. 그러니 성인이 경계하신 뜻이 깊다.

程傳

旣'蠱', 則有復治之理. 自古治必因亂, 亂則開治, 理自然也. 如卦之才以治'蠱', 則能致元亨也. 蠱之大者, 濟時之艱難險阻也, 故曰, '利涉大川'.

이미 '망가져 어지럽게 되었다면[蠱]' 다시 다스려지는 이치가 있다. 예로부터 다스림은 반드시 어지러움으로 말미암았으니, 어지러우면 다스림이 열리는 것은 이치가 저절로 그렇게 된다. 괘의 재질처럼 '망가져 어지럽게 된 것[蠱]'을 다스리면 크게 형통하게 할 수 있다. 고(蠱)의 위대함은 세상의 어려움과 험난함을 구제하는 일이기 때문에 '큰 시내를 건너는 것이 이롭다'고 하였다.

甲, 數之首, 事之始也, 如辰之甲乙'甲第''甲令', 皆謂首也, 事
之端也. 治蠱之道, 當思慮其先後三日, 蓋推原先後, 爲救弊
可久之道. '先甲', 謂先於此, 究其所以然也, '後甲', 謂後於
此, 慮其將然也. 一日二日, 至於三日, 言慮之深, 推之遠也.
究其所以然, 則知救之之道, 慮其將然則知備之之方, 善救則
前弊可革, 善備則後利可久. 此古之聖王, 所以新天下而垂後
世也.

갑은 수(數)의 첫 번째이고 일의 시작이니, 이를테면 시간의 순서에
서 갑을(甲乙)과 '과거의 장원[甲第]', '중요한 법령[甲令]'은 모두 으
뜸을 말하니 일의 단서이다. 망가져 어지럽게 된 것을 다스리는 방
법은 그 앞뒤로 사흘을 생각해야 하니, 앞뒤를 근본적으로 미루어
보는 것이 폐단을 구제하고 오래갈 수 있는 방법이다.
'갑보다 앞서한다'는 이보다 먼저 하는 것을 말하니, 그렇게 된 까닭
을 연구하는 일이고, '갑보다 뒤로 한다'는 이보다 뒤에 하는 것을
말하니, 그렇게 됨을 생각하는 일이다. 하루, 이틀에서 사흘까지는
깊이 생각하고 멀리 미루어 본다는 말이다. 그렇게 된 까닭을 연구
하면 구제할 방법을 알게 되고, 그렇게 될 것을 생각하면 대비할 방
법을 알게 되니, 잘 구제하면 지난날의 폐단을 고칠 수 있고, 잘 대
비하면 뒷날의 이로움을 오래가게 할 수 있다. 이것은 옛날 성스러
운 임금이 세상을 새롭게 하고 후세에 가르침을 드리운 방법이다.

後之治蠱者, 不明聖人先甲後甲之誡, 慮淺而事近. 故勞於救
世而亂不革, 功未及成而弊已生矣. 甲者, 事之首, 庚者, 變
更之首. 制作政敎之類則云'甲', 擧其首也. 發號施令之事則
云'庚', '庚', 猶'更'也, 有所更變也.

후세에 망가져 어지럽게 된 일을 다스리는 경우에는 성인의 갑보다 앞서하고 뒤로 하는 훈계를 이해하지 못해 얕고 가까운 것만 생각하고 일삼았다. 그러므로 세상을 구제하려고 노력하는데도 어지러움이 고쳐지지 않았고, 일이 아직 이루어지지 않았는데도 폐단이 생기게 되었다. 갑(甲)은 일의 시작이고 경(庚)은 변경(變更)의 시작이다. 정치·교화와 같은 것을 만드는 일을 '갑'이라 하니, 그 시작을 든 것이다. 호령을 발하여 시행하는 일을 '경(庚)'이라고 하니, '경(庚)'은 '개선[更]'과 같은 것으로 변경할 일이 있다.

● 馬氏融曰 : "十日之中唯稱甲者, 甲爲十日之首. 蠱爲造事之端, 故擧初而明事始也."[3]

마융(馬融)[4]이 말했다. "10일 가운데 오직 갑이라 부를 수 있는 것이니, 갑은 10일의 시작이다. 고(蠱)는 일을 하는 시작이기 때문에 처음을 들어 일의 시작을 밝혔다."

....

3) 하해(何楷), 『고주역정고(古周易訂詁)』 「고괘(蠱卦)」.
4) 마융(馬融, 79~166) : 자는 계장(季長)이고, 섬서성 홍평(興平) 사람이다. 중국 동한(東漢)의 유학자이며, 저명한 경학가로서 고문경학(古文經學)에 밝았다. 안제(安帝)와 환제(桓帝) 때에 벼슬하여 교서랑(校書郞), 무도(武都)와 남군(南郡)의 태수를 지냈다. 수많은 경전에 통달하여 노식(盧植), 정현(鄭玄) 등을 가르쳤다. 『춘추삼전이동설(春秋三傳異同說)』을 짓고, 『효경』, 『논어』, 『시경』, 『주역』, 『삼례』, 『상서』, 『열녀전』, 『노자』, 『회남자』, 『이소(離騷)』 등을 주석했다. 문집 21편이 있었으나 지금은 그 단편(斷片)만이 남아 있다.

● 孔氏穎達曰 : "蠱者事也, 有事營爲則大得亨通. 有爲之時, 利在拯難, 故利涉大川也. 甲者, 制之令, 旣在有爲之時, 不可因仍舊令, 故用創制之令以治於人."5)

공영달(孔穎達)이 말했다. "고(蠱)는 일이니, 일이 있어 힘쓰면 크게 형통함을 얻는다. 일을 할 때는 이로움이 어려움을 구하는 데 있기 때문에 큰 시내를 건너는 것이 이롭다. 갑은 제재하는 명령으로 일을 했을 때는 옛 명령을 그대로 따라서는 안 되기 때문에 처음으로 제정한 법령으로 사람들을 다스린다."

又曰 : "物旣惑亂, 終致損壞, 當須有事. 故「序卦」云 : '蠱者, 事也', 謂物蠱必有事, 非謂訓蠱爲事."6)

또 말했다. "사물이 이미 미혹되어 어지럽게 되었다면, 마침내 훼손되고 망가져 반드시 일이 있게 되어야 한다. 그러므로 「서괘전」에서 '고(蠱)는 일이다'라고 하였으니, 사물이 망가지면 반드시 일이 있음을 말한 것이지 고(蠱)를 일을 하는 뜻으로 풀이한 것이 아니다."

● 集氏曰 : "'先甲三日', 殷勤告戒; '後甲三日', 丁寧宣布."7)

집씨(集氏)가 말했다. "'갑(甲)보다 삼일 앞서 한다'는 절실하게 경고하는 것이고, '갑보다 삼일 뒤로 한다'는 간절하게 재삼 선포하는 것이다.

---

5) 공영달(孔穎達), 『주역주소(周易注疏)』「고괘(蠱卦)」.
6) 공영달(孔穎達), 『주역주소(周易注疏)』「고괘(蠱卦)」.
7) 이형(李衡), 『주역의해촬요(周易義海撮要)』「고괘(蠱卦)」.

二體則陽卦居上, 陰卦居下. 六位則剛爻居上, 柔爻居下. 六十
四卦中, 亦唯此卦陰陽剛柔不相交, 尊卑上下不相接. 則隔絕而
百弊生, 萬事墮矣, 亦此卦名蠱之第一義也. 壞極則有復通之
理. 但當弘濟艱難, 而不可扭於安, 維始愼終, 而不可輕於動. 故
以'利涉大川, 先甲後甲'爲戒.

두 괘로 보면 양의 괘가 위에 있고 음의 괘가 아래에 있다. 여섯
효의 자리로 보면 굳센 효가 위에 있고 부드러운 효가 아래에 있
다. 64괘에서도 여기의 괘만이 음과 양, 굳셈과 부드러움이 서로
사귀지 않고 존엄함과 비천함이 서로 만나지 않는다. 그렇게 되면,
떨어지고 끊어져서 모든 폐단이 생기고 모든 일이 무너지니, 또한
이 괘를 고라고 이름붙인 첫 번째 의미이다.

망가지는 것이 다하면 다시 통하는 이치가 있다. 다만 널리 어려움
을 구제하면서도 편안함에 매여서는 안 되고, 시작에 끝을 삼가면
서도 경솔하게 움직여서는 안 된다. 그러므로 '큰 시내를 건너는 것
이 이로우니, 갑(甲)보다 삼일 앞서 하고, 갑보다 삼일 뒤로 한다'는
말로 경계하였다.

初六, 幹父之蠱, 有子, 考无咎, 厲, 終吉.

초육효는 아버지의 일을 주관하니, 자식이 있으면 돌아가신 아버지가 허물이 없겠지만 위태롭고, 마침내 길할 것이다.

'幹', 如木之幹, 枝葉之所附而立者也. 蠱者, 前人已壞之緖. 故諸爻皆有父母之象, 子能幹之, 則飭治而振起矣. 初六, 蠱未深而事易濟. 故其占爲有子則能治蠱而考得无咎, 然亦危矣. 戒占者宜如是, 又知危而能戒則終吉也.

'주관한다'는 간(幹)자는 나무의 줄기처럼 가지와 잎이 붙어있고 서 있는 것이다. 일[蠱]은 앞사람이 이미 허물어놓은 실마리이다. 그러므로 여러 효에는 모두 부모의 모양이 있으니, 자식이 일을 주관할 수 있으면 삼가 다스려서 진작될 것이다.

초육은 허물어진 실마리가 아직 심하지 않아 일이 쉽게 해결된다. 그러므로 그 점(占)이 자식이 있으면 허물어진 실마리를 다스려 돌아가신 아버지가 허물이 없을 수 있으나 또한 위태로운 것이다. 점치는 자가 마땅히 이와 같이 해야 하고 또 위태로움을 알아 경계할 수 있으면 마침내 길하다고 경계하였다.

初六, 雖居最下, 成卦由之, 有主之義. 居內在下而爲主, 子

幹父'蠱'也. 子幹父蠱之道, 能堪其事, 則爲有子而其考得无
咎, 不然則爲父之累. 故必惕屬則得終吉也. 處卑而尸尊事,
自當兢畏. 以六之才, 雖能巽順, 體乃陰柔, 在下无應而主幹,
非有能濟之義. 若以不克幹而言, 則其義甚小, 故專言爲子幹
蠱之道. 必克濟則不累其父, 能屬則可以終吉, 乃備見爲子幹
蠱之大法也.

초육효가 가장 낮은 곳에 있으나 괘가 이 때문에 있으니 주인의 뜻이
있다. 내괘 아래에 있으면서 주인이 되니, 자식이 아버지의 '어지러
운 실마리[蠱]'을 주관하는 것이다. 자식이 아버지의 일을 주관하는
도리는 그 일을 감당할 수 있으면, 자식이 있어 돌아가신 아버지가
허물이 없지만 그렇지 않으면 아버지의 부담이 된다. 그러므로 반드
시 두려워하고 조심하면 마침내 길할 수 있다.
낮은 자리에 있으면서 높은 분의 일을 주관하면 본래 조심하고 두려
워해야 한다. 육(六)의 재질로는 공손하지만 몸체가 음으로 유약하
고, 아래에서 호응이 없는데도 주관하니, 구제할 수 있는 뜻이 있지
않다. 만약 주관할 수 없는 것으로 말하면 그 뜻이 매우 작기 때문에,
오로지 자식으로서 아버지가 남긴 일을 주관하는 도리를 말했다. 반
드시 이룰 수 있으면 아버지에게 누를 끼치지 않고, 위태롭게 여기면
마침내 길할 수 있다고 하였으니, 이는 바로 자식으로서 아버지의
남긴 일을 주관하는 큰 법을 여러 가지로 갖추어 보여준 것이다.

集說

● 蘇氏軾曰: "器久不用而蟲生之謂之蠱, 人久宴溺而疾生之謂
之蠱, 天下久安無爲而弊生之謂之蠱. 蠱之災, 非一日之故也,

必世而後見, 故爻皆以父子言之."[8]

소식(蘇軾)이 말했다. "그릇을 오래도록 사용하지 않아 벌레가 생기는 것을 고(蠱)라 하고, 사람이 오래도록 술자리에 빠져 병이 나는 것을 고(蠱)라 하며, 세상이 오래도록 편안히 하는 일이 없어 폐단이 생기는 것을 고(蠱)라 한다. 고(蠱)라는 재앙은 단시일에 원인이 생기는 것이 아니고 반드시 세대가 지난 다음에 드러나기 때문에 효에서 모두 아버지와 자식으로 말했다."

● 故氏炳文曰: "爻辭有以時位言者, 有以才質言者. 如蠱初六以陰在下, 所應又柔, 才不足以治蠱. 以時言之, 則爲蠱之初, 蠱猶未深, 事猶易濟, 故其占爲'有子, 則其考可無咎'矣. 然捐之蠱, 則已危厲, 不可以蠱未深而忽之也. 故又戒占者, 知危而能戒, 則終吉."[9]

호병문(故炳文)이 말했다. "효사에는 때와 자리로 말하는 경우가 있고, 재질로 말하는 경우가 있다. 이를테면 고괘의 초육효가 음으로 아래에 있고 호응하는 것도 유순하니, 재질이 고(蠱)를 다스리기에 부족하다. 때로 말하면 고(蠱)가 아직 깊지 않아 일이 오히려 구제되기 때문에 그 점이 '자식이 있으면 돌아가신 아버지가 허물이 없다'는 것이다. 그러나 손(損☷☴)괘가 고(蠱☶☴)괘로 변하면 이미 위험하니, 고(蠱)가 아직 깊지 않아도 소홀히 해서는 안 된다. 그러므로 점치는 자가 위태로움을 알아 경계할 수 있으면 끝내 길하다고 경계하였다."

---

8) 소식(蘇軾), 『동파역전(東坡易傳)』「고괘(蠱卦)」.
9) 호병문(胡炳文), 『주역본의통석(周易本義通釋)』「겸괘(謙卦)」.

九二, 幹母之蠱, 不可貞.

구이효는 어머니의 일을 주관하니, 곧아서는 안 된다.

九二剛中, 上應六五, 子幹母蠱而得中之象. 以剛承柔而治其
壞, 故又戒以不可堅貞, 言當巽以入之也.

구이효의 굳세고 알맞음이 위로 육오효와 호응하니, 자식이 어머니
의 일을 주관하면서 알맞음[中]을 얻은 상이다. 굳센 양으로 부드러
운 음을 받들어 그 허물어진 것을 다스리기 때문에 또 견고하게 곧아
서는 안 된다고 경계하였으니, 공손함으로 들어가야 한다는 말이다.

九二陽剛, 爲六五所應, 是以陽剛之才在下, 而幹夫在上陰柔
之事也. 故取子幹母蠱爲義, 以剛陽之臣, 輔柔弱之君, 義亦
相近. 二巽體而處柔, 順義爲多, 幹母之蠱之道也. 夫子之於
母, 當以柔巽輔導之, 使得於義. 不順而致敗蠱, 則子之罪也,
從容將順, 豈无道乎? 以婦人言之, 則陰柔可知. 若伸己剛陽
之道, 遽然矯拂, 則傷恩所害大矣, 亦安能入乎. 在乎屈己下
意, 巽順將承, 使之身正事治而已. 故曰'不可貞', 謂不可貞固
盡其剛直之道. 如是乃中道也, 又安能使之爲甚高之事乎?
若於柔弱之君, 盡誠竭忠, 致之於中道則可矣, 又安能使之大

有爲乎? 且以周公之聖, 輔成王, 成王非甚柔弱也, 然能使之
爲成王而已. 守成不失道則可矣, 固不能使之爲羲黃堯舜之
事也. 二巽體而得中, 是能巽順而得中道, 合'不可貞'之義, 得
幹母蠱之道也.

구이효라는 양의 군셈에 육오효가 호응하니, 양의 군센 자질로 아
래에 있으면서 위에 있는 음의 유약한 일을 주관하는 것이다. 그러
므로 자식이 어머니의 일을 주관하는 것으로 그 의미를 삼았으니,
군센 양의 신하로 유약한 군주를 보필하는 것도 뜻이 또한 서로 비
슷하다.

이효는 손(巽)의 몸체로 부드럽게 처신하여 순종하는 뜻이 많으니,
어머니의 일을 주관하는 도리이다. 자식은 어머니에 대해 부드럽고
공손하게 도우며 인도하여 의리에 맞게 해야 한다. 유순하지 못해
잘못하면 자식의 죄이니, 침착하게 순종하려 한다면 어찌 방도가
없겠는가? 부인으로 말했다면, 음의 유약함을 알 수 있다. 자신의
군센 양의 도를 펼쳐 갑자기 어긋나게 하면 은혜를 해쳐 해로움이
크니, 또한 어떻게 들어갈 수 있겠는가? 몸을 굽히고 뜻을 낮추며
공손하고 순하게 받들어 몸이 바르고 일이 다스려지게 함에 있을
뿐이다. 그러므로 '곧아서는 안 된다'고 하였으니, 곧게 자신의 강직
한 도를 다해서는 안 된다는 말이다.

이렇게 해야 중도(中道)이니, 또 어떻게 아주 숭고한 일을 하게 할
수 있겠는가? 유약한 임금에게는 정성과 충성을 다해 중도에 이르
게 하면 되니, 또 어떻게 큰일을 하도록 할 수 있겠는가? 게다가 주
공(周公)과 같은 성인도 성왕(成王)을 보필할 적에, 성왕이 그렇게
유약하지 않았는데도 그가 성왕(成王)이 되게 할 수 있었을 뿐이었
다. 이루어놓은 것을 지켜 도를 잃지 않게 하면 되었으니, 참으로

복희(伏羲)·황제(黃帝)·요(堯)·순(舜)의 일을 하게 하지는 못하였다. 구이효가 손괘의 몸체인데 가운데 자리를 얻은 것은 공손하면서 중도(中道)를 얻을 수 있어 '곧아서는 안 된다'는 뜻에 합하고 어머니의 일을 주관하는 도리를 얻은 것이다.

集說

● 蘇氏軾曰 : "陰之爲性, 安無事而惡有爲, 是以爲蠱之深, 而幹之尤難者. 正之則傷愛, 不正則傷義, 以是爲之難也. 二以陽居陰, 有剛之實, 而無用剛之跡, 可以免矣."[10]

소식이 말했다. "음의 특성은 일이 없는 것을 편안히 여기고, 일이 있는 것을 싫어하기 때문에, 일이 심해져서 주관하기 더욱 어려운 것이다. 바로 잡으면 사랑을 해치고 바로잡지 않으면 의리를 해치니, 이것이 어렵다. 이효는 양으로 음의 자리에 있으니, 굳센 실질이 있을지라도 굳셈을 쓴 흔적이 없어야 잘못을 면할 수 있다."

● 楊氏時曰 : "或曰, '卦以五爲君位, 而可以母言乎?'"
曰 : "母者陰尊之稱, 如晉六二之稱'王母', 小過六二之稱'遇其妣', 皆謂六五也."[11]

양시(楊時)가 말했다. "어떤 이가 '괘에서 오효는 임금의 자리인데 어머니로 말합니까?'라고 하였습니다."

------

10) 소식(蘇軾), 『동파역전(東坡易傳)』「고괘(蠱卦)」.
11) 호광(胡廣) 등, 『주역전의대전(周易傳義大全)』「고괘(蠱卦)」.

대답했다. "어머니는 음의 존귀함에 대한 칭호이니, 이를테면 진(晉 ䷢)괘 육이효에서 '왕모(王母)'[12]라 하고, 소과(小過䷲)괘 육이효에 서 '할머니를 만난다'[13]라 한 것은 모두 육오효를 말합니다."

● 蔣氏悌生曰：“九二以陽剛而承六五之陰柔, 有母子之象. 但 戒以‘不可貞’, 則與幹父小異. 然以巽順而得中道, 亦善於蠱者也.”

장제생(蔣悌生)이 말했다. "구이효는 양의 굳셈으로 육오효의 음유 함을 받드니, 어머니와 자식의 모습이 있다. 다만 '곧아서는 안 된 다'는 것으로 경계하였으니, 아버지의 일을 주관하는 것과 다소 다 르다. 그러나 유순함으로 중도를 얻었으니, 또한 일을 훌륭하게 하 는 것이다."

● 楊氏啟新曰：“子幹母蠱, 易於專斷而失於承順, 故戒以‘不可 貞.’”

양계신(楊啟新)이 말했다. "자식이 어머니의 일을 주관하면, 쉽게 결단하거나 잘못 받들어 순종하기 때문에 '곧아서는 안 된다'는 것 으로 경계하였다."

....

12) 『주역(周易)』「진괘(晉卦)」：“六二, 晉如愁如, 貞, 吉, 受玆介福于其王 母.[육이효는 나아감이 근심스럽지만 곧으면 길하니, 큰 복을 왕모에게 서 받는다.]"라고 하였다.
13) 『주역(周易)』「소과괘(小過卦)」：“六二, 過其祖, 遇其妣, 不及其君, 遇 其臣, 无咎.[육이효는 할아버지를 지나가 할머니를 만나고, 임금에게 가 지 않고 신하를 만나니, 허물이 없다.]"라고 하였다.

九三, 幹父之蠱, 小有悔, 无大咎.

구삼효는 아버지의 일을 주관하니, 조금 후회가 있지만 큰 허물은
없을 것이다.

本義

過剛不中, 故小有悔, 巽體得正, 故无大咎.

지나치게 굳세고 가운데에 있지 않기 때문에 조금 후회가 있고, 손
(巽☴)괘의 몸체이고 제자리를 얻었기 때문에 큰 허물이 없다.

程傳

三以剛陽之才, 居下之上, 主幹者也, 子幹父之蠱也. 以陽處
剛而不中, 剛之過也. 然而在巽體, 雖剛過而不爲无順. 順事
親之本也, 又居得正, 故无大過. 以剛陽之才, 克幹其事, 雖
以剛過而有小小之悔, 終无大過咎也. 然有小悔, 已非善事
親也.

삼효는 굳센 양의 재질로서 아래 괘의 위에 있어 일을 주관함이니,
아들이 아버지의 일을 주관하는 것이다. 그런데 양이 굳센 자리에
있고 가운데에 있지 않으니 지나치게 강하다. 그러나 손(巽☴)괘의
몸체에 있으니, 지나치게 굳셀지라도 순종하지 않는 것이 아니다.
순종은 어버이를 섬기는 근본이고 또 있는 곳이 바르기 때문에 큰

허물이 없다. 굳센 양의 재질로 그 일을 주관할 수 있으니, 지나치게 굳세어 다소 후회가 있을지라도 끝내 큰 잘못은 없다. 그러나 조금 후회가 있으니 어버이를 잘 섬기는 것은 아니다.

集說

● 趙氏汝楳曰 : "二三之剛, 三有餘於幹, 初四五之柔, 四不足於幹. 重剛之才, 易失於太過, 則小悔固所宜也. 然蠱由以亨, 何大咎之有?"[14]

조여매(趙汝楳)[15]가 말했다. "이효·삼효가 굳세니, 삼효는 주관함이 넘치고, 초효·사효·오효가 부드러우니, 사효는 주관함이 부족하다. 거듭된 굳센 재질은 너무 지나침으로 쉽게 잘못하니 다소의 후회는 진실로 당연한 것이다. 그러나 일이 그 때문에 형통하니, 어떻게 큰 허물이 있겠는가?"

● 胡氏炳文曰 : "幹蠱之道, 以剛柔相濟爲尙. 初六六五, 柔而

---

14) 조여매(趙汝楳), 『주역집문(周易輯聞)』「고괘(蠱卦)」.
15) 조여매(趙汝楳) : 조여매(趙汝楳)는 남송(南宋) 시대 학자로서 상왕원분(商王元份) 7세손이고 자정전대학사(資政殿大學士) 선상(善湘)의 아들이다. 이종(理宗) 때는 호부시랑(戶部侍郎)까지 올랐다. 『주역집문(周易輯聞)』 6권이 있다. 『송사(宋史)』「조선상전(趙善湘傳)」에 따르면 조선상이 『역』에 대해 말한 책에는 『약설(約說)』 8권, 『혹문(或問)』 4권, 『지요(指要)』 4권, 『속문(續問)』 8권 등이 있는데 이 『역』을 연구한 것이 가장 오래되었다고 하니, 조여매는 가학(家學)을 이어 『주역집문』을 지었다.

居剛, 九二剛而居柔, 皆可幹蠱, 不然, 與其爲六四之過於柔而
吝, 不若九三之過於剛而悔, 故曰, '小有悔'. 若不足其過於剛,
繼之曰, '无大咎', 猶幸其能剛也."16)

호병문이 말했다. "일을 주관하는 방법은 굳셈과 부드러움이 서로
구제하기를 일정하게 하는 것이다. 초육효와 육오효는 부드러운 것
인데 굳센 자리에 있고, 구이효는 굳센 것인데 부드러운 자리에 있
으니, 모두 일을 주관할 수 있다. 그렇지 않아 육사효가 부드러움
에 지나쳐 부끄럽게 되는 것은 구삼효가 굳셈에 지나쳐 후회하는
것만 못하기 때문에 '조금 후회가 있다'고 했다. 굳셈에 지나침이
부족할 것 같으면, 이어서 '큰 허물이 없다'고 했을테니, 여전히 굳
셀 수 있음을 다행으로 여긴 것이다."

---

16) 호병문(胡炳文), 『주역본의통석(周易本義通釋)』「고괘(蠱卦)」.

六四, 裕父之蠱, 往見吝.

육사효는 아버지의 일을 느슨하게 하니, 그대로 나아가면 부끄러움을 당할 것이다.

本義

以陰居陰, 不能有爲, 寬裕以治蠱之象也. 如是則蠱將日深, 故往則見吝. 戒占者不可如是也.

음으로 음의 자리에 있어 큰일을 할 수 없으니, 느슨하게 허물어진 일을 다스리는 상이다. 이렇게 하면 일의 허물어짐이 날로 깊어지기 때문에 그대로 나아가면 부끄러움을 당하게 된다. 점치는 자가 이처럼 해서는 안 된다고 경계하였다.

程傳

四以陰居陰, 柔順之才也, 所處得正, 故爲寬裕以處其父事者也. 夫柔順之才而處正, 僅能循常自守而已, 若往幹過常之事, 則不勝而見吝也. 以陰柔而无應助, 往安能濟?

사효는 음으로서 음의 자리에 있어 유순한 재질이고, 있는 곳이 바름을 얻었기 때문에 느슨하게 그 아버지의 일을 처리하는 것이다. 유순한 재질이면서 바른 곳에 있어 겨우 떳떳함을 따라 자신을 지킬 수 있을 뿐이니, 나아가 떳떳함을 지나칠 정도로 일을 주관한다면, 감당하지 못해 부끄러움을 당하게 된다. 유약한 음으로 호응하여 도와주는 이가 없으니, 어디를 간들 이룰 수 있겠는가?

● 『朱子語類』云, "此兩爻說得悔吝二字最分明. 九三有悔而無咎, 由凶而趨吉也; 六四雖目下無事, 然卻終吝, 由吉而趨凶也."[17]

『주자어류』에서 말했다. "이 두 효에서 후회[悔]와 부끄러움[吝]이라는 두 말에 대해 가장 분명하게 설명할 수 있다. 구삼효는 후회가 있지만 허물이 없으니, 흉함[凶]에서 길함[吉]으로 나아가고, 육사효는 눈앞에 일이 없을지라도 도리어 결국 부끄럽게 되니, 길함에서 흉함으로 나아가는 것이다."

● 劉氏彌邵曰 : "強以立事爲幹, 怠而委事爲裕. 事弊而裕之, 弊益甚矣. 蓋六四體艮之止而爻位俱柔. 夫貞固足以幹事. 今止者怠, 柔者懦, 怠且懦, 皆增益其蠱者也. 持是以往, 吝道也, 安能治蠱耶?"[18]

유미소(劉彌邵)가 말했다. "굳셈은 일을 내세워 주관하는 것으로 여기고 게을러 일을 내버려두며 느슨한 것으로 여긴다. 일이 잘못되는데도 느슨하게 하면 잘못되는 것이 더욱 심해진다. 육사효는 간(艮☶)괘의 멈춤이 몸체이고, 효의 위치가 부드러움을 갖추었다.

---

17) 『주자어류』 권70, 188조목.
18) 정정조(程廷祚), 『대역택언(大易擇言)』「고괘(蠱卦)」.

바르고 곧음은 일을 주관하기에 충분하다. 그런데 이제 멈추는 것은 게으름이고, 부드러운 것은 나약함이다. 게으르고 나약함은 모두 허물어진 일을 더욱 더 하게 만드는 것들이다. 이를 지켜 그대로 나아가면 부끄럽게 되는 길이니, 어떻게 허물어지는 일을 다스릴 수 있겠는가?"

六五, 幹父之蠱, 用譽.

육오효는 아버지의 일을 주관하니 명예로울 것이다.

柔中居尊而九二承之以德, 以此幹蠱, 可致聞譽. 故其象占
如此.

부드럽고 알맞음이 존귀한 자리에 있어 구이효가 덕으로 받드니,
이것으로 허물어진 일을 주관하면 명예롭게 될 것이다. 그러므로
그 상과 점이 이와 같다.

五居尊位, 以陰柔之質, 當人君之幹而下應於九二, 是能任剛
陽之臣也. 雖能下應剛陽之賢而倚任之, 然己實陰柔, 故不能
爲創始開基之事, 承其舊業則可矣, 故爲幹父之蠱. 夫創業垂
統之事, 非剛明之才則不能. 繼世之君, 雖柔弱之資, 苟能任
剛賢, 則可以爲善繼而成令譽也. 太甲, 成王, 皆以臣而用譽
者也.

육오효가 존귀한 자리에 있어 유약한 음의 자질로 임금의 주관을
맡아 아래로 구이효와 호응하니, 굳센 양인 신하에게 임무를 맡길
수 있다. 아래로 굳센 양인 현인과 호응하여 그에게 의지하고 맡길

수 있을지라도 자신이 실로 유약한 음이기 때문에 창업하여 토대를 열어주는 일은 할 수 없고, 옛 사업을 이어받는 것은 할 수 있기 때문에 아버지의 일을 주관하는 것이다. 창업하여 왕위를 전해주는 것은 굳세고 명철한 재질이 아니면 할 수 없다. 대를 잇는 임금은 유약한 자질이라도 진실로 굳세고 어진 이에게 맡길 수 있으면, 잘 계승하여 아름다운 명예를 이룰 수 있다. 은(殷)의 태갑(太甲)이나 주(周)의 성왕(成王)은 모두 신하를 잘 써서 명예롭게 된 자들이다.

集說

● 趙氏汝楳曰 : "六五德位, 適剛柔之中, 用以幹蠱, 宜有休譽. 用譽則蠱之亨可知."19)

조여매가 말했다. "육오효라는 덕의 자리는 오직 굳세고 부드러운 가운데이니 일을 주관하면 아름다운 명예가 있는 것이 당연하다. 명예롭다면 일의 형통함을 알 수 있다."

● 熊氏良輔曰 : "諸爻稱幹蠱者, 皆幹前人已壞之事. 六五至於用譽, 則不特幹其事之已壞, 所謂立身揚名, 使國人稱願曰, '幸哉有子矣'."20)

웅양보(熊良輔)21)가 말했다. "여러 효에서 일을 주관하는 것에 대

---

19) 조여매(趙汝楳), 『주역집문(周易輯聞)』「고괘(蠱卦)」.
20) 웅양보(熊良輔), 『주역본의집성(周易本義集成)』「고괘(蠱卦)」.
21) 웅량보(熊良輔, 1310~1380) : 자는 임중(任重)이고, 호는 매변(梅邊)이

해 말한 것은 모두 앞 사람이 이미 망가뜨려놓은 일을 주관한다는 뜻이다. 육오효가 명예로움은 이미 망가뜨려놓은 일을 주관할 뿐만 아니라 이른바 출세하여 이름을 떨치는 것이니, 사람들이 칭찬하고 흠모하게 하여 '행복이로다! 자식이 있음이여'라고 만드는 것이다."

● 鄭氏維嶽曰 : "子有幹蠱之名, 則過歸於親, 幹蠱而親不失於 令名, 是用譽以幹之也, 幹蠱之最善者."

정유악(鄭維嶽)이 말했다. "자식에게 일을 주관하는 명예가 있으면, 잘못이 부모에게로 돌아가니, 주관했어도 부모가 아름다운 이름을 잃지 않게 함이 명예롭게 주관한 것으로 일의 주관을 가장 잘한 것 이다."

다. 원(元)대 남창(南昌) 사람이다. 웅개(熊凱)에게 학문을 배웠는데, 특 히『역』에 정통했다. 저서에 주희(朱熹)의 학설을 주로 하고 자기의 논 의를 가미한『주역본의집성(周易本義集成)』과『풍아유음(風雅遺音)』, 『소학입문(小學入門)』등이 있다.

上九, 不事王侯, 高尚其事.

상구효는 왕후를 섬기지 않고 그 일을 높이 숭상한다.

剛陽居上, 在事之外, 故爲此象, 而占與戒皆在其中矣.

굳센 양이 위에 있어 일에서 벗어나기 때문에 이런 모양이 되는데, 점과 경계함이 모두 그 가운데 있다.

上九居蠱之終, 无係應於下, 處事之外, 无所事之地也. 以剛明之才, 无應援而處无事之地, 是賢人君子不偶於時, 而高潔自守, 不累於世務者也. 故云'不事王侯高尚其事'. 古之人有行之者, 伊尹太公望之始, 曾子子思之徒是也.

상구효는 고괘의 끝에 있어 아래로 얽혀 호응함이 없고, 일에서 벗어나 있으니, 일삼을 곳이 없다. 굳세고 명철한 재질로 호응하여 도와주는 이가 없고 할 일이 없는 처지이니, 현인과 군자가 때를 만나지 못해 고결하게 자신을 지키며 세상의 일에 얽매이지 않는 것이다. 그러므로 "왕후를 섬기지 않고 그 일을 높이 숭상한다"고 하였다. 옛 사람들 가운데 이런 분들이 있었으니, 이윤과 태공망의 초기와 증자, 자사(子思) 등이 여기에 해당한다.

不屈道以徇時, 旣不得施設於天下, 則自善其身, 尊高敦尚其事, 守其志節而已. 士之自高尚, 亦非一道. 有懷抱道德, 不偶於時而高潔自守者, 有知止足之道, 退而自保者, 有量能度分, 安於不求知者, 有淸介自守, 不屑天下之事, 獨潔其身者. 所處雖有得失小大之殊, 皆自高尚其事者也. 象所謂'志可則'者, 進退合道者也.

도를 구부려 시대에 영합하지 않고, 이미 세상에 도를 베풀 수 없으면 스스로 그 자신을 착하게 하여 그 일을 높이고 돈독하게 숭상하여 지조와 절개를 지킬 뿐이다.

선비가 스스로 높이고 숭상하는 데도 한 가지 길만 있는 것은 아니다. 도덕을 마음에 품었으나 때를 만나지 못해서 고결하게 자신을 지키는 사람이 있고, 멈추어 만족하는 도리를 알아 물러나 스스로를 보존하는 사람이 있으며, 자신의 능력과 분수를 헤아려 편안히 알아주기를 구하지 않는 사람이 있고, 깨끗한 절개를 스스로 지키며 세상일을 달갑게 여기지 않아 홀로 자신을 깨끗하게 하는 사람이 있다.

처신에 얻고 잃는 것과 작고 큰 것의 차이가 있을지라도 모두 스스로 그 일을 높이고 숭상하는 사람들이다. 「상전」에서 '뜻을 본받을 만하다'[22]라고 한 것은 나아가고 물러남이 도리에 합한다는 뜻이다.

---

22) 『주역(周易)』「고괘(蠱卦)」: "象曰, '不事王侯', 志可則也.[「상전」에서 말했다: '왕후를 섬기지 않는다'는 것은 그 뜻을 본받을 만하다는 것이다.]"라고 하였다.

● 石氏介曰 : "在卦之終, 事成也. 在卦之上而無所承, 身退者也, 在外卦而心不累於內, 志之高者也."[23]

석개(石介)가 말했다. "괘의 끝에서는 일이 완성된다. 그런데 괘의 위에서는 이어갈 것이 없어 자신이 물러나니, 외괘에 있으나 마음이 내괘에 얽매이지 않아야 뜻이 높다."

● 胡氏炳文曰 : "初至五皆以蠱言, 不言君臣而言父子, 臣於君事, 猶子於父事也. 上九獨以不事王侯言者, 蓋君臣以義合也. 子於父母, 有不可自諉於事之外, 若王侯之事, 君子有不可事者矣. 是故君子之出處, 在事之中. 盡力以幹焉而不爲汙, 在事之外, 潔身以退焉而不爲僻."[24]

호병문이 말했다. "초효에서 오효까지는 모두 일로 말하면서 임금과 신하를 말하지 않고 아버지와 자식을 말했는데, 신하가 임금의 일에 대한 것은 자식이 아버지의 일에 대한 것과 같기 때문이다. 상구효에서 유독 왕후를 섬기지 않음으로 말한 것은 임금과 신하는 의리로 합하기 때문이다. 자식이 부모에 대한 것은 일 밖에서 스스로 핑계될 수 없는 것이 있지만, 왕후의 일이라면 군자가 섬기지 않아야 할 것이 있기 때문이다. 이 때문에 군자의 출처는 일 속에서는 힘을 다해 주관하여 욕되지 않게 하고, 일 밖에서는 깨끗이 물러나 피한 것이 되지 않게 한다."

---

23) 심기원(沈起元), 『주역공의집설(周易孔義集說)』「고괘(蠱卦)」.
24) 호병문(胡炳文), 『주역본의통석(周易本義通釋)』「고괘(蠱卦)」.

● 張氏振淵曰 : "陽剛非遺世不事事之人. 居蠱之終, 則無事之
時也. 在蠱之外, 則不當事之人也. 故曰'不事王侯'. 然當事者,
以幹蠱為事, 不當事者, 以高尚為事, 故不曰'無事'. 而曰'高尚其
事'."25)

장진연(張振淵)이 말했다. "양의 굳셈은 세상을 끊어버리고 일을
일삼지 않는 사람이 아니다. 그런데 고괘의 끝에 있으니 일이 없는
때이고, 고괘에서 외괘에 있으니 일을 하지 않는 사람이다. 그러므
로 '왕후를 섬기지 않는다'고 하였다. 그러나 일을 해야 하는 경우
에는 일을 주관하는 것을 일로 하고, 일을 하지 않아야 될 경우에
는 높이 숭상하는 것을 일로 하기 때문에 '일이 없다'고 하지 않고
'그 일을 높이 숭상한다'고 하였다."

25) 정정조(程廷祚), 『대역택언(大易擇言)』「고괘(蠱卦)」.

19. 임臨괘

坤上
兌下

臨「序卦」, "有事而後可大, 故受之以臨. 臨者, 大也." 蠱者,
事也. 有事則可大矣, 故受之以臨也. 韓康伯云, 可大之業,
由事而生. 二陽方長而盛大, 故爲臨也. 爲卦澤上有地. 澤上
之地, 岸也, 與水相際, 臨近乎水, 故爲臨. 天下之物, 密近相
臨者, 莫若地與水, 故地上有水則爲比, 澤上有地則爲臨也.
臨者, 臨民臨事, 凡所臨皆是. 在卦取自上臨下, 臨民之義.

임(臨)은 「서괘전(序卦傳)」에서 "일이 있은 이후에 크게 될 수 있기
때문에 임괘로 받았다. 임은 큼이다"라고 하였다. 고(蠱)는 일이다.
일이 있으면 크게 될 수 있기 때문에 임괘로 받았다.
한강백(韓康伯)은 "크게 될 수 있는 사업은 일로 말미암아 생긴
다"[1]고 하였다. 두 양이 한창 자라나 성대해지기 때문에 임(臨)
괘가 된다. 괘의 모양은 못(兌) 위에 땅(坤)이 있는 것이다. 못 위
의 땅은 못둑이니, 물과 서로 닿아 임하여 가까이 있기 때문에 임
(臨)괘가 된다.

---

1) 공영달(孔穎達), 『주역주소(周易注疏)』「서괘소(序卦疏)」.

천하의 사물 중에 달라붙어 가까이 서로 임한 것은 땅과 물 만한 것이 없기 때문에 땅 위에 물이 있으면 비(比☷☵)괘가 되고, 못 위에 땅이 있으면 임(臨☷☱)괘가 된다. 임(臨)은 백성에게 임하고 일에 임하는데, 임하는 일은 모두 여기에 해당된다. 괘에서는 위에서 아래에 임하는 것을 취하였으니, 백성에게 임한다는 의미이다.

臨, 元亨, 利貞, 至於八月有凶.

임(臨)은 크게 형통하고 곧게 함이 이로운데, 여덟 달이 되면 흉함
이 있게 될 것이다.

本義

臨, 進而陵逼於物也. 二陽浸長以逼於陰, 故爲臨, 十二月之
卦也. 又其爲卦, 下兌說, 上坤順, 九二以剛居中, 上應六五,
故占者大亨而利於正, 然至於八月當有凶也. 八月, 謂自復卦
一陽之月, 至於遯卦二陰之月, 陰長陽遯之時也. 或曰, "八月
謂夏正八月, 於卦爲觀", 亦臨之反對也, 又因占而戒之.

임(臨☷)괘는 나아가 사물에 접근하는 것이다. 두 양이 차츰 자라나
음에 접근하기 때문에 임괘인데, 12월의 괘(卦)이다. 또한 괘의 특
성이 아래는 태(兌☱)로 기뻐하는 것이고 위는 곤(坤☷)으로 유순
한 것인데, 구이효가 굳셈으로 가운데 있어 위로 육오효와 호응하
기 때문에 점치는 자가 크게 형통하고 바름[貞]이 이로운데, 여덟
달이 되면 마땅히 흉함이 있게 될 것이다.

여덟 달은 복(復☷)괘의 양이 하나인 달[月]에서 돈(遯☰)괘의 음이
둘인 달[月]까지를 말하니, 음이 자라 양이 은둔하는 때이다. 어떤
이가 "팔월(八月)은 하(夏)나라 달력의 8월로 괘에서는 관(觀☷)괘
가 된다"라 하니, 또한 임(臨☷)괘와는 거꾸로 된 것이다. 또 점으
로 인하여 경계한 것이다.

以卦才言也. 臨之道, 如卦之才, 則大亨而正也. 二陽方長於
下, 陽道向盛之時, 聖人豫爲之戒曰, "陽雖方長, 至於八月,
則其道消矣, 是有凶也". 大率聖人爲戒, 必於方盛之時, 方盛
而慮衰, 則可以防其滿極, 而圖其永久, 若旣衰而後戒, 則無
及矣. 自古天下安治, 未有久而不亂者, 蓋不能戒於盛也. 方
其盛而不知戒. 故狃安富則驕侈生, 樂舒肆則綱紀壞, 忘禍亂
則寇孽萌. 是以浸淫不知亂之至也.

괘의 재질로 말했다. 임하는 도가 괘의 재질과 같으면 크게 형통하
고 바르다. 두 양이 아래에서 한창 자라나 양의 도가 성할 때이니,
성인이 미리 경계하여 "양이 비록 성하나 여덟 달이 되면 그 도가
사라질 것이니, 흉함이 있게 된다"라고 한 것이다.

대체로 성인이 경계하는 것은 반드시 한창 성대할 때 성대하게 되
고 있어도 쇠퇴할 것을 염려하면, 가득차서 다하는 것을 막아 영구
함을 도모할 수 있는데, 이미 쇠퇴해버린 뒤에 경계하면 어떻게 해
볼 수 없다는 말이다.

예로부터 천하가 편안히 다스려짐에 오래되어 혼란하지 않은 적이
없었던 것은 대체로 성할 때 경계하지 않았기 때문이다. 한창 성대
하게 될 때는 경계할 줄 모른다. 그러므로 편안하고 부유함에 익숙
해지면 교만과 사치가 생기고, 게으르고 방자함을 즐기면 기강이
무너지고, 재앙과 난리를 잊으면 죄와 근심이 싹튼다. 이 때문에 차
츰 젖어 들어 혼란이 생기는 줄 알지 못하는 것이다.

● 張子曰 : "臨言'有凶'者, 易之於爻, 變陽至二, 便爲之戒, 未過
中已戒, 猶'履霜堅冰'之義. 及泰之三, 曰'无平不陂, 无往不復',
過中之戒也."2)

장재(張載)3)가 말했다. "임괘에서 '흉함이 있게 될 것이다'라 한 것
은 효의 변화과정에서 이효까지 양으로 변하면 바로 경계하는 것이
니, 중(中)을 아직 지나치지 않았을 때 벌써 경계하는 것은 '서리를
밟으면 단단한 얼음이 얼게 될 것이다'4)는 말과 같은 의미이다. 태
(泰)괘 삼효에서 '평평한 것은 기울지 않는 것이 없으며, 가는 것은
돌아오지 않는 것이 없다'5)라 한 말은 중(中)을 지나쳤을 때의 경
계이다."

---

2) 장재(張載), 『횡거역설(橫渠易說)』「임괘(臨卦)」.

3) 장재(張載, 1020~1077) : 자는 자후(子厚)이고, 세칭 횡거선생(橫渠先
生)이라고 한다. 송대 대양(大梁 : 현 하남성 개봉〈開封〉) 사람으로 거
주지는 미현 횡거진(郿縣橫渠鎭 : 현 섬서성 미현〈眉縣〉)이었다. 1057
년 진사에 급제했고 운암령(雲巖令)·숭정원교서(崇政院校書) 등을 역
임하였다. 젊어서 병법을 좋아하여 범중엄에게 서신을 보냈다가 『중용』
을 읽기를 권유받고, 얼마 뒤 『6경(六經)』에 전념하게 되었다. 특히 『역』
과 『중용』을 중시하여 『정몽(正蒙)』, 『서명(西銘)』, 『역설(易說)』 등을
지었는데, 이로써 나중에 '관학(關學)'의 창시자가 되었다.

4) 『주역(周易)』「곤괘(坤卦)」: "初六, 履霜, 堅冰至.[초육효는 서리를 밟으
면 단단한 얼음이 얼게 될 것이다.]"라고 하였다.

5) 『주역(周易)』「태괘(泰卦)」: "九三, 无平不陂, 无往不復, 艱貞, 无咎, 勿
恤其孚, 于食有福.[구삼효는 평탄한 것은 기울지 않는 것이 없으며, 가
는 것은 돌아오지 않는 것이 없으니, 어려워도 곧게 하면 허물이 없고
그 믿음을 우려하지 않으면 먹는 데 복이 있다.]"라고 하였다.

● 『朱子語類』, 問 : "臨不特上臨下之謂臨, 凡進而逼近者, 皆謂
之臨否?" 曰 : "然. 此是二陽自下而進上, 則凡相逼近者, 皆爲臨
也."6)

『주자어류』에서 물었다. "임(臨)은 위에서 아래로 임(臨)하는 것을
임(臨)이라 할 뿐 아니라, 나아가서 접근하는 것도 모두 임(臨)이라
할 수 있습니까?"
주자가 말했다. "그렇습니다. 여기에서는 두 양이 아래에서 위로
나아가는 것이니, 서로 접근하는 경우가 모두 임(臨)입니다."

● 程氏逈曰 : "陽極於九, 而少陰生於八, 陰之義配月; 陰極於
六, 而少陽復於七, 陽之義配日."7)

정형(程逈)8)이 말했다. "양이 구에서 다하고 소음이 팔에서 나오니

6) 『주자어류』 권70, 199조목.
7) 왕응린(王應麟), 『곤학기문(困學紀聞)』 「역(易)」.
8) 정형(程逈) : 남송 응천부(應天府) 영릉(寧陵) 사람으로 자는 가구(可
久)이고, 호는 사수(沙隨)이다. 효종(孝宗) 융흥(隆興) 원년(1163)에 진
사(進士)에 급제하여, 진현(進賢)과 상요(上饒)의 지현(知縣), 양주(揚
州) 태흥위(泰興尉), 요주덕흥지현(饒州德興知縣) 등을 역임하였다. 일
찍이 왕보(王葆)와 가흥(嘉興)의 학자 무덕(茂德), 엄릉(嚴陵), 유저(喩
樗)에게 경전을 배웠고, 주희는 그의 박학다식함과 실천정신을 칭찬했
다. 경서는 물론 불교와 도가, 음운에 이르기까지 두루 연구했다. 저서에
『고역고(古易考)』, 『고역장구(古易章句)』, 『역전외편(易傳外編)』, 『춘
추전현미예목(春秋傳顯微例目)』, 『논어전(論語傳)』, 『맹자장구(孟子章
句)』, 『경사설제논변(經史說諸論辨)』, 『사성운(四聲韻)』, 『고운통식(古
韻通式)』, 『의경정본서(醫經正本書)』, 『삼기도의(三器圖義)』, 『남재소
집(南齋小集)』 등이 있는데, 세상에 전해진 것으로는 『주역고점법(周易

음의 의미는 달에 짝하고, 음이 육에서 다하고 소양이 칠에서 나오니 양의 의미는 해에 짝한다."

● 王氏應麟曰 : "臨所謂'八月', 其說有三, 一云自丑至申爲否, 一云自子至未爲遯, 一云自寅至酉爲觀. 『本義』兼取遯觀二說. 復所謂七日, 其說有三, 一謂卦氣起中孚, 六日七分之後爲復, 一謂過坤六位, 至復爲七日, 一謂自五月姤一陰生, 至十一月一陽生. 『本義』取自姤至復之說."9)

왕응린(王應麟)이 말했다. "임(臨☷)괘에서 말한 '여덟 달(八月)'에는 세 학설이 있으니, 하나는 축(丑)에서 신(申)까지 비(否☶)괘라는 것이고, 하나는 자(子)에서 미(未)까지 돈(遯☶)괘라는 것이며, 하나는 인(寅)에서 유(酉)까지 관(觀☴)괘라는 것이다. 『주역본의』에서는 돈괘와 관괘의 두 설을 취했다. 복괘에서 말한 칠일(七日)에는 세 학설이 있으니, 하나는 괘의 기운이 중부(中孚☴)괘에서 나와 육일 칠분의 후에 복(復☷)괘가 된다는 설이고, 하나는 곤(坤☷)괘의 여섯 자리를 지나 복괘가 되는 것이 칠일이라는 것이며, 하나는 오월 구(姤☴)괘의 한 음이 나오는 것에서 십일월 복(復☷)괘의 한 양이 나오기까지라는 것이다. 『주역본의』에서는 구괘에서 복괘까지의 설을 취하였다."

● 胡氏炳文曰 : "諸家'臨'字, 訓'近'訓'大', 只見上臨下, 不見剛臨柔之意. 『本義』依如'臨深淵'之'臨', 謂進而迫於淵, 此所謂'臨'

  古占法)』과 『주역장구외편(周易章句外編)』 등이 있다.
9) 왕응린(王應麟), 『곤학기문(困學紀聞)』「역(易)」.

者, 剛進而迫於柔也. 蓋復者, 陰之極而陽初來也. 臨者, 二陽皆來而迫於陰也. 故'復亨'而'臨大亨', 復不言'利貞'者, 復是初陽之萌, 無有不善, 臨則二陽浸盛, 易至放肆, 故戒之也."10)

호병문이 말했다. "여러 학자들이 '임(臨)'자를 '가까이 하다'와 '크다'로 풀이함에 오직 위에서 아래로 임하는 것을 보았을 뿐이고, 굳셈이 부드러움에 임한다는 의미는 보지 못하였다. 『주역본의』에서는 '깊은 못에 임한다'는 것처럼 '임한다'는 것에 따라 나아가 못에 접근함을 말하니, 여기에서 이른바 '임한다'는 것은 굳셈이 나아가 부드러움에 접근하는 일이다. 복(復☷☳)괘는 음이 다해 양이 처음으로 오고, 임(臨☷☱)괘는 두 양이 모두 와서 음에게 접근한다. 그러므로 '복(復)은 형통하다'11)는 것이고 '임(臨)은 크게 형통하다'는 것이다. 복괘에서 '곧게 함이 이롭다'고 하지 않은 것은 복괘는 처음으로 양이 싹터 선하지 않음이 없고, 임괘는 두 양이 점차 성대해져 방자해지기 쉽기 때문에 경계하였다."

---

10) 호병문(胡炳文), 『주역본의통석(周易本義通釋)』「임괘(臨卦)」.

11) 『주역(周易)』「복괘(復卦)」: "復, 亨, 出入无疾, 朋來无咎.[복(復)은 형통하니, 나가고 들어옴에 병이 없고 벗이 옴에 허물이 없다.]"라고 하였다.

初九, 咸臨, 貞吉.

초구효는 두루 임하니, 바르게 하여 길하다.

本義

卦唯二陽, 遍臨四陰, 故二爻皆有'咸臨'之象, 初九剛而得正, 故其占爲貞吉.

괘에서 오직 두 양이 네 음에 두루 임하기 때문에 두 효에 모두 '두루 임하는[咸臨]' 상이 있다. 초구가 굳세고 바름을 얻었기 때문에 그 점이 바르게 하여 길한 것이다.

程傳

'咸', 感也. 陽長之時, 感動於陰, 四應於初, 感之者也, 比他卦相應尤重. 四近君之位, 初得正位, 與四感應. 是以正道爲當位所信任, 得行其志. 獲乎上而得行其正道, 是以吉也. 他卦初上爻不言'得位''失位', 蓋初終之義爲重也. 臨則以初得位居正爲重. 凡言'貞吉', 有旣正且吉者, 有得正則吉者, 有貞固守之則吉者, 各隨其事也.

'함(咸)'은 감동하는 것이다. 양이 자라는 때에 음을 감동시켜 육사효가 초구에 호응함이 감동하는 것이니, 다른 괘에 비하여 서로 호응함이 더욱 무겁다. 육사효는 임금을 가까이 하는 자리인데, 초효가 바른 자리를 얻어 육사효와 감응하는 것은 바른 도로써 자리를 맡은 자에게 신임을 받아 그 뜻을 행한다. 위에서 신임을 받아 바른 도를 행할 수 있기 때문에 길하다. 다른 괘의 초효와 상효에서 '자리를 얻었다'와 '자리를 잃었다'고 말하지 않은 것은 처음과 끝의 뜻이 중요하기 때문이다. 임괘에서는 초효가 자리를 얻고 바름에 있음을 귀중함으로 삼았다. '바르게 하여 길하다'고 말한 것은 이미 바르고 또 길한 경우, 바름을 얻으면 길한 경우, 바르고 굳게 지키면 길한 경우가 있으니, 각각 그 일에 따른다.

集說

● 李氏舜臣曰 : "山澤通氣, 故山上有澤, 其卦爲咸, 而'澤上有地', 初二爻亦謂之'咸'者, 陰陽之氣相感也."[12)

이순신(李舜臣)[13)이 말했다. "산과 못은 기운이 통하기 때문에 산 위에 못이 있으면 그 괘가 함(咸䷞)괘인데, '못 위에 땅이 있는[臨卦 ䷒]' 초효와 이효에서도 '두루[咸]'라고 한 것은 음양의 기운이 서로 감응하기 때문이다."

....

12) 풍의(馮椅), 『후재역학(厚齋易學)』「임괘(臨卦)」.
13) 이순신(李舜臣) : 송(宋)대 선정(仙井) 사람으로 자는 자사(子思)이고 호는 융산(隆山)이다. 건도(乾道) 2년(1166)에 진사에 급제하여 벼슬은 성도부교수(成都府教授)를 역임하였다. 『역』 연구에 전념하였는데, 특히 주자에게 수학한 적이 있는 풍의(馮椅)와 친밀히 교류하였다고 한다. 저술로는 『역본전(易本傳)』 32권이 있었다고 하는데 전해지지 않고, 풍의(馮椅)의 『후제역학(厚齊易學)』에 그의 글이 소개되고 있다.

九二, 咸臨, 吉, 无不利.

구이효는 두루 임하니, 길하여 이롭지 않음이 없다.

本義

剛得中而勢上進, 故其占吉而无不利也.

굳셈이 중을 얻고 형세가 위로 나아가기 때문에 그 점이 길하여 이롭지 않음이 없다.

程傳

二方陽長而漸盛, 感動於六五中順之君, 其交之親, 故見信任, 得行其志, 所臨吉而无不利也. '吉'者已然, 如是故占也, '无不利'者, 將然於所施爲, 无所不利也.

구이효는 한창 양이 자라나고 점차로 성대해지면서 육오효의 알맞고 순한 군주를 감동시켜 그 사귐이 친하기 때문에 신임을 받아 그 뜻을 행할 수 있으니, 임하는 것이 길하여 이롭지 않음이 없다. '길하다'는 이미 그런 것이 이와 같기 때문에 길하다는 뜻이다. '이롭지 않음이 없다'는 장차 그렇게 된다는 뜻이니 시행하는 바에 이롭지 않음이 없다.

● 蔡氏淸曰 : "初九以剛得正而吉, 九二以剛中而吉. 剛中則貞無待於言也, 剛中最易之所善."[14]

채청(蔡淸)이 말했다. "초구효는 굳셈으로 바름을 얻어 길하고, 구이효는 굳셈으로 알맞아서 길하다. 굳세고 알맞으면 바름은 말할 필요가 없으니, 굳세고 알맞음이 『역』에서 가장 훌륭한 것이다."

---

14) 채청(蔡淸), 『역경몽인(易經蒙引)』「임괘(臨卦)」 : "然初九曰'貞吉', 二不言'貞'者, 初之剛而得正, 二之剛中, 又盛於初之剛, 正其貞已無待於言也, 剛中最易之所善.[그러나 초구효에서는 '바르게 하여 길하다'고 했는데, 이효에서는 '바르다'고 하지 않은 것은 초효는 굳세면서 바름을 얻었고, 이효는 굳세고 알맞은데다 또 초효의 굳셈보다 성대하여 그 바름을 바르게 함이 이미 말할 필요가 없으니, 굳세고 알맞음이 『역』에서 가장 훌륭한 것이다.]"라고 하였고, "初九以剛得正而吉, 九二以剛得中而吉. '其无不利', 特以其勢上進也. 蓋已進至二, 駸駸乎有純剛之勢矣. 故初僅得吉, 而二則兼得'无不利'.[초구효는 굳셈으로 바름을 얻어 길하고, 구이효는 굳셈으로 알맞음을 얻어 길하다. '길하여 이롭지 않음이 없다'는 단지 그 형세가 위로 나아가는 것이다. 이미 나아가 이효에 이르고 나면 순수하게 굳센 형세가 있는 것에 성대하다. 그러므로 초효는 겨우 길함을 얻었으나 이효는 '이롭지 않음이 없는 것'을 겸하여 얻는다.]"라고 하였다.

六三, 甘臨, 無攸利, 旣憂之, 無咎.

육삼효는 달콤하게 임하여 이로운 바가 없으나, 이미 근심했으니 허물이 없다.

本義

陰柔不中正, 而居下之上, 爲以甘說臨人之象, 其占固無所利. 然能憂而改之, 則無咎也. 勉人遷善, 爲教深矣.

음의 부드러움으로 중정(中正)하지 못하면서 아래괘의 위에 있어 달콤한 말로 사람에게 임하는 상이니, 그 점이 진실로 이로울 것이 없다. 그러나 근심하여 고친다면 허물이 없다. 사람이 잘못을 고쳐 착한 데로 옮겨가기를 힘쓰게 하니, 가르침이 깊다.

程傳

三居下之上, 臨人者也. 陰柔而說體, 又處不中正, 以甘說臨人者也. 在上而以甘說臨下, 失德之甚, 無所利也. 兌性旣說, 又乘二陽之上. 陽方長而上進, 故不安而益甘. 旣知危懼而憂之, 若能持謙守正, 至誠以自處, 則無咎也. 邪說由己, 能憂而改之, 復何咎乎?

육삼효는 아래괘의 위에 있으니, 사람에게 임하는 것이다. 그런데 음으로 부드러우면서 기뻐하는 몸체(☱)이고, 또 처신이 중정(中正)

하지도 못하니, 달콤한 말로 사람에게 임하는 것이다. 위에 있으면서 달콤한 말로 아랫사람에게 임하여 덕을 잃음이 심하니, 이로운 것이 없다. 태(☱)괘의 성질이 이미 기뻐하는 것인데다 또 두 양의 위에 올라타고 있다. 그런데 양이 한창 자라나 위로 나아가기 때문에 불안하여 더욱 달콤하게 한다. 이미 위태로움과 두려움을 알고 근심하니, 겸손한 마음을 갖고 바름을 지키며 지성(至誠)으로 스스로 처신하면 허물이 없다. 간사하게 기뻐함이 자신으로 말미암았으나 근심하여 고친다면 다시 무슨 허물이 있겠는가?

集說

● 蘇氏軾曰 : "樂而受之謂之甘."15)

소식(蘇軾)이 말했다. "즐겁게 받아들이는 것을 달콤하다고 한다."

● 胡氏炳文曰 : "「象」唯取剛臨柔, 爻則初二外, 皆上臨下. 三兌體在二陽之上, 爲以甘說臨人之象. 節九五以中正爲甘, 則吉, 此以不中不正爲甘, 故無攸利. 憂者說之反, 能憂而改, 則無咎矣."16)

호병문(胡炳文)이 말했다. "「단전」에서 굳셈이 부드러움에 임하는 것을 취했는데, 효에서는 초효와 이효 외에는 모두 위에서 아래로 임하는 것이다. 삼효는 태괘의 몸체로 두 양의 위에 있어 달콤한

---

15) 소식(蘇軾), 『동파역전(東坡易傳)』「임(臨)괘」.
16) 호병문(胡炳文), 『주역본의통석(周易本義通釋)』「임(臨)괘」.

말로 남에게 임하는 상이다. 절(節☲)괘 구오[17])에서는 중정을 달콤한 것으로 여겼으니 길하고, 여기에서는 알맞지 않고 바르지 않은 것을 달콤하게 여겼기 때문에 이로움이 없다. 근심함은 기뻐함의 반대이니, 근심하여 고칠 수 있다면 허물이 없을 것이다."

案

臨卦本取勢之盛大爲義, 因其勢之盛大, 又欲其德業之盛大, 是此卦象爻之意也. 初二以德感人, 故曰'咸'. 以德感人者, 蓋以盛大爲憂, 而未嘗樂也. 六三說主, 德不中正, 以勢爲樂, 故曰'甘臨'. 夫恣情於勢位, 則何利之有哉. 然說極則有憂之理, 旣憂則知勢位之非樂, 而咎不長矣. 此爻與節三'不節之嗟'正相似, 皆兌體也.

임괘는 본래 세력이 성대한 것으로 의미를 삼았으니, 그 기세의 성대한 것으로 말미암아 또 덕업을 성대하게 하려는 것이 이 괘 단사와 효사의 의미이다.
초효와 이효는 덕으로 사람을 감동시키기 때문에 '감동하여'[18])라고 했다. 덕으로 사람을 감동시킬 경우에는 성대한 것을 근심으로 여기고 기뻐하지 않는다. 육삼효는 기쁨의 주인이고 덕이 중정하지 않아 세력을 즐거움으로 여기기 때문에 '달콤하게 임하여'라고 하였다. 세력 있는 지위에서 마음대로 하면 무슨 이로움이 있겠는가? 그러나 기쁨이 다하면 근심하게 되는 이치가 있고, 이미 근심하고

---

17) 『주역(周易)』「절괘(節卦)」: "九五, 甘節, 吉, 往有尙.[구오효는 달콤하게 절제하니 길하고, 가면 가상한 일이 있을 것이다.]"라고 하였다.
18) 초효와 이효의 '함(咸)'자에 대해 주자는 '두루'로, 정자는 '감동하다'로 해석했는데, 이광지는 정자의 설명을 따른 것으로 보인다.

나면 세력 있는 지위를 즐김이 아니라는 것을 아니 허물이 오래가지 않는다. 이 효사는 절(節☱)괘 삼효의 '절제하지 못하여 한탄하는 것'[19)]과 진실로 서로 비슷하니, 모두 태(兌☱)괘의 몸체이기 때문이다.

---

19) 『주역(周易)』「절괘(節卦)」: "六三, 不節若, 則嗟若, 无咎.[육삼은 절제하지 못하여 한탄하는 것이나 허물할 데가 없다.]"라고 하였다.

六四, 至臨, 无咎.

육사효는 지극하게 임하니, 허물이 없다.

本義

處得其位, 下應初九, 相臨之至, 宜無咎者也.

있는 곳이 제자리를 얻고 아래로 초구와 호응하여 서로 임하는 것이 지극하니, 허물이 없는 것은 당연하다.

程傳

四居上之下, 與下體相比, 是切臨於下, 臨之至也. 臨道尚近, 故以比爲至. 四居正位, 而下應於剛陽之初, 處近君之位, 守正而任賢, 以親臨於下. 是以無咎, 所處當也.

육사효는 위 괘의 아래에 있어 아래 괘와 서로 가까우니, 아래로 간절히 임하여 임함이 지극하다. 임하는 도는 가까운 것을 숭상하기 때문에 가까움을 지극함으로 여겼다.

육사효는 바른 자리에 있고 아래로 굳센 양의 초구효와 호응하며, 임금을 가까이 하는 자리에 있으니, 바름을 지키고 어진 이에게 맡겨 아래에 가까이 임한다. 이 때문에 허물이 없으니, 처신이 마땅한 것이다.

● 王氏宗傳曰 : “四以上臨下, 其與下體最相親, 故曰‘至臨’, 以言上下二體, 莫親於此也.”[20]

왕종전(王宗傳)이 말했다. “사효가 위에서 아래로 임하는 것은 아래 괘와 가장 서로 가까운 것이기 때문에 ‘지극하게 임하니’라고 하였으니, 상하의 두 괘가 이보다 가까운 것은 없다는 말이다.”

---

20) 왕종전(王宗傳), 『동계역전(童溪易傳)』「임괘(臨卦)」.

六五, 知臨, 大君之宜, 吉.

육오효는 지혜롭게 임하니, 대군(大君)의 마땅함이라 길하다.

以柔居中, 下應九二, 不自用而任人, 乃知之事, 而大君之宜, 吉之道也.

부드러운 음이 가운데에 있으면서 아래로 구이효에 호응하여 스스로 지혜를 쓰지 않고 남에게 맡기는 것이야말로 지혜로운 일이고 대군(大君)의 마땅함이니, 길한 도이다.

五以柔中順體居尊位, 而下應於二剛中之臣, 是能倚任於二, 不勞而治, 以知臨下者也. 夫以一人之身, 臨乎天下之廣, 若區區自任, 豈能周於萬事? 故自任其知者, 適足爲不知. 唯能取天下之善, 任天下之聰明, 則無所不周, 是不自任其知, 則其知大矣. 五順應於九二剛中之賢, 任之以臨下, 乃己以明知臨天下, 大君之所宜也, 其吉可知.

육오효는 부드럽고 알맞고 유순한 몸체로 높은 자리에 있으면서 아래로 강하고 알맞은 신하인 구이효에게 호응하니, 구이효에 의지하고 맡길 수 있어 수고하지 않고 다스리며 지혜로 아래에 임한다. 한 사람의 몸으로 넓은 천하에 임하는데, 구구하게 자신이 맡는다면 어찌 온갖 일을 두루 할 수 있겠는가? 그러므로 스스로 자신의 지혜 만을 믿는 것은 지혜롭지 못하다. 오직 세상의 선을 취하여 세상의 총명한 사람에게 맡기는 것이 두루 하지 않음이 없으니, 스스로 자 신의 지혜만을 독단적으로 하지 않는 것이 그 지혜가 크다. 육오효 가 강중(剛中)하고 어진 구이효에게 순응하고 맡겨서 아래에 임하 는 것이야말로 자신이 밝은 지혜로 세상에 임하는 것이어서 대군 (大君)의 마땅함이니, 길함을 알 수 있다.

集說

● 王氏申子曰: "中庸曰, '唯天下至聖, 爲能聰明睿知, 足以有 臨也.' 故知臨爲大君之宜. 六五以柔中之德, 任九二剛中之賢, 不自用其知, 而兼衆知, 爲知之大, 是宜爲君而獲吉也."[21]

왕신자(王申子)[22]가 말했다. "『중용』에서 '세상에 지극한 성인만이 총명예지할 수 있어 임하기에 충분하다'고 하였다. 그러므로 지혜 롭게 임하는 것은 대군의 마땅함이다. 육오효는 부드럽고 알맞은 덕으로 구이효의 굳세고 알맞으며 현명한 신하에게 맡겨 자신의 지 혜를 마음대로 쓰지 않고 여러 지혜를 겸하는 일을 지혜의 큰 것으

---

21) 왕신자(王申子), 『대역집설(大易集說)』「임괘(臨卦)」.
22) 왕신자(王申子, ?~?): 원나라 공주(邛州, 사천성 邛崍) 사람으로 자는 손 경(巽卿)이다. 인종(仁宗) 황경(皇慶) 연간에 무창로(武昌路) 남양서원 (南陽書院)의 산장(山長)을 지냈다. 나중에 30여 년 동안 자리주(慈利州) 천문산(天門山)에 은거했다. 저서에 『춘추류전(春秋類傳)』과 『대역집설 (大易集說)』, 『주례정의(周禮正義)』 등이 있다.

로 여기니, 임금이 되어 길함을 얻기에 마땅하다."

● 胡氏炳文曰：“臨是以己臨人, 五虛中, 下應九二, 不任己而任人, 所以爲知, 所以爲大君之宜.”[23]

호병문(胡炳文)[24]이 말했다. "임함은 자신이 남에게 임하는 것으로 육오효가 가운데가 비어 있으면서 아래로 구이효와 호응하여 자신이 마음대로 하지 않고 남에게 맡기기 때문에 지혜롭게 되고 대군의 마땅함이 된다."

---

23) 호병문(胡炳文), 『주역본의통석(周易本義通釋)』 「임괘(臨卦)」.
24) 호병문(胡炳文, 1250~1333)：원나라 휘주(徽州) 무원(婺源) 사람으로 자는 중호(仲虎)고, 호는 운봉(雲峰)이다. 주희(朱熹)의 종손(宗孫)에게 『주역』과 『서경』을 배워 주자학에 잠심했으며, 특히 『주역』에 뛰어났다. 신주(信州) 도일서원(道一書院) 산장(山長)을 지내고, 난계주학정(蘭溪州學正)이 되었는데, 나가지 않았다. 저서에 『주역본의통석(周易本義通釋)』과 『서집해(書集解)』, 『춘추집해(春秋集解)』, 『예서찬술(禮書纂述)』, 『사서통(四書通)』, 『대학지장도(大學指掌圖)』, 『오경회의(五經會義)』, 『이아운어(爾雅韻語)』 등이 있다.

上六, 敦臨, 吉, 無咎.

상육효는 돈독하게 임하니, 길하여 허물이 없다.

居卦之上, 處臨之終, 敦厚於臨, 吉而無咎之道也, 故其象占
如此.

괘의 위에 있고 임괘의 마지막에 있어 임함에 독독하고 두터우니
길하여 허물이 없는 도이다. 그러므로 그 상과 점이 이와 같다.

上六坤之極, 順之至也, 而居臨之終, 敦厚於臨也. 與初二雖
非正應, 然大率陰求於陽, 又其至順, 故志在從乎二陽. 尊而
應卑, 高而從下, 尊賢取善, 敦厚之至也. 故曰'敦臨', 所以吉
而無咎. 陰柔在上, 非能臨者, 宜有咎也, 以其敦厚於順剛,
是以吉而無咎. 六居臨之終而不取'極'義, 臨無過極, 故止爲
厚義. 上无位之地, 止以在上言.

상육효는 곤(☷)괘의 끝이어서 유순함이 지극하고, 임괘의 마지막
에 있어 임함에 돈독하고 두텁다. 초효·이효와 바로 호응함은 아닐
지라도 대체로 음이 양을 구하고 또 지극히 유순하기 때문에 뜻이
두 양을 따르는 데 있다. 존귀하면서도 비천한 것에 호응하고 높으

면서도 아래에 있는 것을 따르며, 어진 이를 높이고 선을 취하여 돈독하고 두터움이 지극하다. 그러므로 '돈독하게 임한다'고 하였으니, 길하여 허물이 없는 까닭이다. 부드러운 음으로 위에 있으니 임하는 데 능숙하지 않으면 허물이 있어야 한다. 그런데 그것으로 강함에 순종하는 데 돈독하고 두텁게 하기 때문에 길하여 허물이 없다. 상육효가 임괘의 마지막에 있는데 '다했다[極]'는 뜻을 취하지 않았으니, 임함에 지나쳐 다함이 없기 때문에 두텁다는 뜻이 되었을 뿐이다. 상육은 지위가 없는 자리이니, 위에 있는 것으로 말했을 뿐이다.

集說

● 『朱子語類』云, "上六'敦臨', 自是積累至極處, 有敦篤之義. 艮上九亦謂之'敦艮'. 復上六爻不好了, 所以只於五爻謂之'敦復'."[25]

『주자어류』에서 말했다. "상육효의 '돈독하게 임하다[敦臨]'는 본래 쌓인 것이 지극한 곳이어서 돈독하다는 의미가 있다. 간(艮☶)괘의 상구효에서도 '그침에 돈독하다[敦艮]'[26]고 하였다. 복(復)괘의 상육효는 효(爻)가 좋지 않기 때문에 오직 오효(五爻)에서 '돌아옴을 돈독하게 한다[敦復]'[27]고 하였다."

....

25) 『주자어류』 권70, 203조목.
26) 『주역(周易)』 「간괘(艮卦)」 : "上九, 敦艮, 吉.[상구효는 그침에 돈독하니 길하다.]"라고 하였다.
27) 『주역(周易)』 「복괘(復卦)」 : "六五, 敦復, 无悔.[육오효는 돌아옴을 돈독하게 하니, 후회가 없다.]"라고 하였다.

● 楊氏啓新曰 : "處臨之終, 有厚道焉, 教思無窮, 容保無疆者也. 如是, 則德厚而物無不載, 道久而化無不成."[28]

양계신(楊啓新)이 말했다. "임괘의 끝에 있어 돈독한 도가 있고, 가르치려는 생각이 다함이 없으며, 백성을 포용하여 보호함이 끝이 없다. 이와 같이 하면 덕이 돈독하여 사물을 실어주지 않음이 없고, 도가 항구하여 교화가 이뤄지지 않음이 없다."

---

28) 정정조(程廷祚), 『대역택언(大易擇言)』 「임괘(臨卦)」.

20. 관觀괘

䷓ 巽上
坤下

程傳

觀,「序卦」: "臨者, 大也, 物大然後可觀, 故受之以觀." 觀所
以次臨也. 凡觀視於物則爲'觀', 爲觀於下則爲'觀', 如樓觀,
謂之觀者, 爲觀於下也. 人君上觀天道, 下觀民俗則爲'觀', 修
德行政, 爲民瞻仰則爲'觀'. 風行地上, 徧觸萬類, 周觀之象
也, 二陽在上, 四陰在下, 陽剛居尊, 爲群下所觀, 仰觀之義
也. 在諸爻則唯取觀見, 隨時爲義也.

관(觀)은 「서괘전」에서 "림은 큼이니, 사물은 큰 뒤에 볼 만하기 때문
에 관괘로 받았다"라고 하였다. 그러니 관괘가 이 때문에 임(臨䷒)괘
다음에 있다. 사물을 보는 것은 '본다는 관(觀)'이고, 아래에서 보이게
하는 것은 '보인다는 관(觀)'이니, 이를테면 누관(樓觀)을 관(觀)이라
고 할 때는 아래에서 보이는 것이다. 임금이 위로 천도를 보고 아래
로 백성의 풍속을 보는 것은 '본다는 관(觀)'이고, 덕을 닦고 정치를
행하여 백성들이 우러러 보는 것은 '보인다는 관(觀)'이다. 바람이 땅
위에 불어 만물을 두루 접촉하는 것은 두루 보는 상이고, 두 양이
위에 있고 네 음이 아래에 있는 것은 굳센 양이 높은 데 있어 여러
아래의 것에게 보이는 바는 우러러본다는 의미이다. 모든 효에서는
본다는 의미만 취하였으니, 때에 따라 뜻으로 삼았다.

觀, 盥而不薦, 有孚顒若.

관(觀)은 손을 씻었으나 제수를 올리지 않았다면 믿음이 있어 우러러 볼 것이다.

'觀'者, 有以中正示人而爲人所仰也. 九五居上, 四陰仰之, 又內順外巽, 而九五以中正示天下, 所以爲'觀'. '盥', 將祭而潔手也. '薦', 奉酒食以祭也. '顒然', 尊敬之貌. 言致其潔淸而不輕自用, 則其孚信在中而顒然可仰, 戒占者當如是也. 或曰: "有孚顒若, 謂在下之人, 信而仰之也." 此卦, 四陰長而二陽消, 正爲八月之卦. 而名卦繫辭, 更取他義, 亦扶陽抑陰之意.

'보인다는 관[觀]'은 중정(中正)으로 사람들에게 보여서 그들이 우러러보는 것이다. 구오효가 위에 있어 네 음이 우러러 보고, 또 안은 유순하고 밖은 공손하여 구오효가 중정으로 세상에 보여주기 때문에 '보인다는 관[觀]'이라고 하였다.

'손을 씻다[盥]'는 제사를 지내려고 손을 깨끗이 씻는 것이다. '제수를 올린다[薦]'는 술과 밥을 올려 제사를 드리는 것이다. '우러러보는 것[顒然]'은 공경하는 모양이다. 깨끗함을 지극하게 하고 경솔하게 마음대로 하지 않으면 믿음이 마음속에 있어 공경하며 우러러볼 것이라는 말이니, 점치는 자가 이와 같이 해야 함을 경계하였다. 어떤 이는 "'믿음이 있어 우러러 본다'는 말은 아래에 있는 사람들이 믿고 우러러보는 것이다"라고 하였다. 이 괘는 네 음이 자라나며 두 양이 사라지니 바로 팔월의 괘이다. 그런데 괘의 이름과 설명에서는 다른 뜻을 취하였으니, 또한 양을 북돋우고 음을 억제하는 뜻이다.

予聞之胡翼之先生曰, "君子居上, 爲天下之表儀, 必極其莊敬, 則下觀仰而化也. 故爲天下之觀, 當如宗廟之祭, 始盥之時, 不可如旣薦之後. 則下民盡其至誠, 顒然瞻仰之矣." '盥', 謂祭祀之始, 盥手酌鬱鬯於地, 求神之時也. '薦', 謂獻腥獻熟之時也. '盥'者, 事之始, 人心方盡其精誠, 嚴肅之至也. 至旣薦之後, 禮數繁縟, 則人心散, 而精一, 不若始盥之時矣. 居上者正其表儀, 以爲下民之觀, 當莊嚴, 如始盥之初, 勿使誠意少散, 如旣薦之後. 則天下之人, 莫不盡其孚誠, 顒然瞻仰之矣. '顒', 仰望也.

내가 호익지(胡翼之)[1]선생에게 "군자가 위에 있어 천하의 본보기가

----

1) 호원(胡瑗, 993~1059) : 자는 익지(翼之)이고 시호는 문소(文昭)로서, 북송시대 태주 해릉(泰州海陵 : 현 강소성 태주시) 사람이다. 13살에 오경(五經)을 통독하고, 20세에 손복(孫復)과 석개(石介)를 산동성 태산(泰山) 서진관(棲眞觀)에서 배알하고 10년 동안 사사하였다. 30세에 귀향하여 7번 과거에 응시했으나 낙방하여, 안정서원(安定書院)을 짓고 후학양성에 힘썼다. 이에 세칭 안정선생으로 불렸다. 42세에 범중엄(范仲淹)의 천거로 교서랑(校書郎)이 되고, 태자중사(太子中舍), 광록시승(光祿寺丞), 천장각시강(天章閣侍講), 태상박사(太常博士) 등을 역임하였다. 특히 관직 생활 중에도 강학에 힘을 쏟아 손복(孫復)·석개(石介)와 함께 송초삼선생(宋初三先生)으로 추숭되어 송대 리학의 선구가 되었다. 저서에 『주역구의(周易口義)』, 『홍범구의(洪範口義)』, 『춘추구

되니, 반드시 장엄함과 공경함을 지극하게 하면 아래에서 우러러보
며 교화된다. 그러므로 천하의 보임이 되니, 종묘의 제사에 처음 손
을 씻을 때와 같이 해야 하고, 이미 제수를 올린 뒤와 같이 해서는
안 된다. 그러면 백성들이 지극한 정성을 다하여 공경하며 우러러
볼 것이다"라고 하였다.

'손을 씻다[盥]'는 것은 제사의 처음에 손을 씻고 울창주를 땅에 부
어 신(神)을 모시는 때이고, '제수를 올린다[薦]'는 것은 날고기와 익
은 고기를 올리는 때를 말한다. '손을 씻다[盥]'는 일의 시작으로 사
람이 마음으로 정성을 다하여 지극히 엄숙한 것이다. 제수를 올린
다음에는 예절이 번다해지니, 사람의 마음이 흩어져 정성스럽고 한
결같음이 처음 손을 씻을 때만 못하다.

위에 있는 자는 법도를 바르게 하여 백성의 우러러봄이 되니, 장엄
하게 하기를 처음 손을 씻는 시작과 같이 해서 제수를 올린 다음처
럼 성의가 조금이라도 흩어지지 않게 해야 한다. 흩어져 이미 제수
를 올린 뒤와 같이 하지 말아야 하니, 그러면 천하의 사람들이 믿음
과 정성을 다하여 공경하며 우러러 보지 않는 이가 없다. '우러러
본다[顒]'는 고개를 들고 바라보는 것이다.

集說

● 『朱子語類』云 : "自上示下曰'觀', 自下觀上曰'觀', 故卦名之
'觀'去聲, 而六爻之觀皆平聲."[2]

의(春秋口義)」,『논어설(論語說)』 등이 있다.
 2)『주자어류(朱子語類)』권70, 207조목.

『주자어류』에서 말했다. "위에서 아래를 보는 것은 '본다[觀]'이고, 아래에서 위를 본다는 것은 '보인다[觀]'이기 때문에 괘이름에서의 '관(觀)'은 거성(去聲)이고 여섯 효에서의 관(觀)은 모두 평성(平聲)이다."

● 或問 : "伊川以爲'灌❙之初, 誠意猶存, 至薦羞之後, 精意懈怠', 『本義』以爲'致其潔清而不輕自用', 其義不同."
曰 : "'盥'只是浣手, 不是灌❙. 伊川承先儒之誤. 若云'薦羞之後, 誠意懈怠', 則先王祭祀, 只是灌❙之初, 猶有誠意, 及存羞之後, 皆不成禮矣."

어떤 이가 물었다. "이천 선생은 '울창주를 땅에 붓는 제사의 초기에는 성의가 여전히 있지만 제수를 올린 뒤에는 정성스런 마음이 느슨해진다'고 했고, 『주역본의』에서는 '깨끗하고 청결함을 다하여 경솔하게 마음대로 하지 않는다'고 했으니, 그 의미가 같지 않습니다."
대답했다. "'손을 씻는 것'은 손을 씻을 뿐이고 울창주를 붓는 것이 아닙니다. 그런데 이천 선생은 선대 학자들의 오류를 받아들였습니다. '제수를 올린 뒤에는 성의(誠意)가 느슨해진다'고 한다면, 선왕(先王)의 제사에서 울창주를 붓는 시작에만 성의가 여전히 있을 뿐이니, 제수를 올린 뒤에는 모두 예절에 어긋나게 됩니다."

● 問 : "若爾, 則是聖人在上, 視聽言動, 皆當爲天下法, 而不敢輕, 亦猶祭祀之時, 致其潔清而不敢輕用否?"
曰 : "然."3)

물었다. "그렇다면 성인(聖人)이 위에서 보고 듣고 말하고 행동하는 것은 모두 천하의 모범이 되어 경솔하게 해서는 안 되니, 또한 제사 때 정결함을 다해 경솔하게 해서는 안 된다는 말입니까? 대답했다. "그렇습니다."

● 又云: "祭祀無不薦者, 此是假設來說, '薦'是用事了, '盥'之意用事之初. 云'不薦'者, 言常持得這誠敬, 如盥之意. 若薦則是用出, 用出則才畢便過了, 無復有初意矣."[4]

또 말했다. "제사에서 제수를 올리지 않음이 없는 것은 가설로 말했는데, '제수를 올리는 것'은 일을 함에 해당하고 '손을 씻는다'는 의미는 일을 하는 처음이다. '제수를 올리지 않았다[不薦]'고 말한 것은 이러한 성의(誠意)를 손을 씻을 때의 마음처럼 항상 유지해야 한다는 말이다. 제수를 올리면 제사가 시작된 것이니, 제사가 시작되면 곧 끝나버려 다시 처음의 마음이 없어진다."

● 問: "'有孚顒若', 承上文'盥而不薦', 蓋致其潔淸而不輕自用, 則孚信在中而顒然可仰. 一說下之人信而仰之, 二說孰長?"
曰: "從後說, 則合得「象辭」'下觀而化'之義."
問: "前說似好."
曰: "當以「象辭」爲定."[5]

물었다. "'믿음이 있어 우러러본다[有孚顒若]'는 앞의 '손은 씻었으나 제수를 올리지 않았다[盥而不薦]'는 말과 이어진 것이니, 정결함

---

3) 『주자어류(朱子語類)』 권70, 207조목.
4) 『주자어류(朱子語類)』 권70, 205조목.
5) 『주자어류(朱子語類)』 권70, 208조목.

을 다하여 경솔하게 마음대로 하지 않으면, 믿음이 속에서 우러러
나와 믿을 수 있다는 뜻입니다. 그런데 어떤 설명에서는 아랫사람
이 신뢰하여 우러러본다고 하니, 두 설명 중에서 어느 것이 뛰어납
니까?"

대답했다. "뒤의 설명을 따르면 「단사」의 '아래에서 우러러보고 교
화된다'[6]는 의미와 합치합니다."

물었다. "앞의 설명이 뛰어난 것 같습니다."
대답했다. "「단사」로 정해야 합니다."

● 馮氏椅曰 : "卦疊艮之畫, 有門闕重複之象, 故取象於觀."[7]

풍의(馮椅)[8]가 말했다. "괘에 간(艮☶)괘의 획이 중첩되어 궁궐의
문이 중복되는 형태가 있기 때문에 관에서 상을 취했다."

---

6) 『주역(周易)』「관괘(觀卦)」: "象曰, …, 觀, 盥而不薦, 有孚顒若, 下觀而
化也.[「단전」에서 말했다 : …, '관(觀)은 손은 씻었으나 제수를 올리지
않았다면 믿음이 있어 우러러 볼 것이다'라는 말은 아래에서 우러러보고
교화된다는 것이다.]"라고 하였다.

7) 풍의(馮椅), 『후재역학(厚齋易學)』「관괘(觀卦)」.

8) 풍의(馮椅) : 송나라 남강(南康) 도창(都昌) 사람으로 자는 기지(奇之) 또
는 의지(儀之)고, 호는 후재(厚齋)다. 광종(光宗) 소희(紹熙) 4년(1193)
진사(進士)가 되고, 강서운사간판공사(江西運司幹辦公事)와 상고현령
(上高縣令) 등을 지냈다. 이후 사직하고 강학(講學)과 연구에 전념했
다. 주희(朱熹)에게 수학했고, 역학(易學)에 정밀했다. 저서에 『후재역학
(厚齋易學)』과 『주역집설명해(周易輯說明解)』, 『경설(經說)』, 『서명집설
(西銘輯說)』, 『효경장구(孝經章句)』, 『상례소학(喪禮小學)』, 『공자제자
전(孔子弟子傳)』, 『속사기(續史記)』, 『시문지록(詩文志錄)』 등이 있다.

● 龔氏煥曰: "易之名卦, 以陽爲主. 在陽長之卦, 固主於陽而言, 在陰長之卦, 亦主於陽而言. 主於陽而盲者, 所以扶陽也, 此四陰之卦, 不曰小壯而曰觀也. 四陽之卦, 有曰大過, 四陰之卦, 有曰小過者, 何? 陰可以言'過', 而不可以言'壯'也. 然大過之四陽, 過而居中. 小過之四陰, 過而居外, 亦崇陽抑陰之意."9)

공환(龔煥)이 말했다. "『주역』에서 괘에 이름을 붙일 때는 양을 위주로 하니, 양이 자라나는 괘에서는 그대로 양을 위주로 말하고, 음이 자라나는 괘에서도 양을 위주로 말한다. 양을 위주로 말하는 것은 양을 북돋우는 것이기 때문에 여기 네 음의 괘를 소장(小壯)괘라 하지 않고 관(觀☶)괘라고 하였다. 그런데 네 양의 괘에 대과(大過☱)괘가 있고 네 음의 괘에 소과(小過☳)괘가 있는 것은 무엇 때문인가? 음에서는 '지나침[過]'을 말해도 되지만 '장성함[壯]'을 말해서는 안 되기 때문이다. 그러나 대과(大過☱)괘의 네 양은 지나치면서 가운데 있고 소과(小過☳)괘의 네 음은 지나치면서 바깥에 있으니, 그 괘의 이름도 양을 높이고 음을 누르는 의미이다."

● 蔡氏淸曰: "平庵項氏云: '此但以盥而不薦, 象恭己無爲耳,'10) 愚謂'恭己'二字則說得, '無爲'二字難通. 無爲者, 聖人德盛而民自化, 不待有所爲, 非不輕自用意也, 無爲豈可用心乎. 雖堯舜亦不能自期於無爲. 至於'神道設教而天下服', 則是觀之極致, 聖人之能事, 是則所謂無爲者."11)

---

9) 정정조(程廷祚), 『대역택언(大易擇言)』「관괘(觀卦)」.
10) 항안세(項安世), 『주역완사(周易玩辭)』「관괘(觀卦)」.
11) 채청(蔡淸), 『易經蒙引(역경몽인)』「관괘(觀卦)」.

채청(蔡清)12)이 말했다. "평암항씨[項安世]는 '여기서는 단지 손을 씻었으나 제수를 올리지 않는다는 것으로 자신을 공손하게 하고 무위(無爲)하고 있음을 상징했을 뿐이다'라고 하였는데, 내 생각에 '자신을 공손하게 한다'는 말은 설득이 되지만 '무위하고 있다'는 말은 이해하기가 어렵다. 무위하고 있다는 말은 성인의 덕이 성대함으로 백성들이 저절로 감화되어 무엇을 할 필요가 없다는 뜻이지 무엇을 하려고 크게 마음먹고 하는 것이 아니다. 요임금과 순임금일지라도 무위를 스스로 기약할 수 없었으니, '신묘한 도로 가르침을 베풂에 천하가 복종하는 일'13)에 이름은 우러러보는 극치이고 성인의 뛰어난 능력이니, 이것이 이른바 무위이다."

● 林氏希元曰 : "盥將以薦, 豈有不薦之理? 曰, '盥而不薦', 特以明敬常在之意耳. '盥而不薦', 就祭祀上說, 則'有孚顒若', 亦

------

12) 채청(蔡清, 1453~1508) : 명(明)대 진강(晉江) 사람으로, 자는 개부(介夫)이고 별호는 허재(虛齋)이다. 31세에 진사에 급제하여 벼슬은 남경문선랑중(南京文選郞中)·강서제학부사(江西提學副使) 등을 역임하였다. 명대의 저명한 이학가(理學家)로서 주로 이정(二程)과 주희(朱熹)의 저술 연구를 통해 그들의 사상을 계승하였다. 특히 천주(泉州) 개원사(開元寺)에서 역학연구단체를 결성하여 90여 책을 출간하면서 청원학파(淸源學派)를 이루었다. 이정기(李廷機)·장악(張嶽)·임희원(林希元)·진침(陳琛) 등의 학자들이 그 학파의 주요 구성원이었다. 저술로는 『사서몽인(四書蒙引)』·『역경몽인(易經蒙引)』·『허재문집(虛齋文集)』 등이 있다.
13) 『주역(周易)』「관괘(觀卦)」 : 象曰, "… 觀天之神道, 而四時不忒, 聖人以神道設敎, 而天下服矣.[「단전」에서 말했다. "…. 하늘의 신묘한 도를 봄에 사시(四時)가 어긋나지 않으니, 성인이 신묘한 도로 가르침을 베풂에 천하가 복종한다.]"라고 하였다.

是就祭祀上說, 爲‘觀’之意, 則在言表."[14]

임희원(林希元)이 말했다. "‘손을 씻는 것’은 제수를 올리려는 의도이니, 어찌 제수를 올리지 않을 이유가 있겠는가? 말하자면 ‘손을 씻었으나 제수를 올리지 않았다’는 것은 단지 밝음과 공경으로 항상 살피라는 의미일 뿐이다. ‘제수를 올리지 않았다’는 뜻이 제사로 말한 뜻이라면, ‘믿음이 있어 우러러 본다’는 것도 제사로 말한 뜻이니, ‘우러러본다’는 의미는 말의 이면에 있다.

---

14) 임희원(林希元), 『역경존의(易經存疑)』「관괘(觀卦)」.

初六, 童觀, 小人无咎, 君子吝.

초육효는 어린아이가 보는 것이니, 소인은 허물이 없고 군자는
부끄럽다.

卦以觀示爲義, 據九五爲主也. 爻以觀瞻爲義, 皆觀乎九五
也. 初六, 陰柔在下, 不能遠見, 童觀之象, 小人之道, 君子之
羞也. 故其占在小人則无咎, 君子得之則可羞矣.

괘에서 보인다를 가지고 의미를 삼은 것은 구오효가 주인임에 근거
하였다. 효에서 본다를 가지고 뜻을 삼은 것은 모두 구오효를 본다
는 말이다. 초육효는 부드러운 음으로 아래에 있고 멀리 보지 못하
여 어린 아이의 상이니, 소인의 도이고 군자의 부끄러움이다. 그러
므로 그 점이 소인에게는 허물이 없고, 군자가 얻으면 부끄러워해
야 한다.

六以陰柔之質, 居遠於陽, 是以觀見者淺近, 如童稚然, 故曰
'童觀'. 陽剛中正在上, 聖賢之君也, 近之則見其道德之盛, 所
觀深遠, 初乃遠之, 所見不明, 如童蒙之觀也. 小人, 下民也,
所見昏淺, 不能識君子之道, 乃常分也, 不足謂之過咎. 若君

子而如是, 則可鄙吝也.

초육효는 부드러운 음의 자질로 양과 멀리 있기 때문에 보는 것이
깊지 않고 어린 아이와 같으므로 '어린 아이의 봄[童觀]'이라고 하였
다. 굳센 양이 중정(中正)으로 위에 있음은 성스럽고 어진 임금이
니, 그런 분과 가까이 있으면 도덕의 성대함을 보기 때문에 보는 것
이 심원한데, 초육효는 그야말로 멀리 있어 보는 것이 분명하지 못
해 어린 아이가 보는 것과 같다. 소인은 백성을 말하는데 보는 것이
깊지 않아 군자의 도를 알 수 없는 것이 타고난 분수이니, 허물이라
고 할 수 없다. 그런데 군자이면서 그와 같다면 부끄러워해야 한다.

集說

● 王氏弼曰 : "'觀'之爲義, 以所見爲美者也, 故以近尊爲尙, 遠
之爲吝."15)

왕필이 말했다. "'본다[觀]'는 의미는 보는 것을 아름답게 여기는 일
이기 때문에 존귀한 자와 가까이 있음을 숭상하고 멀리 있음을 부
끄럽게 여긴다."

---

15) 왕필(王弼), 『주역주소(周易注疏)』「관괘(觀卦)」.

六二, 窺觀, 利女貞.

육이효는 엿보는 것이니, 여자가 곧게 함이 이롭다.

本義

陰柔居內, 而觀乎外, 闚觀之象, 女子之正也. 故其占如此, 丈夫得之則非所利矣.

부드러운 음이 안에 있으면서 밖을 보는 것은 엿보는 상이니, 여자의 바름이다. 그러므로 그 점이 이와 같으니, 장부가 얻게 되면 이로운 바가 아니다.

程傳

二應於五, 觀於五也. 五剛陽中正之道, 非二陰暗柔弱, 所能觀見也, 故但如闚覘之觀耳. 闚覘之觀, 雖少見而不能甚明也. 二旣不能明見剛陽中正之道, 則利如女子之貞. 雖見之不能甚明, 而能順從者, 女子之道也, 在女子爲貞也. 二旣不能明見九五之道, 能如女子之順從, 則不失中正, 乃爲利也.

육이효가 구오효와 호응하니, 구오효를 본다. 구오효의 굳센 양의 중정한 도는 어둡고 유약한 육이효가 볼 수 있는 것이 아니기 때문에 단지 엿보면서 보는 것과 같다. 엿보면서 보는 것은 조금은 볼지라도 그렇게 분명하게 볼 수 없다. 육이효가 이미 구오효의 굳센 양의 중정한 도를 분명하게 볼 수 없다면 여자의 곧음과 같이 함이 이롭다. 보는 것이 아주 분명하지는 못할지라도 순종할 수 있는 것이 여자의 도이니, 여자에게서는 곧음이다. 육이효가 구오효의 도를 분명하게 보지 못할지라도 여자가 순종하는 것처럼 할 수 있으면, 중정함을 잃지 않으니 이롭다.

集說

● 胡氏炳文曰 : "初位陽, 故爲童, 二位陰, 故爲女. 童觀, 是茫然無所見. 小人日用而不知者也. 窺觀, 是所見者小而不見全體也. 占曰, '利女貞', 則非丈夫之所爲可知矣."[16]

호병문(胡炳文)이 말했다. "초효는 양의 자리에 있기 때문에 어린 아이이고, 이효는 음의 자리에 있기 때문에 여자이다. 어린 아이가 보는 것은 무지하여 아는 것이 없다. 소인은 날마다 사용하면서도 모르는 자들이다. 엿보게 되면 보는 것이 적어 전체를 알지 못한다. 점에서 '여자가 곧게 함이 이롭다'고 했다면, 장부가 할 일이 아니라는 것을 알 수 있다."

---

16) 호병문(胡炳文), 『주역본의통석(周易本義通釋)』「관괘(觀卦)」.

六三, 觀我生, 進退.

육삼효는 내가 내놓는 것을 보고 나아가고 물러난다.

'我生', 我之所行也. 六三, 居下之上, 可進可退. 故不觀九五, 而獨觀己所行之通塞, 以爲進退, 占者宜自審也.

'내가 내놓는 것[我生]'은 내가 행한 바이다. 육삼효가 아래 괘의 위에 있어 나아갈 수도 있고 물러날 수도 있다. 그러므로 구오효를 보지 않고 단지 자기가 행하는 것의 통하고 막힘을 보고 나아가고 물러가니, 점치는 자가 스스로 살펴야 한다.

三居非其位, 處順之極, 能順時以進退者也. 若居當其位, 則无進退之義也. '觀我生', 我之所生, 謂動作施爲出於己者. 觀其所生而隨宜進退. 所以處雖非正, 而未至失道也, 隨時進退, 求不失道. 故无悔咎, 以能順也.

육삼효는 제자리가 아닌 곳에 있으나 유순함의 끝에 있어 때에 따라 나아가고 물러난다. 처신이 제자리에 합당하다면 나아가고 물러날 의리는 없다. '내가 내놓는 것을 본다[觀我生]'는 말은, 내가 내놓는 것은 동작과 행동이 자신에게서 나옴을 말하니, 내놓는 것을 보

고 마땅함에 따라 나아가고 물러간다. 그래서 처신이 바르지 않을
지라도 도를 잃지 않고, 때에 따라 나아가고 물러나 구함에 도를 잃
지 않는다. 그러므로 후회와 허물이 없으니, 순종하기 때문이다.

집설

● 孔氏穎達曰 : "三居下體之極, 是有可進之時, 又居上體之下,
復是可退之地, 遠則不爲童觀, 近則未爲觀國. 居在進退之外,
可以自觀, 時可則進, 時不可則退, 故曰'觀我生進退也'."[17]

공영달(孔穎達)이 말했다. "삼효가 하체의 끝에 있는 것은 나아가
야 할 때이고, 또 상체의 아래에 있는 것은 다시 물러나야 할 곳인
데, 멀게는 어린 아이가 보는 것이 아니고 가깝게는 나라의 빛남을
보는 것이 아니다. 나아가고 물러나는 바깥에 있어 스스로 보아야
하니, 때가 되었으면 나아가고 때가 되지 않았으면 물러난다. 그러
므로 '내가 내놓는 것을 보고 나아가고 물러난다'고 하였다."

● 劉氏牧曰 : "自觀其道, 應於時則進, 不應於時則退."[18]

유목(劉牧)이 말했다. "스스로 그 도를 보고 때에 호응하면 나아가
고, 그렇지 않으면 물러난다."

● 『朱子語類』云, "六三之'觀我生進退'者, 事君則觀其言聽計

---

17) 공영달(孔穎達), 『주역주소(周易注疏)』「관괘(觀卦)」.
18) 이형(李衡), 『주역의해촬요(周易義海撮要)』「관괘(觀卦)」.

從, 治民則觀其政教可行, 膏澤可下, 可以見自家所施之當否, 而爲進退."[19]

『주자어류』에서 말했다. "육삼효의 '내가 내놓는 것을 보고 나아가고 물러난다'는 뜻은 임금을 섬기면 그 말을 듣고 계획을 따르는지 보고, 백성을 다스리면 정치와 교화가 시행되는지 은택이 아래로 내려가는지를 보고, 자신이 시행해야 할지 하지 말아야 할지를 드러내어 나아가고 물러나는 일이다."

● 王氏申子曰:"三處下之上, 上之下, 故有進退之象. 君子進退常觀乎時. 今不觀乎時而觀我生者, 蓋九五方以陽剛中正觀示天下, 則時不待觀也, 但觀吾之所有以爲進退可也."[20]

왕신자(王申子)가 말했다. "삼효는 아래 괘의 위에 있고 위 괘의 아래에 있기 때문에 나아가고 물러나는 상이 있다. 군자는 나아가고 물러남에 항상 때를 본다. 그런데 지금 때를 보지 않고 내가 내놓는 것을 봄은 구오효가 양의 굳셈과 중정함으로 천하에 보이면 때는 볼 필요가 없고, 내가 나아가거나 물러나도 되는지를 볼 뿐이기 때문이다."

● 胡氏炳文曰:"他卦三不中, 多不善, 二居中, 多善, 而觀以遠近爲義. 故如此諸爻, 皆欲觀五, 唯近者得之, 六四最近, 故可決於進. 六三上下之間, 可進可退之地, 故不必觀五, 但觀我所爲而爲之進退.『本義』謂'占者宜自審', 蓋當進退之際, 唯當自審其

19)『주자어류(朱子語類)』 권70, 207조목.
20) 왕신자(王申子),『대역집설(大易集說)』「관괘(觀卦)」.

所爲何如耳."[21]

호병문이 말했다. "다른 괘의 삼효는 가운데 있지 않아 대부분 좋지 않고, 이효는 가운데 있어 대부분 좋은데, 관(觀☴)괘에서는 멀리 있고 가까이 있는 것으로 의미를 삼았다. 그러므로 이처럼 여러 효가 모두 오효를 보려고 하지만 가까이 있는 것들만 얻으니, 육사효는 가장 가까이 있기 때문에 빨리 나아갈 수 있다. 육삼효는 상괘와 하괘의 사이여서 나아갈 수도 있고 물러날 수도 있는 곳이기 때문에 오효를 볼 필요가 없어 내가 할 것을 보고 나아가고 물러날 뿐이다. 『주역본의』에서 '점치는 자가 스스로 살펴야 한다'라고 한 것은 오직 나아가거나 물러날 때에 자신이 할 일이 무엇인지를 살펴야 할 뿐이라는 뜻이다."

---

21) 호병문(胡炳文), 『주역본의통석(周易本義通釋)』「관괘(觀卦)」.

六四, 觀國之光, 利用賓于王.

육사효는 나라의 빛남을 보는 것이니, 왕에게 손님이 되는 것이 이롭다.

六四最近於五, 故有此象, 其占, 爲利於朝覲仕進也.

육사효가 구오효와 가장 가까이 있기 때문에 이러한 상이 있으니, 그 점이 조정에서 임금을 뵙고 나아가 벼슬하는 것이 이롭다.

觀莫明於近. 五以剛陽中正, 居尊位, 聖賢之君也. 四切近之, 觀見其道, 故云'觀國之光', 觀見國之盛德光輝也. 不指君之身而云'國'者, 在人君而言, 豈止觀其行一身乎? 當觀天下之政化, 則人君之道德, 可見矣. 四雖陰柔, 而巽體居正, 切近於五, 觀見而能順從者也. '利用賓于王', 夫聖明在上, 則懷抱才德之人, 皆願進於朝廷, 輔戴之以康濟天下. 四旣觀見人君之德, 國家之治, 光華盛美, 所宜賓于王朝, 效其智力, 上輔於君, 以施澤天下, 故云'利用賓于王'也. 古者有賢德之人, 則人君賓禮之, 故士之仕進於王朝, 則謂之賓.

보는 것이 가까이 있는 것보다 밝은 것은 없다. 구오효가 굳센 양의 중정함으로 높은 자리에 있으니 성스럽고 어진 임금이다. 육사효가 구오효와 매우 가까이 있어 그 도를 보기 때문에 '나라의 빛남을 본다'고 하였으니, 나라의 성대한 덕이 빛나는 것을 본다. 임금의 몸을 가리키지 않고 '나라'라고 했는데, 임금의 입장에서 말하면 어찌 단지 한 몸으로 행하는 것만 보겠는가? 세상의 정치와 교화를 보면, 임금의 도와 덕을 알 수 있기 때문이다.

육사효는 부드러운 음일지라도 손괘(☴)의 몸체로 바른 자리에 있고 구오효와 아주 가까워 보고서 순종할 수 있다. '왕에게 손님이 되는 것이 이롭다'는 말은 성스럽고 현명한 임금이 위에 있으면, 재주와 덕이 있는 자들이 모두 조정에 나아가 보필하며 떠받들어 세상을 편안히 구제하기를 원한다는 뜻이다.

육사효가 이미 임금의 덕과 나라와 가문의 정치가 빛나게 꽃피고 성대하게 아름다움을 보았으니, 임금의 조정에 손님이 되어 그 지혜와 힘을 바침으로 위로 임금을 보필하여 세상에 혜택을 베풀어야 되기 때문에, '왕에게 손님이 되는 것이 이롭다'고 하였다. 옛날 어진 덕이 있는 사람은 임금이 손님으로 예우하였기 때문에 선비가 임금의 조정에 나아가 벼슬하는 것을 손님[賓]이라고 하였던 것이다.

集說

● 劉氏定之曰：“九五大君, 觀己所爲以儀型天下. 初居陽而去五遠, 所觀不明如童子. 二居陰而去五遠, 所觀不明如女子. 唯四得正而去五近, 所觀最明, 故曰, ‘觀光賓王’. 蓋諸爻皆就五取義也.”

유정지(劉定之)[22]가 말했다. "구오효의 대군은 자신이 하는 것을 보고서 세상을 모범으로 삼는다. 그런데 초효는 양의 자리에 있으나 오효와 멀리 떨어져 있으니, 보는 것이 어린 아이처럼 밝지 않다. 이효는 음의 자리에 있으나 오효와 멀리 떨어져 있으니, 보는 것이 여자처럼 밝지 않다. 오직 사효만이 바른 자리에 있고 오효에서 가까워 보는 것이 가장 밝기 때문에 '빛남을 보니, 왕에게 손님이 된다'고 하였다. 여러 효가 모두 오효를 가지고 뜻을 취했다."

---

22) 유정지(劉定之, 1409~1469) : 자는 주정(主靜)이고, 호는 태재(呆齋)며, 시호는 문안(文安)이다. 명(明)대 강서(江西) 영신(永新) 사람으로, 정통(正統) 원년(1436) 회시(會試)에 장원급제하여 한림원(翰林院) 편수(編修)에 임명되었다. 벼슬은 성화(成化) 2년(1466) 문연각(文淵閣)에 입직(入直)하여 공부우시랑(工部右侍郎) 겸 한림학사를 지냈고, 2년 뒤 예부좌시랑(禮部左侍郎)으로 옮겼다. 저서에 『역경도해(易經圖解)』와 『비태록(否泰錄)』, 『태재집(呆齋集)』 등이 있다.

九五, 觀我生, 君子, 无咎.

구오효는 내가 내놓은 것을 봄이니, 군자다우면 허물이 없다.

九五陽剛中正, 以居尊位, 其下四陰, 仰而觀之, 君子之象也.
故戒居此位, 得此占者, 當觀己所行, 必其陽剛中正, 亦如是
焉, 則得无咎也.

구오효는 굳센 양의 중정으로 높은 자리에 있어 아래에 있는 네 음
이 우러러보니, 군자의 상이다. 그러므로 이런 자리에 있으면서 이
점을 얻은 경우는 자신이 행한 것을 보아야 되니, 반드시 굳센 양의
중정함이 또한 이와 같다면 허물이 없을 수 있다고 경계한 것이다.

九五居人君之位, 時之治亂, 俗之美惡, 係乎己而已. 觀己之
生, 若天下之俗, 皆君子矣, 則是己之所爲政化善也, 乃无咎
矣, 若天下之俗, 未合君子之道, 則是己之所爲政治未善, 不
能免於咎也.

구오효는 임금의 자리에 있으니, 때의 다스려지고 혼란함과 풍속의
좋고 나쁨이 자신에게 달려 있을 뿐이다. 자신이 내놓는 것을 보니,
천하의 풍속이 모두 군자답다면, 이는 자기가 행한 정치와 교화가

잘 되어 바로 허물이 없고, 천하의 풍속이 군자의 도에 합치되지 않으면, 자기가 행한 정치가 아직 잘되지 못한 것이어서 허물이 있다.

集說

● 孔氏穎達曰 : "九五居尊, 爲觀之主. 四海之內, 由我而化, 我教化善, 則天下有君子之風敎化, 不善則天下著小人之俗. 故觀民以察我道, 有君子之風者, 則无咎也."[23]

공영달이 말했다. "구오효가 존귀한 자리에 있어 관(觀☷☴)괘의 주인이다. 세상이 자신을 통해 교화되니, 자신이 교화를 잘 하면 세상이 군자의 기풍이 있는 것으로 교화되고, 잘 하지 못하면 세상이 소인의 저속함을 드러낸다. 그러므로 백성들을 보는 것으로 자신의 도를 살피니, 군자의 기풍이 있을 경우에는 허물이 없다."

● 『朱子語類』云, "九五之'觀我生', 如觀風俗之嫩惡臣民之從違, 可以見自家所施之善惡."[24]

『주자어류』에서 말했다. "구오효의 '내가 내놓은 것을 봄'은 풍속의 좋고 나쁨과 백성의 따름과 어김을 본다는 말과 같으니, 그것으로 자신이 시행한 것의 잘하고 못함을 알 수 있다."

● 王氏申子曰 : "五陽剛中正, 居尊位以觀天下, 此君子之道也.

---

23) 공영달(孔穎達), 『주역주소(周易注疏)』「관괘(觀卦)」.
24) 『주자어류(朱子語類)』 권70, 207조목.

天下皆仰而觀之, 在五又當觀己之所行, 必一出於君子之道, 然
後可以立身於無過之地. 故曰, '觀我生, 君子无咎'.[25]

왕신자가 말했다. "오효가 양의 군세고 중정함으로 존귀한 지위에
있어 세상을 보니, 이것이 군자의 도이다. 세상이 모두 우러러보아
오효에서는 또 자신이 행한 것을 보아야 하니, 반드시 한결같이 군
자의 도에서 내놓은 다음에 허물이 없는 곳에 자신을 세울 수 있
다. 그러므로 '내가 내놓은 것을 봄이니, 군자다우면 허물이 없다'
라고 하였다."

---

25) 왕신자(王申子), 『대역집설(大易集說)』「관괘(觀卦)」.

上九, 觀其生, 君子, 无咎.

상구효는 그가 내놓는 것을 보니, 군자다우면 허물이 없다.

本義

上九陽剛, 居尊位之上, 雖不當事任, 而亦爲下所觀, 故其戒
辭, 略與五同, 但以'我'爲'其', 小有主賓之異耳.

상구효가 굳센 양으로 높은 자리의 위에 있으니 일의 책임을 맡지
않았을지라도 아래에서 우러러보기 때문에 그 경계하는 말이 대략
구오와 같다. 다만 '나'를 '그'라고 한 것은 다소 주인과 손님의 차이
가 있기 때문이다.

程傳

上九以陽剛之德, 處於上, 爲下之所觀而不當位, 是賢人君
子, 不在於位, 而道德爲天下所觀仰者也. '觀其生', 觀其所生
也, 謂出於己者德業行義也. 旣爲天下所觀仰, 故自觀其所
生, 若皆君子矣, 則无過咎也. 苟未君子, 則何以使人觀仰矜
式, 是其咎也.

상구효는 굳센 양의 덕으로 위에 있어 아래에서 우러러보지만 자리
에 합당하지 않으니, 어진 사람과 군자가 지위가 없으나 도와 덕을
세상에서 우러러보는 것이다. '그 내놓는 것을 본다'는 그가 내놓는

것을 보는 일이니, 자신에게서 나온 것이 덕업과 도리임을 말한다. 이미 세상이 우러러보기 때문에 스스로 내놓는 것을 보니, 모두 군자답다면 허물이 없다. 군자답지 않다면 어떻게 사람들이 우러러보고 공경하며 본받게 하겠는가? 이것은 그 허물이다.

● 王氏弼曰 : "'觀我生', 自觀其道者也, '觀其生', 爲民所觀者也. 不在於位, 最處上極, 高尙其志, 爲天下所觀者也. 處天下所觀之地, 可不愼乎? 故君子德見, 乃得無咎."[26]

왕필이 말했다. "'내가 내놓는 것을 본다'는 스스로 자신의 도를 본다는 것이고, '그가 내놓은 것을 본다'는 백성들이 본다는 것이다. 자리에 있지 않으면서 위 괘의 끝에 최고로 있으니, 높이 그 뜻을 숭상하여 세상이 보는 것이다. 세상이 보는 곳에 있으니, 삼가지 않을 수 있겠는가? 그러므로 군자는 덕이 드러나야 허물이 없다."

'上九, 觀其生', 似只是承九五之義, 而終言之爾. 蓋九五正當君位, 故曰'我', 上非君位, 而但以君道論之, 故曰'其'. 辭與九五無異者, 正所以見聖人省身察己, 始終如一之心, 故象傳發明之曰, '志未平也'.

'상구효는 그가 내놓는 것을 본다'는 구오효의 뜻을 이어받은 것 같

---

26) 왕필(王弼), 『주역주소(周易注疏)』「관괘(觀卦)」.

으나 끝으로 말하는 뜻일 뿐이다. 구오효는 임금의 자리에 해당하기 때문에 '나'라 하였고, 상구효는 임금의 자리가 아니어서 단지 임금의 도로 논하였기 때문에 '그'라 하였다. 말이 구오효와 다르지 않은 것은 바로 성인이 자신을 성찰할 때 시종이 한결같은 마음이기 때문에 「상전」에서 드러내 밝혀 '뜻이 편안하지 못함이다'[27]라고 하였다.

總論

● 『朱子語類』, 問 : "觀卦陰盛, 而不言凶咎."
曰 : "此卦取義不同, 蓋陰雖盛於下, 而九五之君, 乃當正位, 故只取爲觀於下之義, 而不取陰盛之象也."[28]

『주자어류』에서 물었다. "관(觀䷓)괘는 음이 성대한데도 흉함과 허물을 말하지 않았습니다."
(주자가) 대답했다. "이 괘에서 의미를 취한 것은 같지 않습니다. 음이 아래에서 성대할지라도 구오효의 군주는 바른 지위에 해당하기 때문에 오직 아래에서 우러러보는 의미를 취하고, 음이 성대한 모습을 취하지 않았습니다."

● 問 : "觀六爻, 一爻勝似一爻, 豈所居之位愈高, 則所見愈大耶?"
曰 : "上二爻意自別, 下四爻是所據之位愈近, 則所見愈親切底意思."[29]

----

27) 『주역(周易)』「관괘(觀卦)」: "象曰, '觀其生', 志未平也.[「상전」에서 말했다. '내놓는 행동을 봄'은 뜻이 편안하지 못함이다.]"라고 하였다.
28) 『주자어류(朱子語類)』 권70, 211조목.

물었다. "여섯 효를 보면, 어떤 효는 다른 효보다 나은 것 같은데 어찌 있는 자리가 더욱 높아지면 보는 것이 더욱 커집니까?" (주자가) 대답했다. "위의 두 효의 의미는 저절로 구별되고, 아래 네 효는 의지하고 있는 자리가 더욱 가까워지니, 그 보는 것이 더욱 친밀해지는 의미입니다."

---

29) 『주자어류(朱子語類)』 권70, 210조목.

21. 서합噬嗑괘

☲ 離上
震下

程傳

噬嗑, 序卦, "可觀而後有所合, 故受之以噬嗑. 嗑者, 合也."
旣有可觀, 然後有來合之者也, 噬嗑所以次觀也. '噬', 齧也,
'嗑', 合也, 口中有物間之, 齧而後合之也. 卦上下二剛爻而中
柔, 外剛中虛, 人頤口之象也, 中虛之中, 又一剛爻, 爲頤中
有物之象. 口中有物則隔其上下, 不得嗑, 必齧之則得嗑, 故
爲噬嗑.

서합(噬嗑☲)괘에 대해 「서괘전(序卦傳)」에서 "볼 만한 뒤에 합함
이 있기 때문에 서합괘로 받았다. 합(嗑)은 합함이다"라고 하였다.
이미 볼 만한 것이 있은 뒤에 와서 합하는 자가 있으니, 서합괘가
이 때문에 관(觀)괘의 다음에 있다.
'서(噬)'는 씹는 일이고 '합(嗑)'은 합하는 것이니, 입에 음식물이 들
어 있으면 이것을 씹은 다음에 합한다. 괘의 맨 위와 맨 아래에 두
굳센 효가 있고 가운데 자리는 부드러우니, 밖이 굳세고 가운데가
빈 것은 사람의 턱과 입의 상이고, 가운데가 비어 있는 가운데 또
한 굳센 효가 있는 것은 턱 속에 음식물이 있는 상이다. 입 속에
음식물이 있으면 위아래로 가로막아 합할 수 없고, 반드시 씹으면
합할 수 있기 때문에 서합(噬嗑)이다.

聖人以卦之象, 推之於天下之事, 在口則爲有物隔而不得合,
在天下則爲有强梗或讒邪, 間隔於其間, 故天下之事不得合
也, 當用刑法, 小則懲戒, 大則誅戮, 以除去之, 然後天下之
治得成矣. 凡天下至于一國一家, 至于萬事, 所以不和合者,
皆由有間也, 无間則合矣. 以至天地之生, 萬物之成, 皆合而
後能遂, 凡未合者, 皆爲間也.

성인이 괘의 상으로 천하의 일에 미루어 볼 때, 입에서는 음식물로
가로막혀 합하지 못하고, 천하에서는 강경하거나 아첨하고 거짓된
자가 그 사이에 가로막고 있다. 그러므로 천하의 일이 합하지 못하
면 형벌과 법으로 사소한 것은 징계하고 큰 것은 죽여 제거한 다음
에 천하의 다스림이 이루어진다.
천하에서 한 나라와 한 집안, 만사에까지 화합하지 못하는 까닭은
모두 가로막고 있기 때문이니, 가로막는 것이 없으면 합한다. 천지
의 낳음과 만물의 이루어짐에까지 모두 합한 다음에 이루어지니,
합하지 못함은 모두 가로막는 것 때문이다.

若君臣父子親戚朋友之間, 有離貳怨隙者, 蓋讒邪間於其間
也. 除去之則和合矣. 故間隔者, 天下之大害也. 聖人觀噬嗑
之象, 推之於天下萬事, 皆使去其間隔而合之, 則无不和且治
矣. 噬嗑者, 治天下之大用也. 去天下之間, 在任刑罰, 故卦
取用刑爲義. 在二體, 明照而威震, 乃用刑之象也.

임금과 신하, 아버지와 아들, 친척과 벗 사이에 배반하고 원망하며
틈이 있는 것은 아첨하고 거짓된 자가 그 사이에 끼어 있기 때문이
다. 이런 것을 제거하면 화합한다. 그러므로 가로막고 있는 것이 천

하의 큰 해로움이다. 성인이 서합괘의 상을 관찰하여 천하의 온갖 일에 미루어 모두 가로막는 것을 없애 합하게 하니, 화합하고 다스려지지 않음이 없다. 서합은 천하를 다스리는 큰 쓰임이다. 천하의 가로막음을 없애는 것은 형벌을 쓰는 데 있기 때문에 괘에서 형벌을 쓰는 일로 뜻을 삼았다. 두 몸에서 밝게 비추고[☲] 위엄을 떨침[☳]이 형벌을 쓰는 상이다.

噬嗑, 亨, 利用獄.

서합(噬嗑)은 형통하니, 형옥(獄)을 쓰는 것이 이롭다.

本義

'噬', 齧也, '嗑', 合也, 物有間者, 齧而合之也. 爲卦, 上下兩陽而中虛, 頤口之象, 九四一陽, 間於其中, 必齧之而後合, 故爲噬嗑. 其占當得亨通者, 有間, 故不通, 齧之而合則亨通矣. 又三陰三陽, 剛柔中半, 下動上明, 下雷上電, 本自益卦, 六四之柔上行, 以至於五而得其中, 是知以陰居陽, 雖不當位, 而利用獄. 蓋治獄之道, 惟威與明而得其中之爲貴. 故筮得之者, 有其德則應其占也.

'서(噬)'는 씹는 일이고 '합(嗑)'은 합하는 것이니, 음식물이 사이에 있는 것을 씹어 합한다. 괘의 모양은 위와 아래에 두 양이 있고 가운데가 비어 있어 턱과 입의 상이고, 구사의 한 양이 그 가운데 끼어 있어 반드시 씹은 뒤에 합하기 때문에 서합(噬嗑)이다. 그 점이 형통해야 하는 것은 간격이 있기 때문에 통하지 못하다가 씹어 합하면 형통하기 때문이다.

또 세 음효와 세 양효로 굳셈과 부드러움이 반반이고, 하괘는 움직이고 상괘는 밝으며, 아래는 우레[☳]이고 위는 번개[☲]로 본래 익(益☲☳)괘에서 육사의 부드러운 음이 위로 오효로 가서 가운데를 얻었으니, 음으로서 양의 자리에 있어 자리에 마땅하지 않을지라도 형옥을 씀이 이로움을 알 수 있다. 형옥을 다스리는 도는 오직 위엄과 밝음이 중도를 얻음이 귀하다. 그러므로 점을 쳐서 이 괘를 얻은 경우에 이런 덕이 있으면 이 점에 호응한다.

程傳

'噬嗑亨', 卦自有亨義也. 天下之事所以不得亨者, 以有間也, 噬而嗑之, 則亨通矣. '利用獄', 噬而嗑之之道, 宜用刑獄也. 天下之間, 非刑獄, 何以去之. 不云'利用刑'而云'利用獄'者, 卦有明照之象, 利於察獄也. 獄者, 所以究察情偽. 得其情則知爲間之道, 然後可以設防與致刑也.

'서합은 형통하다'는 것은 괘에 본래 형통한 뜻이 있기 때문이다. 천하의 일이 형통함을 얻지 못함은 가로막는 것이 있기 때문이니, 씹어서 합하면 형통한다. '형옥을 쓰는 것이 이롭다'는 씹어 합하는 도로 형벌과 감옥을 써야 한다는 것이다. 천하를 가로막는 것은 형벌과 감옥이 아니면 어떻게 없애겠는가?
'형벌[刑]을 씀이 이롭다'고 말하지 않고 '형옥[獄]을 씀이 이롭다'고 한 것은 괘에 밝게 비추는 상이 있어 형옥을 살피는 데 이롭기 때문이다. 형옥은 진실과 거짓을 규명하여 다스리는 일로 그 진실을 얻으면 가로막는 길을 알게 되니, 그런 뒤에 예방을 하고 형벌을 다할 수 있다.

集說

李氏舜臣曰 : "噬嗑震下離上, 天地生物有爲造物之梗者, 必用雷電擊搏之, 聖人治天下有爲民之梗者, 必用刑獄斷制之. 故噬嗑以去頤中之梗, 雷電以去天地之梗, 刑獄以去天下之梗也."

이순신이 말했다. "서합(噬嗑䷔)괘는 진(震☳)괘가 아래에 있고 리
(離☲)괘가 위에 있다. 천지가 만물을 낳을 때 사물을 만드는 데
막히는 것은 반드시 번개와 우레로 쳐버리고 성인이 천하를 다스릴
때 백성을 위하는 데 막히는 것은 반드시 형옥으로 끊어 제압한다.
그러므로 서합은 턱 속에서 막히는 것을 없애고, 번개와 우레는 천
지에서 막히는 것을 없애며, 형옥은 천하에서 막히는 것을 없애는
것이다."

初九, 屨校, 滅趾, 无咎.

초구는 형틀을 채워 발꿈치를 마음대로 못쓰게 하니, 허물이 없다.

本義

初上, 无位, 爲受刑之象, 中四爻, 爲用刑之象. 初在卦始, 罪薄過小. 又在卦下, 故爲屨校滅趾之象, 止惡於初, 故得无咎. 占者小傷而无咎也.

초구와 상구는 지위가 없으니 형벌을 받는 상이고, 가운데 네 효는 형벌을 쓰는 상이다. 초구는 괘의 처음에 있어 죄가 작고 허물이 적다. 또 괘의 아래에 있기 때문에 형틀을 채워 발꿈치를 마음대로 못쓰게 하는 상이고, 나쁜 짓을 처음에 그만두기 때문에 허물이 없다. 그러니 점치는 자가 조금 다치지만 허물이 없다.

程傳

九居初, 最下无位者也, 下民之象, 爲受刑之人, 當用刑之始, 罪小而刑輕. '校', 木械也. 其過小, 故屨之於足, 以滅傷其趾. 人有小過, 校而滅其趾, 則當懲懼, 不敢進於惡矣, 故得无咎. 「繫辭」云, "小懲而大誡, 此小人之福也", 言懲之於小與初, 故得无咎也.

구(九)가 초효 자리에 있으니 가장 낮아 지위가 없고, 백성의 상이니 형벌을 받는 사람이며, 형벌을 쓰는 초기에 해당하니 죄가 작고 형벌이 가볍다.

'형틀[校]'은 나무 형틀이다. 그 허물이 적기 때문에 발에 형틀을 채워 그 발꿈치를 마음대로 못쓰게 한다. 사람에게 적은 허물이 있을 때 형틀을 채워 그 발을 마음대로 못쓰게 하면, 혼이 나고 두려워 감히 나쁜 짓을 하는 데로 나아가지 못하므로 허물이 없게 된다. 「계사전(繫辭傳)」에서 "작게 징계하여 크게 경계시킴은 소인의 복이다"고 하였으니, 죄가 작고 초기에 징계하므로 허물이 없게 된다는 말이다.

初與上, 无位, 爲受刑之人, 餘四爻, 皆爲用刑之人. 初居最下, 无位者也, 上處尊位之上, 過於尊位, 亦无位者也. 王弼, 以爲无陰陽之位. 陰陽係於奇偶, 豈容无也. 然諸卦初上, 不言當位不當位者, 蓋初終之義爲大. 臨之初九則以位爲正. 若需上六云"不當位", 乾上九云"无位", 爵位之位, 非陰陽之位也.

초구와 상구는 지위가 없으니 형벌을 받는 사람이고, 나머지 네 효는 모두 형벌을 쓰는 사람이다. 초구는 가장 낮은 자리에 있으니 자리가 없으며, 상구는 존귀한 자리의 위에 있어 그것을 넘어 갔으니, 또한 자리가 없다. 왕필(王弼)은 음과 양의 자리가 없는 것이라고 여겼다. 그런데 음과 양은 홀수와 짝수에 매어 있으니, 어찌 없는 것이겠는가?

그러나 여러 괘의 초효와 상효에서 자리에 합당하고 합당하지 않다고 말한 것은 처음과 끝의 뜻이 크기 때문이다. 림(臨䷒)괘의 초구에서는 자리를 바름으로 여겼고,[1] 수(需䷄)괘의 상육에서는 "자리에 합당하지 않다"²⁾고 하고, 건(乾☰)괘의 상구에서는 "자리가 없다"³⁾고 한 것이라면, 벼슬자리의 지위이지 음과 양의 자리가 아니다.

集說

● 王氏弼曰 : "居無位之地以處刑, 初受刑而非治刑者也. 凡過之所始, 必始於微, 而後至於著, 罰之所始, 必始於薄, 而後至於誅. 過輕黌薄, 故屨校滅趾, 桎其行也, 足懲而已, 故不重也. 過而不改, 乃謂之過. 小懲大誡, 乃得其福, 故无咎也."

왕필이 말했다. "자리가 없는 곳에 있어 형벌에 처해지니, 초효는 형벌을 받는 것이지 형벌을 다스리는 자가 아니다. 허물의 시작은 반드시 작은 것에서 시작한 다음에 드러나게 되고, 벌의 시작은 반드시 작은 것에서 시작한 다음에 죽이게 된다. 허물이 가볍고 벌이 작기 때문에 형틀에 채워 발꿈치를 마음대로 못쓰게 하여 걷는 것을 속박함으로도 충분히 혼을 내기 때문에 무겁게 하지 않는다. 허물이 있는데 고치지 않으면 그것을 허물이라 한다. 작게 혼을 내고 크게 징계해야 복을 얻기 때문에 허물이 없다."

---

1) 『주역』「임괘(臨卦)」: "咸臨貞吉', 志行正也.['두루 임하니, 바르게 하여 길함'은 뜻이 바른 도를 행하려는 것이다.]"라고 하였다.
2) 『주역』「수괘(需卦)」: "雖不當位, 未大失也.[비록 자리는 마땅하지 않으나 크게 잘못되지 않아서이다.]"라고 하였다.
3) 『주역』「건괘(乾卦)」: "貴而无位, 高而无民, ….[귀하지만 지위가 없으며, 높지만 백성이 없으며, ….]"라고 하였다.

● 俞氏琰曰 : "校, 獄具也. 初在下, 趾象也. '滅', 沒而不見也. 以剛物加於著屨之足, 而沒其趾, 故曰'屨校滅趾'. 懲之於小, 戒之於初, 則不進於惡, 故无咎."

유담이 말했다. "형틀[校]은 형옥의 도구이다. 초효는 아래에 있으니 발꿈치의 상이다. '마음대로 못쓰게 한다[滅]'는 막혀서 내놓지 못하게 하는 것이다. 굳센 것을 드러나게 채운 발에 더해 그 발꿈치가 막히게 하기 때문에 '형틀에 채워 발꿈치를 마음대로 못쓰게 한다'고 하였다. 작을 때 징계하고 처음에 경계시키면, 나쁜 짓을 하는 데까지 나아가지 않기 때문에 허물이 없다."

● 姜氏寶曰 : "滅, 沒也, 言屨校於足. 而遮沒其趾, 非傷滅其趾之謂也"

강보가 말했다. "마음대로 못쓰게 함은 막히게 한다는 것이니, 발에 형틀을 채워 거의 발꿈치가 막히게 함을 말하지 발꿈치를 상하게 함을 말하는 것이 아니다."

六二, 噬膚, 滅鼻, 无咎.

육이는 살을 씹으나 코를 마음대로 못쓰게 하니, 허물이 없다.

本義

祭有'膚鼎', 蓋肉之柔脆, 噬而易嗑者. 六二中正, 故其所治如
噬膚之易. 然以柔乘剛, 故雖甚易亦不免於傷滅其鼻. 占者雖
傷而終无咎也.

제사에 '코를 베는 것[膚鼎]'이 있으니, 고기의 부드럽고 연한 부위
를 씹어서 합하기 쉬운 것이다. 육이는 알맞고 바르기 때문에 그 다
스림이 살을 씹는 것처럼 쉽다. 그러나 부드러운 음이 굳센 양을 타
고 있기 때문에 아주 쉬울지라도 그 코를 해쳐 마음대로 못쓰게 하
는 것을 면할 수 없다. 점치는 자가 해를 입을지라도 마침내 허물이
없게 된다.

程傳

二, 應五之位, 用刑者也. 四爻皆取噬爲義. 二居中得正, 是
用刑得其中正也. 用刑得其中正, 則罪惡者易服, 故取噬膚爲
象. 噬齧人之肌膚, 爲易入也. '滅', 沒也, 深入, 至沒其鼻也.
二以中正之道, 其刑易服. 然乘初剛, 是用刑於剛强之人. 刑
剛强之人, 必須深痛, 故至滅鼻而无咎也. 中正之道, 易以服
人, 與嚴刑以待剛强, 義不相妨.

이효는 오효와 호응하는 자리이니 형벌을 쓰는 것이다. 네 효에서 모두 씹는 것을 취하여 뜻을 삼았다. 그런데 육이는 가운데와 바름을 얻었으니, 형벌을 씀에 알맞고 바름을 얻었다. 형벌을 씀에 알맞고 바름을 얻으면 죄와 악을 저지른 자가 쉽게 승복하기 때문에 살을 씹는 것으로 상을 삼았다. 사람의 살을 씹으면 쉽게 들어간다. '마음대로 못쓰게 한다'는 막히게 한다는 것이니, 깊이 채워서 코를 막히게 하는 일이다. 육이가 알맞고 바른 도를 사용하니 그 형벌에 쉽게 복종한다. 그러나 굳센 초구를 타고 있는 것은 굳세고 강한 사람에게 형벌을 쓰는 일이다. 굳세고 강한 사람에게 형벌을 쓸 때는 반드시 깊고 아프게 해야 하기 때문에 코를 마음대로 못쓰게 하지만 허물은 없다. 알맞고 바른 도는 쉽게 사람을 승복시키니, 형벌을 엄하게 하여 굳세고 강한 사람을 상대하는 것과 뜻이 서로 어긋나지 않는다.

集說

● 孔氏穎達曰 : "六二處中得位, 是用刑者. 膚是柔脆之物, 以喻服罪受刑之人也. 乘剛而刑未盡順, 噬過其分, 故至滅鼻. 言用刑太深也, 刑中其理故无咎"

공영달이 말했다. "육이효가 가운데 있으면서 자리를 얻었으니, 형벌을 시행하는 것이다. 코는 부드러운 것이니, 죄를 받아 형벌을 받는 사람을 비유하였다. 굳셈을 타고 있어 형벌을 모두 순조롭게 하지 못하고 씹는 것이 그 분수를 지나쳤기 때문에 코를 마음대로 못쓰게 한다. 형벌을 사용함이 너무 심하지만 그것이 이치에 알맞기 때문에 허물이 없다는 말이다."

● 胡氏炳文曰 : "噬而言膚腊肺肉者, 取頤中有物之象也. 各爻雖取所噬之難易而言, 然因各爻自有此象. 故其所噬者, 因而爲之象耳. 六二柔而中正, 故所治如噬膚之易入, 初剛未服不能無傷. 然始雖有傷, 終可服也."

호병문이 말했다. "씹는데 육포와 고기를 말한 것은 턱 속에 음식물이 있는 상을 취하였다. 각 효에서 씹는 것의 어렵고 쉬운 것을 가지고 말했을지라도 각 효에 본래 그런 상이 있다. 그러므로 씹는 것은 그것으로 말미암아 상을 삼았을 뿐이다. 육이는 부드럽고 알맞으며 바르기 때문에 다스리는 것이 살을 씹는 일처럼 쉽게 들어가고, 굳센 초효는 복종하지 않아 해침이 없을 수 없다. 그런데 처음에 해침이 있을지라도 끝내 복종한다."

六三, 噬腊肉, 遇毒, 小吝, 无咎.

육삼은 고기포를 씹다가 독을 만났으니, 조금 부끄러우나 허물은
없다.

'腊肉', 謂獸腊, 全體骨而爲之者, 堅靭之物也. 陰柔不中正,
治人而人不服, 爲噬腊遇毒之象. 占雖小吝, 然時當噬嗑, 於
義爲无咎也.

'고기포[腊肉]'는 짐승의 포를 말하니, 살과 뼈를 통째로 해서 말린
것으로 단단하고 질긴 물건이다. 부드러운 음으로 알맞고 바르지
못함은 사람들을 다스리지만 복종하지 않아 포를 씹다가 독을 만나
는 상이다. 점이 조금 부끄러울지라도 씹어 합하는 때여서 뜻에서
는 허물이 없다.

三居下之上, 用刑者也. 六居三, 處不當位. 自處不得其當而
刑於人, 則人不服而怨懟悖犯之, 如噬齧乾腊堅靭之物, 而遇
毒惡之味, 反傷於口也. 用刑而人不服, 反致怨傷, 是可鄙吝
也. 然當噬嗑之時, 大要噬間而嗑之, 雖其身處位不當, 而强
梗難服, 至於遇毒, 然用刑, 非爲不當也. 故雖可吝而亦小,
噬而嗑之, 非有咎也.

육삼은 아래 괘의 위에 있으니, 형벌을 쓰는 것이다. 육(六)인 음이 삼효 자리에 있으니, 마땅하지 않은 자리에 있다. 본래 있는 곳이 마땅하지 않은데, 사람들에게 형벌을 주면 사람들이 복종하지 않고 원망하면서 덤벼드니, 말라서 단단하고 질긴 포를 씹다가 독처럼 나쁜 맛에 도리어 입을 상하는 것과 같다. 형벌을 주는데 사람들이 복종하지 않아 도리어 원망을 받고 다치게 되니, 어리석고 부끄럽다. 그러나 서합(噬嗑)의 때에 크게 중요한 일은 가로막고 있는 음식물을 씹어 합하는 것이니, 자신이 있는 자리가 마땅하지 않아 강경하게 가로막고 복종시키기 어려워 독을 만나게 될지라도 형벌을 씀이 합당하지 않은 것은 아니다. 그러므로 부끄러울지라도 별 일 아니니, 씹어서 합하면 허물이 있는 것은 아니다.

集說

胡氏炳文曰 : "肉因六柔取象, 腊因三剛取象. 六二柔居柔, 故所噬象膚之柔. 六三柔居剛, 故所噬象腊肉, 柔中有剛, 比之二難矣. 二三皆无咎, 而三小吝者, 中正不中正之分也."

호병문이 말했다. "고기[肉]는 음효의 부드러움으로 말미암아 상을 취하고, 포(腊)는 삼효의 굳셈으로 말미암아 상을 취하였다. 육이는 부드러움이 부드러운 자리에 있기 때문에 씹는 것을 살의 부드러움으로 상징하였다. 육삼은 부드러움이 굳센 자리에 있기 때문에 씹는 것을 고기포로 상징하였는데, 부드러운 가운데 굳셈이 있으니, 이효에 비교하기는 어렵다. 이효와 삼효는 모두 허물이 없는데 삼효가 조금 부끄러운 것은 중정하고 그렇지 않은 차이이다."

九四, 噬乾胏, 得金矢, 利艱貞, 吉.

구사는 뼈의 마른 고기를 씹어 금과 화살을 얻으니, 어렵게 여기고 곧게 함을 이롭게 여기면 길하다.

'胏', 肉之帶骨者, 與'胾'同. 『周禮』, "獄訟, 入鈞金束矢而後聽之". 九四以剛居柔, 得用刑之道, 故有此象, 言所噬愈堅而得聽訟之宜也. 然必利於艱難正固則吉. 戒占者宜如是也.

'뼈의 마른 고기[胏]'는 고기가 뼈에 붙어 있는 것이니, '고기 덩어리[胾]'와 같다. 『주례(周禮)』에 "소송 사건에서 삼십 근의 금과 묶은 화살을 예치한 뒤에 송사를 듣는다"고 하였다.
구사는 굳센 양으로 부드러운 음의 자리에 있어 형벌을 쓰는 도를 얻었기 때문에 이러한 상이 있으니, 씹는 것이 더욱 견고하여 송사를 처리하는 마땅함을 얻었다는 말이다. 그러나 반드시 어렵게 여기고 바르게 함을 이롭게 여기면 길하다. 점치는 자가 이와 같이 해야 한다고 경계한 것이다.

九四, 居近君之位, 當噬嗑之任者也. 四已過中, 是其間愈大而用刑愈深也, 故云"噬乾胏". '胏', 肉之有聯骨者, 乾肉而兼骨, 至堅難噬者也. 噬至堅而得金矢, '金'取剛, '矢'取直. 九四

陽德剛直, 爲得剛直之道, 雖用剛直之道, 利在克艱其事而貞
固其守則吉也. 九四剛而明體, 陽而居柔. 剛明則傷於果, 故
戒以知難, 居柔則守不固, 故戒以堅貞. 剛而不貞者有矣, 凡
失剛者皆不貞也, 在噬嗑, 四最爲善.

구사는 임금과 가까운 자리에 있으니, 씹어 합하는 임무를 맡았다.
구사가 이미 가운데를 지나는 경우에 가로막고 있는 것이 더욱 커
서 형벌을 씀이 깊어야 하기 때문에 "마른 고기를 씹는다"고 했다.
'뼈의 마른 고기[肺]'는 고기가 뼈에 붙어 있는 것이니, 고기가 말라
있는데다가 뼈까지 있어 씹기에 아주 단단하고 어렵다. 그런데 지
극히 단단한 것을 씹어 금과 화살을 얻었다는 말은 '금'에서 굳셈을
취하고 '화살'에서 곧음을 취한 것이다.
구사가 양의 덕으로 굳세고 곧아 굳세고 곧은 도를 얻으니, 굳세고
곧은 도를 쓸지라도 이로움이 일을 어렵게 여기고 지킴을 곧고 견
고하게 하는 데 있으면 길하다. 구사는 굳세면서 밝은 몸체이고, 양
이면서 부드러운 자리에 있다. 굳세고 밝으면 과감하여 다칠 수 있
기 때문에 어려워할 줄 알라고 경계하였고, 부드러운 자리에 있으
면 지킴이 견고하지 못하기 때문에 곧음을 견고하게 하라고 경계하
였다. 굳세면서 곧지 못한 경우가 있지만 굳셈을 잃는 것은 모두 곧
지 못한 일이니, 서합괘에서는 구사가 가장 좋다.

集說

● 陸氏績曰 : "金矢者, 剛直也, 噬肺雖難, 終得中其剛直也."

육적[4]이 말했다. "금과 화살은 굳센 것과 곧은 것이다. 뼈에 붙은 마른
고기를 씹는 것이 어려울지라도 끝내 그 굳셈과 곧음을 펼 수 있다."

● 楊氏時曰 : "九四合一卦言之, 則爲間者, 以爻言, 則居近君之位, 任除閒之責者也. 『易』之取象, 不同類如此."

양시가 말했다. "구사는 하나의 괘로 합해서 말하면 가로막는 것이고, 효로 말하면 임금과 가까운 자리에 있어 가로막고 있음을 없애는 책임을 맡은 것이다. 『역』에서 상을 취하는 것이 이처럼 같지 않다."

● 王氏宗傳曰 : "以一卦言之, 則九四頤中之物也, 所以爲强梗者也. 以六爻言之, 則九四剛直之才也, 所以去强梗者也. 肉之附骨者, 謂之胏而又乾焉, 亦最難噬者也. 然三之於腊肉, 則遇毒, 而四之於乾胏, 則無是患者, 剛柔之才異也."

왕종전이 말했다. "하나의 괘로 말하면 구사는 턱 속의 음식물이기 때문에 강하게 가로막고 있는 것이다. 여섯 효로 말하면, 구사는 굳세고 곧은 재질이기 때문에 강하게 가로막고 있음을 제거하는 것이다. 고기가 뼈에 붙어있는 것을 마르고 또 건조한 것이라고 하니, 가장 씹어 먹기 어려운 물건이다. 그런데 삼효의 고기포는 독을 만

---

4) 육적(陸績, 188~219) : 자는 공기(公紀)이다. 삼국 시대 오(吳)나라 오군 오현(吳郡吳縣 : 현 강소성 소주〈蘇州〉) 사람으로 한말(漢末) 여강태수 (廬江太守) 육강(陸康)의 아들이다. 어려서 '육적회귤(陸績懷橘)'이라는 고사성어의 주인공이 될 정도로 효심(孝心)으로 이름이 났고, 천문과 역 산(曆算) 등 다방면으로 박학다식했다. 벼슬은 손권(孫權)이 강동(江東) 을 장악했을 때 주조연(奏曹掾 : 상소를 의론하는 직책)이 되어 직언(直言)을 잘 했으며, 울림태수(鬱林太守), 편장군(偏將軍) 등을 역임하였 다. 저서에는 『혼천도(渾天圖)』, 『주역주(周易注)』, 『태현경주(太玄經注)』 등이 있다.

나지만, 사효의 뼈에 붙은 마른 고기에서 이런 근심이 없는 것은 굳셈과 부드러움의 재질이 다르기 때문이다."

● 丘氏富國曰 : "噬嗑惟四五兩爻, 能盡治獄之道. 「彖」以五之柔爲主, 故曰'柔得中而上行, 雖不當位, 利用獄也'. 利用之言, 獨歸之五, 而他爻不與焉. 爻以四之剛爲主, 故曰'噬乾胏得金矢利艱貞吉'. 吉之言獨歸之四, 而他爻謂之无咎也, 主柔而言, 以仁爲治獄之本. 主剛而言, 以威爲治獄之用. 仁以寓其哀矜, 威以懲其奸慝, 剛柔迭用, 畏愛兼施, 治獄之道得矣."

구부국(丘氏富)[5]이 말했다. "씹어서 합하는 것은 사효와 오효일 뿐으로 형옥을 다스리는 도를 다할 수 있다. 「단전」에서는 오효의 부드러움을 위주로 했기 때문에 '부드러움이 알맞음을 얻어 위로 행하니, 자리에 해당하지 않을지라도 형옥을 쓰는 것이 이롭다'고 하였다. 쓰는 것이 이롭다는 말은 오효로 돌릴 뿐이어서 다른 효에서는 함께 하지 못한다. 효사에서는 사효의 굳셈을 위조로 했기 때문에 '뼈에 붙은 마른 고기를 씹어 금과 화살을 얻으니, 어렵게 여기고 곧게 함을 이롭게 여기면 길하다'라고 하였다. 길하다는 말은 사효로 돌릴 뿐이어서 다른 효에서는 허물이 없다고 하였다. 부드러움을 위주로 말하면, 어짊이 형옥을 다스리는 근본이고, 굳셈을 위

---

5) 구부국(丘富國) : 자는 행가(行加)이고, 남송 건안(建安 : 현 복건성 건구〈建甌〉) 사람이다. 주자의 문인으로 주자의 역학사상을 주로 계승 발전시켰다. 이종(理宗) 순우(淳祐) 7년(1247)에 진사에 급제하여 벼슬은 단주첨판(端州僉判)을 역임했다. 남송이 망하자 은거하고 벼슬하지 않았다. 저서에는 『주역집해(周易輯解)』, 『역학설약(易學說約)』, 『경세보유(經世補遺)』가 있다.

주로 말하면, 위엄이 형옥을 다스리는 효용이다. 어짊은 불쌍한 것들을 어루만지고, 위엄은 간특한 것들을 징계하니, 굳셈과 부드러움으로 효용을 번갈아하며 두려움과 사랑을 함께 베풀면, 형옥을 다스리는 도를 얻는다."

● 胡氏炳文曰 : "離爲乾卦, 故爲乾肺. 腊肉, 肉藏骨, 柔中有剛. 六三柔居剛, 故所噬如之. 乾肺, 骨連肉, 剛中有柔. 九四剛居柔, 故所噬如之. 三遇毒, 所治之人不服也. 四得金矢, 其人服矣, 然必艱難正固乃无咎."

호병문이 말했다. "리(離☲)괘는 마른 괘이기 때문에 마른 고기이다. 고기포는 고기에 뼈가 들어 있는 것이니, 부드러운 가운데 굳셈이 있는 것이다. 육삼은 부드러움으로 굳센 자리에 있기 때문에 씹는 것이 그와 같다. 뼈의 마른 고기는 뼈에 고기가 붙어 있는 것이니, 굳센 가운데 부드러움이 있다. 구사는 굳셈으로 부드러운 자리에 있기 때문에 씹는 것이 그와 같다. 삼효에서 독을 만났으니 다스리는 사람이 복종하지 않는다. 사효에서 금과 화살을 얻었으니 그 사람이 복종하는 것이지만 반드시 어렵게 여기고 바르게 해야 허물이 없다."

六五, 噬乾肉. 得黃金, 貞厲无咎.

육오는 마른 고기를 씹어 황금을 얻었으니, 바르게 하고 위태롭게
여겨야 허물이 없다.

本義

‘噬乾肉’, 難於膚而易於腊胏者也. 黃, 中色, 金, 亦謂鈞金.
六五柔順而中, 以居尊位, 用刑於人, 人无不服, 故有此象.
然必貞厲, 乃得无咎, 亦戒占者之辭也.

‘마른 고기를 씹음’은 살보다는 어렵고 포와 뼈에 붙은 마른 고기보
다는 쉽다. 황색은 중앙의 색이고 금은 또한 삼십 근의 금을 말한
다. 육오는 유순하고 가운데이면서 높은 자리에 있어 사람에게 형
벌을 씀에 복종하지 않음이 없기 때문에 이러한 상이 있다. 그러나
반드시 바르게 하고 위태롭게 여겨야 허물이 없으니, 또한 점치는
사람을 경계시킨 말이다.

程傳

五在卦愈上, 而爲噬乾肉, 反易於四之乾胏者, 五居尊位, 乘
在上之勢, 以刑於下, 其勢易也. 在卦, 將極矣, 其爲間, 甚大,
非易嗑也, 故爲噬乾肉也. ‘得黃金’, 黃, 中色, 金, 剛物, 五居
中, 爲得中道. 處剛而四輔以剛, 得黃金也. 五无應, 而四居

大臣之位, 得其助也. '貞厲无咎', 六五雖處中剛, 然實柔體, 故戒以必正固而懷危厲則得无咎也.   以柔居尊而當噬嗑之 時, 豈可不貞固而懷危懼哉.

오효는 괘에서 더욱 위에 있으면서 마른 고기를 씹는 일이어서 도 리어 구사의 뼈에 붙은 마른 고기보다 쉬운 것은 오효가 높은 자리 에 있어 위에 있는 기세에 올라타고 아랫사람에게 형벌을 주어 그 형세가 쉽기 때문이다. 괘에서 끝이 되려고 하여 가로막고 있는 것 이 아주 커서 합하기 쉽지 않기 때문에 마른 고기를 씹는다. '황금 을 얻었다'는 황색이 중앙의 색이고 금이 굳센 것으로 오효가 가운 데 있어 알맞은 도를 얻은 것이다. 굳센 자리에 있고 사효가 굳셈으 로 도와 황금을 얻었다. 육오에게는 호응이 없으나 구사가 대신의 지위에 있어 그 도움을 받는다. '바르게 하고 위태롭게 여겨야 허물 이 없다'는 육오가 가운데의 굳센 자리에 있을지라도 실제로 부드러 운 몸체이기 때문에 반드시 바르고 견고하게 하며 위태롭게 여기는 마음을 품으면 허물이 없다고 경계한 것이다. 부드러운 음으로 높 은 자리에 있으면서 씹어 합해야 하는 때를 만났으니, 어찌 바르고 견고하게 하며 위태롭게 여기고 두려워하는 마음을 품지 않을 수 있겠는가?

集說

● 『朱子語類』, 問: "九四'利艱貞', 六五'貞厲', 皆有艱難正固危 懼之意, 故皆爲戒占者之辭."
曰: "亦是爻中元自有此道理. 大抵纔是治人, 彼必爲敵, 不是易 事. 故雖是時位卦德, 得用刑之宜, 亦須以艱難正固處之."[6]

『주자어류』에서 물었다. "구사의 '어렵게 여기고 바르게 함을 이롭게 여긴다'는 것과 육오의 '바르게 하고 위태롭게 여긴다'는 것은 모두 어렵게 여기고 바르게 하며 두려워한다는 의미이기 때문에 모두 점치는 자에게 경계하는 말입니다."

대답했다. "또한 효(爻)에는 원래 이런 도리가 있다는 것입니다. 대체로 사람을 다스리다 보면, 그것에 반드시 적이 생겨 쉽지 않은 일입니다. 그러므로 시기[時]와 자리[位]와 괘의 덕[卦德]에 형벌을 쓰는 마땅함이 있을지라도 반드시 어려워하고 바르게 하면서 처리해야 합니다."

● 李氏過曰 : "九四以剛噬, 六五以柔噬. 以剛噬者, 有司執法之公, 以柔噬者, 人君不忍之仁也."

이과[7]가 말했다. "구사는 굳센 것을 씹고, 육오는 부드러운 것을 씹는다. 굳센 것을 씹는 일은 관리가 법을 집행하는 공평함이고, 부드러움을 씹는 일은 임금이 차마 어떻게 하지 못하는 어짊이다."

● 胡氏炳文曰 : "'噬膚'·'噬腊肉'·'噬乾胏', 一節難於一節, 六五噬乾肉, 則易矣. 五君位也, 以柔居剛, 柔而得中, 用獄之道也, 何難之有. 訟則出矢, 獄則出金, 訟爲小, 獄爲大. 四於訟獄兼得,

6) 『주자어류』권71, 「역7」 6조목.
7) 이과(李過) : 송(宋)대 강소성 홍화(興化) 사람으로 자는 계변(季辨)이다. 20여 년의 노력을 쏟아 부어 『서계역설(西溪易說)』을 저술했다. 풍의(馮椅)는 『후재역학(厚齊易學)』에서 그의 의견이 새로운 경지를 개척한 점이 많다고 평가하였다. 영종(寧宗) 경원(慶元) 4년(1198)에 쓴 자서(自序)가 남아있다.

大小兼理之也.　五君也, 非大獄不敢以聞, 書所謂'罔攸兼于庶
獄', 是也."

호병문이 말했다. "이효의 '살을 씹다'는 것과 삼효의 '고기포를 씹
는다'는 것과 사효의 '뼈에 붙은 마른 고기를 씹는다'는 것은 한 마
디 한 마디에서 어렵지만 육오의 마른 고기를 씹는 일은 쉽다. 오
효는 임금의 자리로 부드러움으로 굳센 자리에 있고 부드러우면서
알맞음을 얻었으니, 형옥의 도를 사용함에 무슨 어려움이 있겠는
가? 송사를 하면 화살을 예치하고 옥사를 하면 금을 예치하니, 송
사는 작고 옥사는 크다. 사효는 송사와 옥사를 겸하여 얻었으니 크
고 작은 것을 겸하여 다스리는 일이다. 오효는 임금으로 큰 옥사가
아니면 감히 듣지 않으니, 『서경』에서 이른바 '옥사를 겸함이 없었
다'[8]는 것이 여기에 해당한다."

● 谷氏家杰曰 : "四先艱而後貞者, 先以艱難存心, 而後出入罔
不得其正. 此獄未成之前, 詳審之法, 人臣以執法爲道也. 五先
貞而後厲者, 雖出入無不得正, 而猶以危厲惕其心. 此獄旣成之
後, 欽恤之仁, 人君以好生爲德也."

곡가걸이 말했다. "사효에서 어렵게 여긴 다음에 곧게 하는 것은
먼저 어렵게 여기는 일을 마음에 담아둔 다음에 출입에 바름을 얻
지 않음이 없다. 이것은 아직 옥사가 이루어지기 전에 자세히 살피
는 법이니, 신하가 법을 집행하는 도이다. 오효에서 먼저 바르게
한 다음에 위태롭게 여기는 것은 출입에 바름을 얻지 않음이 없을

----

8) 『서경』「입정(立政)」: "文王罔攸兼于庶言庶獄庶慎.[문왕은 여러 말과
여러 옥사와 여러 삼가야 할 것을 겸함이 없었다.]"라고 하였다.

지라도 여전히 그 마음을 위태롭게 여기는 일이다. 이것은 옥사가 이미 이루어진 다음에 신중하고 불쌍하게 여기는 어짊이니, 임금이 살리기 좋아하는 일로 덕을 삼는 것이다."

上九, 何校, 滅耳, 凶.

상구는 형틀을 채워서 귀를 마음대로 못쓰게 하니, 흉하다.

'何', 負也. 過極之陽, 在卦之上, 惡極罪大, 凶之道也. 故其象占如此.

'채운다[何]'는 짊어진다는 것이다. 지나치게 지극한 양이 괘의 위에 있으니, 나쁜 짓을 저지름이 지극하고 죄가 커서 흉한 도이다. 그러므로 그 상과 점이 이와 같다.

上過乎尊位, 无位者也, 故爲受刑者. 居卦之終, 是其間大, 噬之極也. 「繫辭」所謂"惡積而不可揜, 罪大而不可解"者也. 故何校而滅其耳, 凶可知矣. '何', 負也, 謂在頸也.

상구는 존귀한 자리를 넘어가서 자리가 없기 때문에 형벌을 받는 것이다. 괘의 끝에 있어 가로막는 것이 크니 씹기를 다하였다. 「계사전(繫辭傳)」에 이른바 "악이 쌓여 가릴 수 없고 죄가 커서 풀 수 없다"는 말이다. 그러므로 형틀을 채워서 귀를 마음대로 못쓰게 하니, 흉함을 알만하다. '채운대[何]'는 짊어진다는 것으로 형틀이 목에 채워져 있음을 말한다.

● 郭氏雍曰 : “初上‘滅’字, 或以爲刑, 獨孔氏訓沒. 屨校, 桎其
足, 桎大而滅趾, 何校, 械其首, 械大而沒耳也. 或以滅耳爲刵,
滅鼻爲劓, 滅趾爲剕. 『書』註, 劓刵, 輕刑, 「呂刑」剕辟爲重, 故
漢斬趾同於棄市. 方初九小刑, 固不當斷趾, 上九罪大, 復不當
輕刑. 以是知三者言滅, 皆非刑也.”

곽옹[9]이 말했다. “초효와 상효에서 ‘마음대로 못쓰게 한다[滅]’는 것
을 간혹 형벌로 여기기도 하는데, 공씨만 막히게 한다로 해석했다.
형틀을 채울 때 그 발에 채우니, 큰 것을 채워 발꿈치를 마음대로
못쓰게 하고, 형틀을 채울 때 그 머리를 채우니, 큰 것을 채워 귀까
지 막히게 한다. 간혹 귀를 마음대로 못쓰게 함을 귀를 베는 것으
로 여기고, 코를 마음대로 못쓰게 함을 코를 베는 것으로 여기며
발꿈치를 마음대로 못쓰게 함을 발을 베는 것으로 여긴다. 『서경』
에서 코를 베고 귀를 베는 것을 가벼운 형벌로 풀이했고, 「여형(呂
刑)」에서 발꿈치를 베는 형벌은 무겁기 때문에 한나라에서 발꿈치
는 베는 것은 사형과 동일하게 여겼다. 비교해 보면, 초구는 작게
형벌을 주는 것이니, 진실로 발꿈치를 베어서는 안 되고, 상구는 죄
가 크니 가볍게 형벌해서는 안 된다. 이것으로 세 곳에서 마음대로
못쓰게 한다고 한 것이 모두 형벌을 주는 일이 아님을 알겠다.”

---

9) 곽옹(郭雍, 1106~1187) : 송(宋)대 낙양(洛陽 : 현 하남성 낙양시) 사람
으로 자는 자화(子和)이고 자호는 백운(白雲)이다. 정이(程頤)의 제자인
곽충효(郭忠孝)의 둘째 아들로 가학을 이었으며, 벼슬길은 나아가지 않
고 은거하면서 역학과 의학에 정통하였다고 한다. 역학 방면 저술로『전
가역해(傳家易解)』,『괘사지요(卦辭指要)』,『시괘변의(蓍卦辨疑)』등이
있다고 한다.

● 李氏過曰:“以六爻之位言之, 五君位也, 爲治獄之主, 四大臣位也, 爲治獄之卿, 三二又其下也, 爲治獄之吏.”

이과가 말했다. "여섯 효의 자리로 말하면, 오효는 임금의 자리여서 옥사를 다스리는 주인이고, 사효는 신하의 자리여서 옥사를 다스리는 장관이며, 삼효와 이효는 또 그 아래여서 옥사를 다스리는 벼슬아치들이다."

22. 비賁괘

䷕ 艮上
離下

程傳

賁, 序卦, "噬者, 合也. 物不可以苟合而已, 故受之以賁. 賁者,
飾也". 物之合, 則必有文, 文乃飾也. 如人之合聚, 則有威儀
上下, 物之合聚, 則有次序行列, 合則必有文也. 賁所以次噬
嗑也. 爲卦山下有火. 山者, 草木百物之所聚也, 下有火, 則
照見其上, 草木品彙, 皆被其光彩, 有賁飾之象. 故爲賁也.

비(賁䷕)괘에 대해 「서괘전」에서 "합(噬)은 합하는 것이다. 사물이
구차하게 합해서는 안 되기 때문에 비괘로 받았다. 비(賁)는 꾸미는
것이다"라고 하였다. 사물이 합하면 반드시 문채가 있고, 문채는 바
로 꾸미는 것이다. 그러니 마치 사람들이 모이면 위의와 상하가 있
고 사물이 모이면 순서와 행렬이 있어 합하면 반드시 문채가 있는
것과 같다. 비괘가 그 때문에 서합(噬嗑䷔)괘 다음에 있다.
괘의 모양은 산 아래에 불이 있는 것이다. 산은 초목과 온갖 것들
이 모인 곳인데, 아래에 불이 있으면 그 위를 환하게 드러내니, 초
목과 사물들이 모두 그 불빛을 받아 꾸미는 상이 있다. 그러므로
비괘이다.

賁, 亨, 小利有攸往.

비는 형통하고 가는 것이 조금 이롭다.

賁, 飾也. 卦自損來者, 柔自三來而文二, 剛自二上而文三.
自旣濟而來者, 柔自上來而文五, 剛自五上而文上. 又內離而
外艮, 有文明而各得其分之象, 故爲賁. 占者以其柔來文剛陽
得陰助, 而離明於內, 故爲亨, 以其剛上文柔, 而艮止於外,
故小利有攸往.

비(賁☲)괘는 꾸미는 것이다. 괘가 손(損☶)괘에서 왔을 경우는 부
드러움이 삼효에서 와서 이효를 꾸미고, 굳셈은 이효에서 올라가서
삼효를 꾸민다. 기제(旣濟☵)괘에서 왔을 경우는 부드러움이 상효
에서 와서 오효를 꾸미고, 굳셈이 오효에서 올라가서 상효를 꾸민
다. 또 내괘가 리(離☲)괘이고 외괘가 간(艮☶)괘로 문채가 밝아 각
기 그 분수를 얻는 상이 있기 때문에 비(賁☲)괘가 된다. 점치는 자
는 그 부드러움이 와서 굳셈을 꾸미고 양이 음의 도움을 받아 불[離
☲]이 안에서 밝기 때문에 형통하고, 그 굳셈이 위로 부드러움을 꾸
미고 산[艮☶]이 밖에 멈춰 있기 때문에 가는 것이 조금 이롭다.

物有飾而後能亨, 故曰"无本不立, 无文不行", 有實而加飾,

則可以亨矣. 文飾之道, 可增其光彩, 故能小利於進也.

사물은 꾸민 다음에 형통하기 때문에 "근본이 없으면 세우지 못하고 문채가 없으면 행하지 못한다"[1]라고 하였으니, 실질이 있는데다가 꾸밈을 더하면 형통할 수 있다. 문채로 꾸미는 도는 광채를 더할 수 있기 때문에 나아가는 데 조금 이로울 수 있다.

集說

● 王氏申子曰 : "徒質則不能亨, 質而有文, 以加飾之, 則可亨, 故曰'賁亨'. 然文盛, 則實必衰. 苟專尙文以往則流, 故曰'小利有攸往'. 小者, 謂不可太過以滅其質也."

왕신자가 말했다. "실질만으로는 형통할 수 없고, 실질에다가 문채가 있으면 그것에 꾸밈을 더해 형통할 수 있기 때문에 '비는 형통하다'라고 했다. 그러나 문채가 성대하면 실질이 반드시 쇠락한다. 단지 문채만 숭상해 간다면, 말단으로 흘러가기 때문에 '가는 것이 조금 이롭다'고 하였다. 조금은 너무 지나쳐서 그 실질을 없애면 안된다 말이다."

● 梁氏寅曰 : "賁者文飾之道也. 有質而加之文, 斯可亨矣. 朝

---

1) 『예기(禮記)』「예기(禮器)」 : "先王之立禮也, 有本有文, 忠信禮之本也, 義理禮之文也. 無本不立, 無文不行.[선왕이 예를 세움에 근본이 있고 문채가 있으니, 충성과 믿음은 예의 근본이고, 의로움과 도리는 예의 문채이다. 근본이 없으면 세우지 못하고 문채가 없으면 행하지 못한다.]"라고 하였다.

廷, 文之以儀制而亨焉, 賓主, 文之以禮貌而亨焉, 家人, 文之以
倫序而亨焉, 官府, 文之以敎令而亨焉. 推之事物, 凡有質者, 無
不待於文也, 文則無不亨也. 然旣亨矣, 而曰'小利有攸往', 何也.
文飾之道, 但加之文采耳, 非能變其實也. 故文之過盛, 非所利
也, 但小利於有往而已矣. 世之不知本者, 或忘其當務之急, 而
屑屑焉於文飾, 雖欲其亨, 亦安得而亨乎."

양인이 말했다. "비는 문채로 꾸미는 도이다. 실질이 있는데다가
문채를 더하면 여기서 형통할 수 있다. 그러니 조정은 위의와 제도
로 꾸미면 형통하고, 손님과 주인은 예의로 꾸미면 형통하며, 집안
사람들은 차례로 꾸미면 형통하고, 관청은 교령으로 꾸미면 형통하
다. 이렇게 사물에 미루면 실질이 있는 것은 꾸밈을 기다리지 않는
것이 없고, 꾸미면 형통하지 않은 것이 없다. 그런데 이미 형통한
데 '가는 것이 조금 이롭다'고 한 것은 무엇 때문인가? 꾸미는 도는
단지 문채만 더할 뿐이지 그 실질을 바꿀 수 있는 것은 아니다. 그
러므로 꾸밈이 너무 성대하면 이로운 것이 아니고, 단지 가는 것에
조금 이로울 뿐이다. 세상에서 근본을 모르는 자들은 간혹 힘써야
할 급선무를 잊고 꾸밈에만 신경을 쓰는데, 형통하고자 할지라도
어떻게 그렇게 될 수 있겠는가?"

● 張氏振淵曰 : "離德文明莫掩, 則無徑情直行之弊, 行之可通,
故亨. 艮德止而不過, 又有不盡飾之象焉. 故用文者, 亦但可少
有所飾, 不可務爲盡飾, 以戕其本眞. 故曰'小利有攸往'."

장진연이 말했다. "리괘의 덕은 문채의 밝음이 가려지지 않아 마음
대로 바로 가는 폐단이 없고, 가는 것이 통할 수 있기 때문에 형통
하다. 간괘의 덕은 멈추어 지나치지 않고 또 꾸밈을 다하지 않는

상이 있다. 그러므로 문채를 사용할 경우에 또한 단지 조금 꾸밈을 두는 것은 괜찮지만 힘써 꾸밈을 다해 그 본질을 해쳐서는 안 된다. 그러므로 '가는 것이 조금 이롭다'고 했다."

初九, 賁其趾, 舍車而徒.

초구는 발을 꾸미니, 수레를 놔두고 걸어간다.

本義

剛德明體, 自賁於下, 爲舍非道之車, 而安於徒步之象. 占者
自處, 當如是也.

굳센 덕과 밝은 몸체로 스스로 아래에서 꾸미니, 도리에 맞지 않은
수레를 놔두고 걸어가는 것을 편안히 여기는 상이다. 점치는 자는
스스로 처신하기를 이와 같이 해야 한다.

程傳

初九以剛陽居明體而處下, 君子有剛明之德而在下者也. 君
子在无位之地, 无所施於天下, 唯自賁飾其所行而已. 趾, 取
在下而所以行也. 君子修飾之道, 正其所行, 守節處義. 其行
不苟, 義或不當, 則舍車輿而寧徒行, 衆人之所羞, 而君子以
爲賁也.

초구는 굳센 양이 밝은 몸체에 있고 아래에 있으니, 군자가 굳세고
밝은 덕을 가지고 아래에 있는 것이다. 군자가 지위가 없는 처지에
서는 천하에 베풀 것이 없어 스스로 행할 것을 꾸밀 뿐이다.
발은 아래에 있으면서 걸어가는 것을 취하였다. 군자가 꾸미는 도

는 그 행동을 바르게 하여 절개를 지키고 의리로 처신하는 것이다. 그 행동이 구차하지 않으면서 의리에 간혹 합당하지 않으면, 수레를 놔두고 차라리 걸어가니, 많은 사람들이 부끄럽게 여기는 일이지만, 군자는 그것으로 꾸밈을 삼는다.

舍車而徒之義, 兼於比應取之. 初比二而應四, 應四, 正也, 與二, 非正也. 九之剛明守義, 不近與於二, 而遠應於四, 舍易而從難, 如舍車而徒行也. 守節義, 君子之貴也. 是故君子所貴, 世俗所羞, 世俗所貴, 君子所賤. 以車徒爲言者, 因趾與行爲義也.

수레를 놔두고 걸어간다는 의미는 가까운 것과 호응함을 겸하여 취한 것이다. 초효는 이효와 가까우나 사효와 호응하니, 사효와 호응함은 바른 것이고, 이효와 함께 함은 바른 것이 아니다.
양의 굳셈과 밝음이 의리를 지켜 이효와 가까이 함께 하지 않고 멀리 사효와 호응하여 쉬운 것을 버리고 어려운 것을 따르니, 수레를 놔두고 걸어가는 것과 같다. 절개와 의리를 지키는 일은 군자의 꾸밈이다. 이 때문에 군자가 꾸미는 것은 세속에서 수치스럽게 여기고, 세속에서 귀하게 여기는 것은 군자가 하찮게 본다. 수레와 걸어감으로 말한 것은 발과 걸어감으로 의리를 삼기 때문이다.

六二, 賁其須.

육이는 수염을 꾸민다.

本義

二以陰柔居中正, 三以陽剛而得正, 皆无應與. 故二附三而
動, 有賁須之象. 占者, 宜從上之陽剛而動也.

이효는 음의 부드러움으로 중정한 데 있고, 삼효는 양의 굳셈으로
바름을 얻었음에도 모두 호응하여 함께 하는 것이 없다. 그러므로
이효가 삼효에 의지하여 움직여 수염을 꾸미는 상이 있다. 점치는
자는 위에 있는 양의 굳셈을 따라 움직여야 한다.

程傳

卦之爲賁, 雖由兩爻之變, 而文明之義爲重, 二實賁之主也.
故主言賁之道. 飾於物者, 不能大變其質也, 因其質而加飾
耳, 故取須義. 須, 隨頤而動者也, 動止惟係於所附, 猶善惡
不由於賁也. 二之文明, 唯爲賁飾, 善惡則係其質也.

괘가 비(賁䷕)괘인 것은 두 효가 변한 것으로 말미암았을지라도 문
채로 밝은 의미가 중요하니, 이효가 실로 비괘의 주인이다. 그러므
로 비괘의 도를 주로 말하였다. 사물을 꾸밀 경우에 그 실질을 크게
바꿀 수 없고 그 실질에 따라 꾸밈을 더할 뿐이기 때문에 수염의

뜻을 취하였다. 수염은 턱에 따라 움직이는 것으로 움직임과 멈춤이 오직 의지하는 것에 달려 있으니, 선과 악이 꾸밈으로 말미암지 않는 것과 같다. 이효가 문채로 밝은 것은 단지 꾸민 것일 뿐이니, 선과 악은 그 실질에 달려 있다.

集說

● 王氏弼曰 : "得其位而無應, 三亦無應. 俱無應而比焉, 近而相得者也. 須之爲物, 上附者也, 故曰'賁其須.'"

왕필이 말했다. "그 자리를 얻었지만 호응이 없고, 삼효도 호응이 없다. 모두 호응이 없어 가까이 하는 것은 가까이 있어 서로 얻는 경우이다. 수염은 위로 의지하는 것이기 때문에 '수염을 꾸민다'고 하였다."

● 朱氏震曰 : "毛在頤曰須, 在口曰髭, 在頰曰髥. 三至上有頤體, 二在頤下須之象. 二三剛柔相賁, 賁其須也. 夫文不虛生, 須生於頤, 須所以賁其頤也."

주진2)이 말했다. "털이 턱에 있으면 수염이라고 하고, 입 위에 있

---

2) 주진(朱震, 1072~1138) : 자는 자발(子發)이고, 세칭 한상선생(漢上先生)이라 불리었다. 송대 형문군(荊門軍 : 현 호북성 소속) 사람으로 1115년에 진사에 급제하여 벼슬은 예부원외랑(禮部員外郎), 비서소감겸임시경연(秘書少監兼任侍經筵), 중서사인(中書舍人), 한림학사(翰林學士) 등을 역임하였다. 『역』과 『춘추』에 해박하였고 저서에는 『한상역전(漢上易傳)』이 있다.

으면 코밑털이라고 하며, 뺨에 있으면 구레나룻이라고 한다. 삼효에서 상효까지 턱의 형체가 있으니, 이효는 턱 아래 수염이 있는 상이다. 이효와 삼효는 굳셈과 부드러움이 서로 꾸미니, 수염을 꾸미는 것이다. 문채는 공연히 나오지 않고 수염은 턱에서 자라니, 수염이 그 때문에 턱을 꾸미는 것이다."

● 俞氏琰曰：“二無應而比三, 三亦無應而比二, 故與之相賁. 賁以柔來文剛, 故亨. 文當從質, 非質則不能自飾, 陰必從陽, 非陽則不能自進. 六二純柔, 必待九三之動, 而後動, 故曰‘賁其須.’”

유염[3]이 말했다. "이효는 호응이 없어 삼효를 가까이 하고, 삼효도 호응이 없어 이효를 가까이 하기 때문에 함께 서로 꾸미는 것이다. 비괘는 부드러움이 와서 굳셈을 꾸미기 때문에 형통하다. 꾸밈은 실질을 따라야 하니, 실질이 아니면 스스로 꾸밀 수 없고, 음은 반드시 양을 따르니, 양이 아니면 스스로 나아갈 수 없다. 육이는 순수하고 부드러워 반드시 구삼의 움직임을 기다린 다음에 움직이기 때문에 '수염을 꾸민다'고 하였다."

3) 유염(俞琰) : 자는 옥오(玉吾)이고, 호는 전양자(全陽子), 임옥산인(林屋山人), 석간도인(石澗道人) 등이다. 남송 말 원대 초기에 활동한 학자로 송대 오군(吳郡 : 현 강소성 소주〈蘇州〉) 사람이다. 어려서 가학을 익히고 젊어서는 기서(奇書)를 즐겨 연구하다가, 뒤늦게 과거시험 준비를 했다. 남송이 멸망하고 원대 조정이 들어서자 과거응시를 포기하고 은거하여 역학 연구에 전념하였다. 역학 관련 저술이 특히 많았는데, 대표적인 것으로 『주역집설(周易集說)』, 『독역거요(讀易擧要)』, 『역외별전(易外別傳)』 등이 있다.

● 蔣氏悌生曰 : "六以二居中, 故有賁須之象. 須於人身無損益, 於軀體但可爲儀表之飾, 周旋揖讓進退低昂, 皆隨面貌而動, 使人儀舉者文采, 容止可觀. 故象曰'與上興也.'"

장제생이 말했다. "음이 이효로 가운데 있기 때문에 수염을 꾸미는 상이 있다. 수염은 사람의 몸에서는 덜어냄과 더함이 없고 신체에서 단지 겉으로 드러내는 꾸밈이 될 수 있으니, 두루 힘쓰고 공손하게 처신하며 나아가고 물러나며 올리고 내리는 것에서 모두 얼굴 모양에 따라 움직이며 사람의 표정을 문채 있게 꾸미고 모습을 볼 만하게 한다. 그러므로 「상전」에서 '위와 함께 움직이는 것이다'[4]라고 하였다."

● 何氏楷曰 : "須陰血之形, 而柔所以文剛者. 然陰柔不能自動, 必附麗於陽, 如須雖有美, 必附麗於頤也. 大抵剛爲質, 柔爲文, 文不附質, 焉得爲文. 故二必賁其須以從三, 五必賁于丘園以從上, 聖人右質左文之意, 於此可見."

하해가 말했다. "수염은 음기인 피의 형체이고, 부드러움은 굳셈을 꾸미는 것이다. 그런데 음의 부드러움은 스스로 움직일 수 없어 반드시 양에게 의지하니, 수염이 아름다울지라도 반드시 턱에 의지하는 것과 같다. 대체로 굳셈은 실질이고 부드러움은 꾸밈이니, 꾸밈이 실질에 의지하지 않으면 어떻게 꾸밈이 될 수 있겠는가? 그러므로 이효가 반드시 수염을 꾸밈에 삼효를 따르고, 오효가 반드시 언덕과 동산을 꾸밈에 상효를 따르니, 성인이 실질을 우선으로 하고 꾸밈을 보좌로 한 의미를 여기에서 알 수 있다."

----

4) 『주역』「비괘(賁卦)」: "象曰, '賁其須', 與上興也.[「상전」에서 말하였다. '수염을 꾸밈'은 위와 함께 움직이는 것이다.]"라고 하였다.

九三, 賁如濡如, 永貞吉.

구삼은 꾸미는 것이 윤택하나 영구히 하고 바르게 해야 길하다.

一陽居二陰之間, 得其賁而潤澤者也. 然不可溺於所安, 故有
永貞之戒.

하나의 양이 두 음의 사이에 있어 그 꾸밈을 얻어 윤택한 것이다.
그러나 편안한 데 빠져서는 안 되기 때문에 영구히 바르게 하라는
경계를 두었다.

三處文明之極, 與二四二陰間處相賁, 賁之盛者也. 故云'賁
如'. '如', 辭助也. 賁飾之盛, 光彩潤澤, 故云'濡如'. 光彩之盛,
則有潤澤, 詩云"麀鹿濯濯". '永貞吉', 三與二四, 非正應相比,
而成相賁, 故戒以'常永貞正'. 賁者, 飾也, 賁飾之事, 難乎常
也. 故永貞則吉. 三與四相賁, 又下比於二, 二柔文一剛, 上
下交賁, 爲賁之盛也.

삼효가 문채로 밝은 끝에 있고 이효·사효의 두 음 사이에 있으면서
서로 꾸며주어 꾸밈이 성대하기 때문에 '꾸미는 것[賁如]'이라고 했
다. '~한 것[如]'은 어조사이다. 꾸미는 것의 성대함은 광채가 윤택

하기 때문에 '윤택하다'고 했다. 광채의 성대함에는 윤택이 있으니, 『시경』「영대」에서 "암사슴과 수사슴이 윤택하다"고 하였다. '영구히 바르게 해야 길하다'는 것은 삼효가 이효·사효와 바르게 호응함이 아닌데도 서로 가까이 하여 서로 꾸밈을 이루기 때문에 '영구히 바르게 하라'고 경계를 두었다. 꾸밈은 치장하는 것이다. 꾸미는 일은 오래하기 어렵기 때문에 영구히 바르게 하면 길하다. 삼효가 사효와 서로 꾸미고, 또 아래로 이효와 가까워 두 부드러움이 하나의 굳셈을 꾸밈에 위아래로 서로 꾸미니, 꾸밈이 성대한 것이다.

集說

● 胡氏炳文曰 : "互坎有'濡'義, 亦有陷義. 旣未濟'濡首''濡尾', 濡而陷者也. 九三非不貞也, 能永其貞, 則二陰於我爲潤澤之濡, 我於彼不爲陷溺之濡矣."

호병문이 말했다. "호괘인 감(坎☵)에는 '윤택하다[濡]'는 의미가 있고 또 빠진다는 의미도 있다. 기제(旣濟䷾)괘와 미제(未濟䷿)괘의 '머리를 적신다[濡首]'와 '꼬리를 적신다[濡尾]'5)는 것은 적셔서 빠진

---

5) 『주역』「기제괘(旣濟卦)」 : "初九, 曳其輪, 濡其尾, 无咎.[초구는 수레바퀴를 뒤로 끌며 꼬리를 적시면 허물이 없다.]", "上六, 濡其首, 厲.[상육은 그 머리를 적시니 위태롭다.]"; 「미제괘(未濟卦)」 : "未濟, 亨, 小狐汔濟, 濡其尾, 无攸利.[미제(未濟)는 형통하니, 어린 여우가 거의 건너서 그 꼬리를 적시니, 이로운 바가 없다.]", "初六, 濡其尾, 吝.[초육은 꼬리를 적셨으니, 부끄럽다.]", "上九, 有孚于飮酒, 无咎, 濡其首, 有孚, 失是.[상구는 술을 마시는 데에 믿음을 두니 허물이 없지만, 그 머리를 적시면 자신을 너무 믿어서 옳음을 잃을 것이다.]"라고 하였다.

다는 말이다. 구삼효는 바르지 않은 것이 아니어서 바름을 영구히
할 수 있으면, 두 음은 나에게 윤택하게 만들어 적시고, 자신은 저
것들에 빠지게 만들어 적시게 하지 않는다."

● 俞氏琰曰 : "九三處六二六四之閒, 故曰'賁如濡如'. 文過則質
喪, 質喪則文弊, 要當永久, 以剛正之德固守則吉."

유염이 말했다. "구삼이 육이와 육사의 사이에 있기 때문에 '꾸미는
것이 윤택하다'고 했다. 꾸밈이 지나치면 실질이 없어지고, 실질이
없어지면 꾸밈도 사라지니, 영구히 굳세고 바른 덕으로 굳게 지키
면 길하다."

● 潘氏士藻曰 : "三本剛正, 特慮其爲二陰所陷溺, 未免有滅質
之患, 故有永貞之戒."

반사조(潘士藻)[6]가 말했다. "삼효는 본래 굳세고 바른데 다만 그것
이 두 음에게 빠져 실질을 없애는 우환을 모면하지 못할 것을 염려
했기 때문에 영구히 바르게 하라는 경계를 두었다."

● 何氏楷曰 : "以一剛介二柔之閒, 賁之盛者也. 曰'濡如'者, 猶

----

6) 반사조(潘士藻, 1537~1600) : 자는 법화(去華)이고, 호는 설송(雪松)이
다. 명(明)대 휘주부(徽州府) 무원(婺源) 사람이다. 만력(萬曆) 11년
(1583)에 진사(進士)에 급제하여 벼슬은 온주추관(溫州推官)을 제수 받
고, 어사(御史)에 발탁되어 북성(北城)을 순시했으며, 상보경(尙寶卿)을
역임했다. 저서에 『암연당집(闇然堂集)』, 『세심재독역술(洗心齋讀易
述)』 등이 있다.

詩言‘六轡如濡’, 謂所飾之文采鮮澤也. 然受物之飾, 恐爲物溺, 故戒之曰, ‘永貞吉’, 長守其陽剛之正, 而不爲陰柔所溺, 則不至以文滅質矣."

하해가 말했다. "하나의 굳셈이 두 부드러움 사이에 있는 것은 꾸밈의 성대함이다. ‘윤택하다’고 말한 것은 『시경』에서 ‘여섯 고삐가 반들반들하구나’[7]라고 한 것과 같으니, 꾸민 문채가 선명하고 광택이 있다는 말이다. 그러나 사물이 꾸며줄 때는 그것에 빠질 것을 염려하기 때문에 ‘영구히 바르게 하라’고 경계했으니, 양의 굳셈을 길이 지켜 음의 부드러움에 빠지지 않으면, 꾸밈이 실질을 없애는 지경까지 가지 않기 때문이다."

---

7) 『시경』 「황황자화(皇皇者華)」: "我馬維駒, 六轡如濡. 載馳載驅, 周爰咨諏.[나의 말은 씩씩해서, 여섯 고삐가 반들반들하구나. 이에 달리고 또 몰아서, 두루 묻고 알아보노라.]"라고 하였다.

六四, 賁如皤如, 白馬翰如, 匪寇婚媾.

육사는 꾸민 것이 하얗고 백마가 날아가듯이 달려가니, 도둑이
아니라 혼인하려는 것이다.

'皤', 白也. 馬人所乘, 人白則, 馬亦白矣. 四與初相賁者, 乃
爲九三所隔, 而不得遂, 故皤如, 而其往求之心, 如飛翰之疾
也. 然九三剛正, 非爲寇者也, 乃求婚媾耳, 故其象如此.

'하얗다'는 희다는 것이다. 말은 사람이 타는 것이니, 사람이 희면
말도 희다. 사효와 초효는 서로 꾸며주는 것인데, 바로 구삼이 가로
막아 이루어지지 않기 때문에 하얗고, 가서 구하려는 마음이 날아
가듯이 빠르다. 그러나 구삼은 굳건하고 바르니, 도둑이 아니고 바
로 혼인을 구하는 것일 뿐이기 때문에 그 상이 이와 같다.

四與初爲正應, 相賁者也. 本當賁如, 而爲三所隔, 故不獲相
賁而皤如. '皤', 白也, 未獲賁也. 馬在下而動者也, 未獲相賁,
故云'白馬'. 其從正應之志如飛, 故云'翰如'. 匪爲九三之寇讎
所隔, 則婚媾遂其相親矣. 已之所乘, 與動於下者, 馬之象也.
初四正應, 終必獲親, 第始爲其間隔耳.

사효와 초효는 바로 호응하는 것이라 서로 꾸며준다. 본래 꾸며야
하는 것인데, 삼효가 가로막기 때문에 서로 꾸며줌을 얻지 못해 하
얗다. '하얗다'는 희다는 것이니, 꾸밈을 아직 얻지 못한 것이다. 말
은 아래에서 움직이는 것으로 서로 꾸밈을 얻지 못했기 때문에 '백
마'라고 하였다. 그것이 바로 호응하는 초효의 뜻을 따를 때 날아가
는 것 같아 '날아가듯이'라고 하였다. 구삼이라는 도둑에게 막힌 것
이 아니니, 혼인할 자가 서로 친하게 된다. 자신을 타고 있고 아래
에서 함께 움직이는 것은 말의 상이다. 초효와 사효는 바른 호응이
기 때문에 끝내 반드시 친함을 얻는데, 처음에 그 사이가 가로막혔
을 뿐이다.

集說

● 『朱子語類』云 : "六四'白馬翰如', 言此爻無所賁飾. 其馬亦白
也. 言無飾之象如此."[8]

『주자어류』에서 말했다. "육사효의 '백마가 날아가듯이 달려간다'는
것은 이 효에서는 꾸밈이 없다는 말이다. 그런데 그 말이 또한 하
얀 것은 꾸밈이 없는 상이 이와 같다는 말이다."

● 胡氏炳文曰 : "屯二應五, 下求上也, 不可以急, 賁四應初, 上
求下也, 不可以緩."

호병문이 말했다. "준(屯䷂)괘에서 이효가 오효에게 호응함[9]은 아

---

8) 『주자어류』 권71, 13조목.

래에서 위로 구하는 것으로 급하게 해서는 안 되고, 비괘에서 사효가 초효에게 호응함은 위에서 아래로 구하는 것으로 느긋하게 해서는 안 된다."

● 俞氏琰曰 : "髮白爲皤, 馬白爲翰. 禮記云, '商人尙白, 戎事乘翰'. 鄭氏註云, '翰, 馬白色也'. 四當賁道之變, 文返於質, 故其象如此."

유염이 말했다. "모발이 하얀 것은 흰머리이고, 말이 하얀 것은 흰말이다. 『예기』에서 '은나라 사람들은 흰색을 숭상하여 전쟁의 일에 흰말[翰]을 탔다'[10]고 하였고, 정현이 주석에서 '흰말[翰]은 말이 흰색이다'고 하였다. 사효는 꾸미는 도가 변해 꾸밈이 실질로 돌아오기 때문에 그 상이 이와 같다."

● 梁氏寅曰 : "六四在離明之外, 爲艮止之始, 乃賁之盛極, 而當反質素之時也. 故云'賁如皤如'. 夫初之舍車, 爲在下而無所乘故也. 四在九三之上, 則有所乘矣, 故云'白馬翰如'. 人旣質素則馬亦白也."

---

9) 『주역』「준괘(屯卦)」: "六二, 屯如邅如, 乘馬班如, 匪寇婚媾. 女子貞不字, 十年乃字.[육이효는 어려워하고 머뭇거리며 말을 탔지만 내려오니, 도적이 아니라 혼인하려는 자이다. 여자가 정조를 지켜 자(字)로 부르지 않다가 십년이 되어서야 자로 부른다.]"라고 하였다.

10) 『예기』「단궁상(檀弓上)」: "殷人尙白, 大事斂用日中, 戎事乘翰, 牲用白.[은나라 사람들은 흰색을 숭상하여 상사 때에는 한낮에 염습하고, 융사에는 흰말을 타며, 희생은 흰 것을 사용하였다.]"라고 하였다.

양인이 말했다. "육사는 리(離☲)괘라는 밝음 밖에 있어 간(艮☶) 괘라는 멈춤의 시작이니, 꾸밈의 성대함이 다해 실질의 소박함으로 되돌아올 때이다. 그러므로 '꾸미는 것이 하얗고 백마가 날아가듯 이 달려간다'고 했다. 초효의 수레를 놔둠은 아래에 있어 탈 것이 없기 때문이다. 사효는 구삼의 위에 있으니 탈 것이 있기 때문에 '백마가 날아가는 듯이 달려간다'고 했다. 사람들이 이미 실질적이 고 소박하다면 말도 하얗게 된다."

● 蘇氏濬曰 : "六四一爻, 當以白賁之義推之. 四與初相賁者也, 以實心而求於初, 不爲虛飾. 初曰'賁趾', 四曰'皤如', 初曰'舍車', 四曰'白馬', 同一白賁之風而已."

소순이 말했다. "육사 한 효는 하얗게 꾸미는 의미로 미루어야 한 다. 사효와 초효는 서로 꾸미는 것이어서 진실한 마음으로 초효에 게 구하고 공연한 꾸밈을 일삼지 않는다. 초효에서는 '발을 꾸민다' 고 하였고 사효에서는 '하얗다'고 하였으며, 초효에서는 '수레를 놔 둔다'고 하였고 사효에서는 '백마'라고 하였으니, 동일하게 하얗게 꾸미는 기풍일 뿐이다."

案

● 『程傳』沿『註疏』之説, 『本義』又沿『程傳』之説, 皆以爲初四相 賁, 而爲三所隔, 故未得其賁而皤然也. 然『朱子語類』, 以無飾 言之, 則已自改其説矣. 故以後諸儒, 皆以皤白爲崇素返質之義, 實於卦意爲合.

『정전』에서는 『주소』의 설명을 따랐고, 『주역본의』에서는 또 『정전』의 설명을 따랐으니, 모두 초효와 사효가 서로 꾸미는데 사효가 가로 막기 때문에 그 꾸밈을 얻지 못해 하얗다고 여겼다. 그러나 『주자어류』에서는 꾸밈이 없는 것으로 말했으니, 이미 그 설명을 고친 것이다.

그러므로 후대의 여러 학자들은 모두 흰말을 소박함을 숭상하여 실질로 돌아가는 의미로 여겼으니, 실로 괘의 의미와 합한다.

● 又案, 『易』中凡重言如者, 皆兩端不定之辭. 故'屯如邅如'者, 欲進而未徑進也. 此三爻'賁如濡如'者, 得陰自賁, 又慮其見濡也. 此爻'賁如皤如'者, 當賁之時, 旣外尙乎文飾, 而下應初剛, 又心崇乎質素. 兩端未能自決. 象傳謂之'疑'者, 此也. '白馬翰如', 指初九也. 已有皤如之心, 故知白馬翰如而來者, 匪寇也, 乃己之婚媾也. 凡言匪寇婚媾, 皆就上文所指之物而言, 屯二睽上與此正同.

또 생각건대, 『역』에서 거듭해서 여(如)자가 들어간 경우는 모두 양쪽으로 하여 일정하지 않다는 말이다. 그러므로 준(屯䷂)괘의 '어려워하고 머뭇거린다[屯如邅如]'11)는 나아가려고 하면서도 바로 그렇게 하지 못하는 것이다.

이 삼효의 '꾸미는 것이 윤택하다[賁如濡如]'는 음효를 얻어 스스로 꾸몄으나 또 그것에 빠질까 염려한 것이다. 이 효의 '꾸민 것이 하얗다[賁如皤如]'는 꾸미는 때에 이미 밖으로 꾸밈을 숭상하지만 초효의 군셈에 호응하여 또 실질과 소박함을 숭상하는 것이다. 그러니 양쪽으로 아직 스스로 결정할 수 없는 것이다.

---

11) 『주역』「준괘(屯卦)」: "六二, 屯如邅如, ….[육이효는 어려워하고 머뭇거리며 ….]"라고 하였다.

「상전」에서 '의심스럽다'12)는 것은 이 때문이다. '백마가 날아가듯이 달려간다'는 것은 초구를 가리킨다. 이미 희게 하려는 마음이 있기 때문에 백마가 날아가듯이 달려 오는 것은 도둑이 아니라 바로 자신과 혼인하려는 것이다. 도둑이 아니라 혼인하려는 것이라고 말함은 모두 윗글에서 가리킨 내용으로 말했으니, 준괘 이효13)·규괘 상효14)는 여기와 똑같다.

---

12) 『주역』「비괘(賁卦)」: "象曰, 六四, 當位疑也, 匪寇婚媾, 終无尤也. [「상전」에서 말하였다. 육사는 해당되는 자리가 의심스럽기 때문이니, '도둑이 아니라 혼인하려는 것'에는 끝내 원망이 없다.]"라고 하였다.

13) 『주역』「준괘(屯卦)」: "六二, 屯如邅如, 乘馬班如, 匪寇婚媾.[육이효는 어려워하고 머뭇거리며 말을 탔지만 내려오니, 도적이 아니라 혼인하려는 자이다.]"라고 하였다.

14) 『주역』「규괘(睽卦)」: "上九, 睽孤, 見豕負塗, 載鬼一車. 先張之弧, 後說之弧, 匪寇, 婚媾, 往遇雨則吉.[상구는 어긋남에 외로워 돼지가 진흙을 짊어진 것과 귀신이 한 수레 실려 있음을 본다. 먼저 활줄을 당겼다가 뒤에 활줄을 풀어놓으니, 도적이 아니라 혼인하려는 자이다. 가서 비를 만나면 길하다.]"라고 하였다.

六五, 賁于丘園, 束帛戔戔, 吝, 終吉.

육오는 언덕과 동산에서 꾸미는데, 묶어놓은 비단이 작아 부끄럽지만 마침내 길하다.

六五柔中, 爲賁之主, 敦本尚實, 得賁之道, 故有丘園之象. 然陰性吝嗇, 故有束帛戔戔之象. '束帛', 薄物, '戔戔', 淺小之意. 人而如此, 雖可羞吝, 然禮奢寧儉, 故得終吉.

부드럽고 가운데 있는 육오가 비(賁䷼)괘의 주인으로 근본을 돈독하게 하고 실질을 숭상하여 꾸밈의 도를 얻었기 때문에 언덕과 동산의 상이 있다. 그러나 음의 특성은 인색하기 때문에 묶어놓은 비단이 작은 상이 있다.

'묶어놓은 비단'은 하찮은 것이고, '작다[戔戔]'는 것은 얼마 되지 않는다는 의미이다. 사람으로서 이와 같이 하면 부끄러울만하지만, 예는 사치하기보다는 차라리 검소한 것이기 때문에 마침내 길함을 얻는다.

六五以陰柔之質, 密比於上九剛陽之賢. 陰比於陽, 復无所繫應, 從之者也, 受賁於上九也. 自古設險守國, 故城壘多依丘坂. 丘, 謂在外而近且高者. 園圃之地, 最近城邑, 亦在外而

近者. 丘園謂在外而近者, 指上九也. 六五雖居君位, 而陰柔
之才, 不足自守, 與上之剛陽, 相比而志從焉, 獲賁於外比之
賢, 賁于丘園也. 若能受賁於上九, 受其裁制, 如束帛而戔戔,
則雖其柔弱, 不能自爲, 爲可少吝, 然能從於人, 成賁之功,
終獲其吉也.

육오는 음의 부드러운 자질로 현명하고 굳센 양인 상구에 매우 가
깝다. 음이 양에 가까이 있고 또 매달려 호응하는 것이 없으니, 양
을 따르는 자로 상구에게서 꾸밈을 받는다.
예로부터 험한 곳을 만들어 나라를 지켰기 때문에 성채는 대부분
언덕에 의지하고 있었다. 언덕은 밖에 있으면서 가깝고 높은 곳을
말한다. 동산과 밭이라는 땅은 성읍에서 가장 가까운데, 또 밖에 있
으면서 가깝다. 동산과 밭은 밖에 있으면서 가까운 것이니 상구를
가리킨다.
육오는 임금의 자리에 있지만 음의 부드러운 자질이 스스로 지키기
에 부족하고, 굳센 양인 상구와 서로 가까이 하여 마음으로 따르며,
가까이 밖에 있는 현자에게서 꾸밈을 얻으니, 언덕과 동산에서 꾸
미는 것이다. 상구에게서 꾸밈을 받고 그 제재를 받아 묶어놓은 비
단이 재단되어 있듯이 하면, 그 유약함이 스스로 일을 하지 못해 조
금 부끄러울지라도 남을 따라 꾸미는 공을 이룰 수 있으니 끝내 길
함을 얻는다.

'戔戔', 剪裁分裂之狀. 帛, 未用則束之, 故謂之束帛. 及其制
爲衣服, 必剪裁分裂, 戔戔然, 束帛, 喻六五本質, '戔戔', 謂
受人剪製而成用也. 其資於人, 與蒙同, 而蒙不言吝者, 蓋童
蒙而賴於人, 乃其宜也. 非童幼而資賁於人, 爲可吝耳, 然享

其功, 終爲吉也.

'재단되어 있는 듯이[戔戔]'는 가위질하고 마름질하여 나눠 놓은 상태이다. 비단은 쓰지 않으면 묶어놓기 때문에 묶어놓은 비단이라고 했다. 그것을 재단하여 의복을 만들면 반드시 가위질하고 마름질하여 나누니 재단되어 있는 듯이 된다. 묶어놓은 비단은 육오의 본질을 비유하였고, '재단되어 있는 듯이'는 사람들의 가위질과 재단을 받아 쓰임을 이룬 것을 말한다.

남에게 의지하는 것은 몽(蒙☶)괘와 같은데, 몽괘에서 부끄럽다고 말하지 않은 것은 철부지 어린이가 남에게 의지함은 당연하기 때문이다. 철부지 어린이가 아닌데 남에게 꾸밈을 의지하는 것은 부끄러워할만하지만 그 공을 누리니 마침내 길하다.

集說

● 『朱子語類』, 問 : "'賁于丘園', 安定作敦本説"
曰 : "某之意正要如此, 或以'戔戔'爲盛多之貌, 非也, '戔戔'者, 淺小之意, 所以下文云, '吝終吉'. '吝'者, 雖不好看, 然終却吉."[15]

『주자어류』에서 물었다. "'언덕과 동산에서 꾸민다'는 것에 대해 호안정(胡安定 : 胡瑗)은 근본을 돈독하게 한다는 뜻으로 설명했습니다.

대답했다. "내 생각도 그렇습니다. 어떤 이는 '작다'를 성대한 모양으로 여기는데, 그것이 아니라 '작다'는 얼마 되지 않는다는 의미이기 때문에 아래의 글에서 '부끄럽지만 마침내 길할 것이다'라고 했

---

15) 『주자어류』 권71, 14조목.

던 것입니다. '부끄럽다'는 좋게 볼 수 없을지라도 마침내 길하다는 것입니다."

● 又云 : "'賁于丘園, 束帛戔戔', 是箇務農尚儉. '戔戔', 是狹小不足之意. 以字義考之, 從水則爲'淺', 從貝則爲'賤', 從金則爲'錢'. 六五居尊位, 却如此敦本尚儉, 便似吝嗇. 如衞文公漢文帝. 雖是吝, 却終吉. 此在賁卦有反本之意"16)

또 말했다. "'언덕과 동산에서 꾸미는데 묶어놓은 비단이 작다'는 농사일에 힘쓰고 검소함을 숭상한다는 것이다. '작다'는 협소하고 부족하다는 뜻이다. 글자의 의미로 고찰해 보면, 수(水)를 부수로는 '얕다[淺]'이고 패(貝)를 부수로는 '하찮다[賤]'이며, 금(金)을 부수로할 때는 '돈[錢]'이다. 육오가 존귀한 자리에 있으면서도 이렇게 근본을 돈독하게 하고 검소함을 숭상하니, 인색한 것처럼 보인다. 이를테면 위(衞)나라의 문공(文公)과 한(漢)나라의 문제(文帝)는 인색했을지라도 도리어 마침내 길했다. 이것이 비(賁)괘에 근본을 돌이키는 의미가 있다는 말이다."

● 問 : "六五是在艮體, 故安止於丘園, 而不復外賁之象."
曰 : "亦是上比於九, 漸漸到極處. 若一向賁飾去, 亦自不好, 須是收斂方得."17)

물었다. "육오는 간(艮☶)괘의 몸체에 있기 때문에 언덕과 동산에 편안히 머물러 있어 밖으로 꾸미는 상으로 돌아오지 않습니다."

---

16) 『주자어류』 권71, 17조목.
17) 『주자어류』 권71, 15조목.

대답했다. "또한 위로 양에게로 가까이 하여 점점 끝으로 가게 됩니다. 한결같이 꾸미기만 한다면 또한 좋지 않으니, 반드시 수렴할 수 있어야 합니다."

● 胡氏炳文曰: "不賁於市朝, 而賁于丘園, 敦本也. 束帛戔戔, 尙實也."

호병문이 말했다. "시장과 조정에서 꾸미지 않고 언덕과 동산에서 꾸미는 것은 근본을 돈독히 하는 일이다. 묶어놓은 비단이 작은 것은 실질을 숭상하는 일이다."

● 潘氏士藻曰: "五居中履尊, 下無應與. 而上比文柔之剛, 得止之義, 以成賁之道, 故有賁于丘園之象."

반사조가 말했다. "오효가 가운데 있고 존귀한 자리에 있으나 아래로 호응하여 함께 하는 것이 없다. 그런데 위로 꾸며서 부드러운 굳셈을 가까이 하고 멈춤의 의미를 얻어 꾸미는 도를 이루었기 때문에 언덕과 동산에서 꾸미는 상이 있다."

● 何氏楷曰: "比於上九剛陽之賢, 受賁於上九者也. 丘園指上. 上陽剛而處外, 乃賢人隱丘園之象. 據「象」'曰剛上文柔', 則六五乃上所賁者, 爻所謂'賁于丘園', 猶曰'受賁飾於丘園也'. 按, 昏禮納帛一束. 束五兩. 注十端爲束. '束帛戔戔', 其儀文雖薄, 然終與上合志而吉."

하해가 말했다. "상구의 굳센 양인 어진 이를 가까이 하여 그로부터 꾸밈을 받는다. 언덕과 동산은 상효를 가리킨다. 위의 양효는 굳세면서 밖에 있으니, 어진 이가 언덕과 동산에 숨어 있는 상이다. 「단전」에서 '굳셈을 나눠 올라가 부드러움을 꾸민다'고 한 것을 근거로 하면, 육오는 바로 위에서 꾸민다. 효에서 말한 '언덕과 동산에서 꾸민다'는 '언덕과 동산에서 꾸밈을 받는다'고 하는 것과 같다. 살펴보건대, 혼례에서 비단 한 묶음을 보낸다. 그런데 한 묶음은 다섯 냥이다. 주석에서는 열 단을 한 묶음으로 하였다. '묶어놓은 비단이 작다'는 것은 의례의 꾸밈으로는 적을지라도 마침내 위와 뜻을 합해서 길하다."

上九, 白賁, 无咎.

상구는 꾸밈을 희게 하면 허물이 없다.

賁極反本, 復於无色, 善補過矣, 故其象占如此.

꾸밈이 극치에서 근본으로 돌아와 색이 없는 것으로 돌아가니, 잘
못을 잘 보완하기 때문에 그 상과 점이 이와 같다.

上九, 賁之極也. 賁飾之極, 則失於華僞. 唯能質白其賁, 則
无過失之咎. 白, 素也. 尙質素, 則不失其本眞, 所謂尙質素
者, 非无飾也, 不使華沒實耳.

상구는 꾸밈의 끝이다. 꾸밈의 끝에서는 화려함과 거짓에서 잘못된
다. 오직 그 꾸밈을 질박하고 희게 하면 잘못되는 허물이 없게 된
다. 하얀 것은 바탕이다. 실질과 바탕을 숭상하면 그 근본과 참됨을
잃지 않으니, 이른바 실질과 소박함을 숭상함은 꾸밈이 없는 것이
아니라 화려함이 실질을 가로막지 못하게 하는 일일 뿐이다.

集說

● 『朱子語類』, 問 : "如本義説六五上九兩爻, 却是賁極反本之意."
曰 : "六五已有反本之漸, 故曰'賁于丘園, 束帛戔戔'. 至上九'白
賁', 則反本而復於無飾矣, 蓋皆賁極之象也."[18]

『주자어류』에서 물었다. "예를 들면 『주역본의』에서 언급한 육오·
상구 두 효는 꾸밈의 끝에서 달해 근본으로 돌아오는 의미입니다."
대답했다. "육오는 이미 점차 근본으로 돌아옴이 있기 때문에 '언덕
과 동산에서 꾸미는데 묶어놓은 비단이 작다'고 했습니다. 상구의
'꾸밈을 희게 한다'는 근본으로 돌아와 꾸밈이 없는 것으로 돌아오
니, 모두 꾸밈이 다한 상입니다.

● 王氏申子曰 : "上以陽剛爲成卦之主, 居艮止之極, 當賁道之
終, 止文之流於終. 終則返而質矣, 故賁道成, 而無蔽. 無蔽, 故
无咎."

왕신자가 말했다. "상효는 양의 굳셈이 괘를 이루는 주인이 되어
간괘라는 그침의 끝에 있고 꾸미는 도의 끝을 맡았으니, 꾸밈이 끝
에서 흘러가는 것을 멈추게 한다. 끝나면 되돌아가서 실질적으로
되기 때문에 꾸미는 도가 완성되어도 폐단이 없다. 폐단이 없기 때
문에 허물이 없다."

● 熊氏良輔曰 : "'白賁'云者, 終歸於無所飾也. 賁之取義, 始則
因天下之質而飾之以文, 終則反天下之文而歸之以質."

----

18) 『주자어류』 권71, 20조목.

웅량보[19]가 말했다. "'꾸밈을 희게 한다'는 마침내 꾸밈이 없는 곳으로 돌아가는 것이다. 비괘의 의미를 취하면, 처음에는 천하의 실질로 말미암아 꾸밈으로 꾸미게 하고, 끝에는 천하의 꾸밈을 되돌려 실질로 돌아오게 한다."

● 胡氏炳文曰 : "賁上卦, 言'白馬'言'束帛戔戔', 終言'白賁'. 雜卦曰'賁无色'也, 可謂一言以蔽之矣."

호병문이 말했다. "비(賁䷕)괘의 상괘에서는 '백마'를 말하였고, '묶어놓은 비단이 작다'는 것을 말하였으며, 끝에서는 '꾸밈을 희게 한다'는 것을 말하였다. 그러니 「잡괘전」에서 '비괘는 색이 없는 것이다'라고 한 말은 한마디로 요약했다고 평가할 수 있다."

● 蔣氏悌生曰 : "六五上九, 皆敦尚質素, 以白爲賁, 素以爲絢之意. 上九處無位之地, 高尚其事, 不尚華飾, 以質素爲賁. 甘受和, 白受采, 其賢於五采, 彰施遠矣."

장제생[20]이 말했다. "육오와 상구는 모두 실질과 소박함을 돈독하

----

19) 웅량보(熊良輔, 1310~1380) : 자는 임중(任重)이고, 호는 매변(梅邊)이다. 원(元)대 남창(南昌) 사람이다. 웅개(熊凱)에게 학문을 배웠는데, 특히 『역』에 정통했다. 저서에 주희(朱熹)의 학설을 주로 하고 자기의 논의를 가미한 『주역본의집성(周易本義集成)』과 『풍아유음(風雅遺音)』, 『소학입문(小學入門)』 등이 있다.

20) 장제생(蔣悌生) : 명나라 복건(福建) 복녕(福寧) 사람으로 자는 인숙(仁叔)이다. 홍무(洪武) 연간에 명경(明經)으로 천거되어 복주훈도(福州訓導)를 지냈다. 저서에 『오경려측(五經蠡測)』이 있다.

게 하고 숭상해서 흰색으로 꾸밈으로 삼았으니, 바탕으로 꾸밈을 삼았다는 의미이다. 상구는 지위가 없는 곳에 있어 그 일을 고상하게 하지만 화려한 치장을 높이지 않고 실질과 소박함으로 꾸밈을 삼는다. 단맛은 양념을 받아들이고, 흰색은 채색을 받아들여 다섯 색깔보다 뛰어남이 멀리까지 드러나게 시행한다."

總論

● 丘氏富國曰："陰陽二物, 有應者, 以應而相賁, 無應者, 以比而相賁. 四與初, 應求賁於初, 故初賁趾, 而四翰如也. 二比三, 而賁乎三, 故二賁須, 而三濡如也. 五比上, 而賁乎上, 故五賁丘園, 而上白賁也. 初與四應而相賁者也, 二與三五與上, 比而相賁者也, 此賁六爻之大旨也."

구부국이 말했다. "음과 양 두 가지는 호응이 있을 경우에는 호응하는 것으로 서로 꾸미고, 호응이 없을 경우에는 가까이 있는 것으로 서로 꾸민다. 사효와 초효는 초효에게 꾸밈을 구하기 때문에 초효는 발을 꾸미고, 사효는 날아가듯이 달려간다. 이효는 삼효와 가까이 있어 삼효에게 꾸며지기 때문에 이효는 수염을 꾸미고 삼효는 윤택하다. 오효는 상효와 가까이 있어 상효에게 꾸며지기 때문에 오효는 언덕과 동산에서 꾸미고 상효는 꾸밈을 희게 한다. 초효와 사효는 호응하여 서로 꾸미고, 이효와 삼효, 오효와 상효는 가까이 있어 서로 꾸미는 것이니, 이것들이 비괘 여섯 효의 큰 의미이다."

● 龔氏煥曰："賁之爲言, 飾也, 謂飾以文華也. 然以六爻考之, 初之舍車而徒, 五之丘園, 上之白賁, 皆質實而不事文華者也. 四之皤如, 賁於初, 二之賁須, 附於三. 惟三之賁如濡如, 乃賁飾之盛, 而卽有永貞之戒者, 懼其溺於文也. 如是, 則古人之所賁者, 未始事文華也, 亦務其本實而已. 本實旣立, 文華不外焉. 徒事文華, 不務本實, 非古人所謂賁."

공환이 말했다. "비(賁)라는 말은 꾸미는 것으로 문채의 화려함으로 꾸밈을 말한다. 그런데 여섯 효로 고찰해보면, 초효의 수레를 놔두고 걸어감, 오효의 언덕과 동산, 상효의 꾸밈을 희게 함은 모두 실질이지 문채의 화려함을 일삼은 것이 아니다. 사효의 흼은 초효에서 꾸며졌고, 이효의 수염을 꾸밈은 삼효에 의지한 것이다. 삼효의 꾸밈이 윤택한 것만이 바로 꾸밈의 성대함인데 영구히 바르게 하라는 경계가 있는 것은 꾸밈에 빠질 것을 염려했기 때문이다. 이와 같다면 옛 사람들이 꾸미는 일은 애당초 문채의 화려함을 일삼은 것이 아니라 또한 그 근본과 실질에 힘썼을 뿐이다. 근본과 실질이 확립된 다음에는 문채의 화려함이 그것을 도외시하지 않는다. 문채의 화려함만을 일삼고 근본과 실질에 힘쓰지 않는 것은 옛 사람들이 말한 꾸밈이 아니다."

周易上經
주역상경
제4권

박剝☷☶ 복復☷☳ 무망无妄☰☳ 대축大畜☶☰
이頤☶☳ 대과大過☱☴ 감坎☵☵ 리離☲☲

23. 박剝괘

䷖ 艮上
坤下

程傳

剝,「序卦」, "賁者飾也. 致飾然後, 亨則盡矣, 故受之以剝".
夫物至於文飾, 亨之極也, 極則必反, 故賁終則剝也. 卦五陰
而一陽, 陰始自下生, 漸長至於盛極, 羣陰消剝於陽, 故爲剝
也. 以二體言之, 山附於地. 山高起地上, 而反附著於地, 頹
剝之象也.

박(剝䷖)괘에 대해 「서괘전」에서 "비(賁)는 꾸미는 것이다. 꾸밈을
다한 뒤에 형통하면 다하기 때문에 박괘로 받았다"라고 하였다. 사
물이 문채로 꾸밈에 이르면 형통함이 다하고, 다하면 반드시 되돌
아가기 때문에 비(賁䷕)괘가 끝나면 박괘이다.

괘가 음이 다섯이고 양이 하나이니, 음이 처음 아래에서 생겨 점점
성대한 극치까지 자라나 여러 음이 양을 사라지게 하기 때문에 박
괘가 되었다. 두 몸체로 말하면 산이 땅에 붙어 있다. 산이 땅위로
높이 솟아 있어야 하는데 도리어 땅에 붙어 있으니, 무너져 깎이는
상이다.

剝, 不利有攸往.

박은 가는 것이 이롭지 않다.

本義

剝, 落也. 五陰在下而方生, 一陽在上而將盡, 陰盛長而陽消落, 九月之卦也. 陰盛陽衰, 小人壯而君子病, 又內坤而外艮, 有順時而止之象. 故占得之者, 不可有所往也.

박은 추락하는 것이다. 다섯 음이 아래에서 한창 자라나고, 하나의 양이 위에서 다하려고 하여 음은 성대해서 자라고 양은 소진해서 추락하니, 구월의 괘이다.

음이 성대하고 양이 쇠하는 것은 소인이 장성하고 군자가 병약한 것이며, 또 내괘는 곤[坤☷]괘이고 외괘는 간[艮☶]괘이니, 때에 따라 그치는 상이다. 그러므로 점에서 이 괘를 얻었을 경우, 가서는 안 된다.

程傳

剝者, 羣陰長盛, 消剝於陽之時, 衆小人剝喪於君子. 故君子不利有所往, 唯當巽言晦迹, 隨時消息, 以免小人之害也.

박은 여러 음이 자라고 성대하여 양을 사라지게 하는 때이니, 여러 소인들이 군자를 해친다. 그러므로 군자는 가는 것이 이롭지 않으

니, 오직 말을 공손히 하고 자취를 숨기며 때에 따라 나아가고 물러
나서 소인의 해침에서 벗어나야 한다.

初六, 剝牀以足, 蔑貞, 凶.

초육은 평상을 다리에서 깎는 것이니, 바름을 업신여기면 흉하다.

剝自下起, 滅正則凶, 故其占如此. '蔑', 滅也.

깎아냄이 아래에서 일어나 바름을 소멸하면 흉하기 때문에 그 점이
이와 같다. '업신여긴다'는 것은 소멸시킴이다.

陰之剝陽, 自下而上. 以牀爲象者, 取身之所處也, 自下而剝,
漸至於身也. '剝牀以足', 剝牀之足也. 剝始自下, 故爲剝足.
陰自下進, 漸消蔑於貞正, 凶之道也. '蔑', 无也, 謂消亡於正
道也. 陰剝陽, 柔變剛, 是邪侵正, 小人消君子, 其凶可知.

음이 양을 깎아냄은 아래에서 올라오는 것이다. 평상을 상으로 삼
은 것은 몸통이 있는 곳을 취했기 때문이니, 아래에서 깎아내면서
점점 몸통으로 다가온다. '평상을 다리에서 깎아내는 것'은 평상의
다리를 깎아내는 일이다. 깎아냄은 아래에서 시작하기 때문에 다리
를 깎아내는 것이다. 음이 아래에서 나아가 점점 바름을 소멸시키
니 흉한 도이다. '업신여긴다'는 없앤다는 것이니, 바른 도를 없앤다
는 말이다. 음이 양을 깎아내고 부드러움이 굳셈을 변하게 하는 것

은 사악함이 바름을 침범하고, 소인이 군자를 없애는 일이니 그 흉
함을 알만하다.

● 俞氏琰曰 : "陰之消陽, 自下而進. 初在下, 故爲剝牀, 而先以
牀足, 滅於下之象. 當此不利有攸往之時, 唯宜順時而止耳. 貞
凶, 戒占者, 固執而不知變, 則凶也."

유염이 말했다. "음이 양을 소멸하는 것은 아래에서부터 나아가는
일이다. 초효가 아래에 있기 때문에 평상을 깎아내는데, 먼저 평상
의 다리에서 하니, 아래에서 소멸시키는 상이다. 이렇게 가는 것은
이롭지 않은 때이니, 오직 때에 따르고 멈춰 있을 뿐이다. 바름이
흉하다는 뜻은 점치는 자가 고집을 부리고 변화를 모르면 흉하다고
경계한 것이다."

俞氏之説, 是以'蔑'字屬上句讀. 蓋自象傳'滅下'看出, 亦可備一
説.

유씨[유염]의 설명은 '업신여긴다'는 말을 위의 구절에 연결해서 구
두한 것이다. 「상전」의 '아래를 소멸한다'[1]는 것으로 보면 또한 하
나의 설명이 된다.

....

1) 『주역』「박괘(剝卦)」: "象曰, '剝牀以足', 以滅下也.[「상전」에서 말하였
다. '평상을 다리에서 깎는 것'은 아래를 소멸하는 것이다.]"라고 하였다.

六二, 剝牀以辨, 蔑貞, 凶.

육이는 평상을 가로댄 나무에서 깎는 것이니, 바름을 업신여기면 흉하다.

本義

'辨', 牀幹也, 進而上矣.

'가로댄 나무[辨]'는 평상의 받침나무이니, 나아가 올라간 것이다.

程傳

'辨', 分隔上下者, 牀之幹也. 陰漸進而上, 剝至於辨, 愈蔑於正也, 凶益甚矣.

'가로댄 나무[辨]'는 위아래를 나누는 것이니, 상의 받침나무이다. 음이 점점 올라와서 깎아내는 부위가 가로댄 나무까지 왔을 때는 바름을 더욱 업신여겨 흉함이 더욱 심해진 것이다.

集說

俞氏琰曰: "旣滅初之足於下, 又滅二之辨於中, 則進而上矣. 得此占者, 若猶固執, 而不知變, 則其凶必也."

유염이 말했다. "아래에서 초효의 다리를 없애고 나서 또 가운데에서 이효의 가로댄 나무를 없애고 있으니, 나아가서 위로 올라간 것이다. 이런 점을 얻는 자가 여전히 고집을 부리고 변화할 줄 모르면 흉함이 틀림없이 온다."

六三, 剝之, 无咎.

육삼은 깎아내고 있는데도 허물이 없다.

本義

衆陰方剝陽, 而已獨應之, 去其黨而從正, 无咎之道也. 占者
如是, 則得无咎.

여러 음이 한창 양을 깎아내고 있는데도 자신만 (상구와) 호응하여
무리를 떠나 바름을 따르니 허물이 없는 도이다. 점치는 자가 이처
럼 하면 허물이 없다.

程傳

衆陰剝陽之時, 而三獨居剛應剛, 與上下之陰異矣. 志從於
正, 在剝之時, 爲无咎者也. 三之爲, 可謂善矣, 不言吉, 何也.
曰方羣陰剝陽, 衆小人害君子, 三雖從正, 其勢孤弱, 所應在
无位之地. 於斯時也, 難乎免矣, 安得吉也. 其義爲无咎耳,
言其无咎, 所以勸也.

여러 음이 양을 깎아내는 때에 삼효만 굳센 자리에 있으면서 굳셈
에 호응하니, 위아래의 음들과는 다르다. 뜻이 바름을 따르고 있어
깎아내는 때에 있을지라도 허물이 없다. 삼효의 행위는 선하다고
할 수 있는데, 길하다고 하지 않은 것은 무엇 때문인가? 말하자면,

한창 여러 음이 양을 깎아내고 여러 소인이 군자를 해치고 있어 삼
효가 바름을 따를지라도 그 세력이 외롭고 미약하며, 호응하는 것
은 지위가 없는 처지에 있기 때문이다. 이런 때는 화를 모면하기도
어려운데, 어떻게 길할 수 있겠는가? 그 뜻이 허물이 없을 뿐이니,
허물이 없다고 말한 것은 힘쓰게 하려는 뜻이다.

集說

● 荀氏爽曰 : "衆皆剝陽, 三獨應上, 無剝害意, 是以无咎."

순상이 말했다. "무리지어 양을 깎아내고 있는데 삼효만이 상효와
호응하고 깎아내어 해치려는 의도가 없기 때문에 허물이 없다."

● 王氏弼曰 : "與上爲應, 羣陰剝陽, 我獨協焉, 雖處於剝, 可以
无咎."

왕필이 말했다. "상효와 호응하고 있음에 여러 음들이 양을 깎아내
고 있는데도 자신만 화합하고 있으니, 깎아내는 데 있을지라도 허
물이 없을 수 있다."

● 胡氏炳文曰 : "剝之三, 卽復之四. 復六四不許以吉, 剝六三
許以'无咎', 何也. 曰, 復君子之事, 明道不計功, 不以吉許之, 可
也. 剝, 小人之事, 小人中獨知有君子, 不以'无咎'許之, 無以開
其補過之門也."

호병문이 말했다. "박(剝䷖)괘의 삼효는 곧 복(復䷗)괘의 사효이다.

복괘의 육사에서는 길하다고 하지 않았는데, 박괘의 육삼에서 '허물이 없다'고 한 것은 무엇 때문인가? 복괘는 군자의 일로 도를 밝힘에 공을 따지지 않으니, 길하다고 하지 않아도 된다. 박괘는 소인의 일로 그들 가운데 혼자서 군자가 있는 것을 알았으니, '허물이 없다'고 하지 않으면 그들이 잘못을 고칠 방법을 알려줄 도리가 없다."

案

王氏程子, 皆以'剝之''无咎'連讀, 言此乃剝時之无咎者也. 玩『本義』, 似以剝之爲剝去其黨.

왕씨[왕필]와 정자는 모두 '깎아냄'과 '허물이 없다'를 이어서 구두했는데, 이것이 바로 깎아내는 때에 허물이 없다는 말이다. 『주역본의』를 완미해 보면, 깎아내고 있는 것을 그 무리를 깎아내어 없애는 것으로 여긴 것 같다.

六四, 剝牀以膚, 凶.

육사는 평상을 살갗에서 깎는 것이니 흉하다.

本義

陰禍切身, 故不復言'蔑貞', 而直言'凶'也.

음의 재앙이 몸에 절박하기 때문에 다시 '바름을 업신여긴다'고 하지 않고, 바로 '흉하다'고 하였다.

程傳

始剝於牀足, 漸至於膚. 膚, 身之外也. 將滅其身矣, 其凶可知. 陰長已盛, 陽剝已甚, 貞道已消, 故更不言'蔑貞', 直言'凶'也.

평상의 다리에서 깎아내기 시작하여 점점 살갗까지 왔다. 살갗은 몸통의 바깥이다. 앞으로 몸통까지 없어질 것이니 그 흉함을 알만하다. 음의 자라남이 이미 성대하고, 양의 깎임이 이미 심하여 바른 도리가 이미 사라졌기 때문에 다시 '바름을 업신여긴다'고 하지 않고, 바로 '흉하다'고 하였다.

六五, 貫魚, 以宮人寵, 無不利.

육오는 물고기를 꿰어 궁인이 총애 받듯이 하니 이롭지 않음이 없다.

本義

魚, 陰物, 宮人, 陰之美, 而受制於陽者也. 五爲衆陰之長, 當率其類, 受制於陽, 故有此象, 而占者如是, 則无不利也.

물고기는 음에 속하고, 궁인은 아름다운 음이지만 양에게 제재를 받는 것들이다. 오효는 여러 음의 우두머리로 무리를 이끌어 양에게 제재를 받아야 하기 때문에 이런 상이 있다. 점치는 자가 이처럼 하면 이롭지 않음이 없다.

程傳

剝及君位, 剝之極也, 其凶可知. 故更不言剝, 而別設義, 以開小人遷善之門. 五, 羣陰之主也, '魚'陰物, 故以爲象. 五能使羣陰, 順序如貫魚然, 反獲寵愛於在上之陽, 如宮人, 則無所不利也. '宮人', 宮中之人, 妻妾侍使也, 以陰言, 且取獲寵愛之義. 以一陽在上, 衆陰有順從之道, 故發此義.

깎아냄이 임금의 자리까지 미쳤으면 깎아냄의 끝이니 그 흉함을 알 만하다. 그러므로 다시 깎아냄을 말하지 않고 별도로 의미를 세워 소인이 선(善)으로 옮겨가는 길을 열어주었다. 오효는 여러 음의 주인이고, '물고기'는 음에 속하는 것이기 때문에 그것을 상으로 하였다. 오효가 여러 음을 순서대로 물고기를 꿰듯이 하여 도리어 위에 있는 양에게 총애 받기를 궁인처럼 한다면, 이롭지 않음이 없다. '궁인'은 궁중의 사람으로 처첩과 하인이기에 음(陰)으로 말하였고, 또 총애를 받는다는 뜻을 취하였다. 하나의 양이 위에 있어 여러 음이 순종하는 도리가 있기 때문에 이런 의미를 드러냈다.

集說

● 張子曰 : "陰陽之際, 近必相比. 六五能上附於陽, 反制羣陰, 不使進逼, 方得處剝之善, 下無剝之之憂, 上得陽功之庇. 故曰 '无不利'."

장재(張載)2)가 말했다. "음과 양의 사이에서 가까운 것들은 반드시 서로 가까이 한다. 육오가 위로 양에게 의지해 도리어 여러 음을 제압하고 나아가 협박할 수 없게 하니, 깎아냄의 좋은 곳을 얻어 아래로 깎아내는 근심을 없애고 위로 양이 감싸주는 도움을 얻었다. 그러므로 '이롭지 않음이 없다'고 하는 것이다."

----

2) 장재(張載, 1020~1077) : 자는 자후(子厚)이고, 세칭 횡거선생(橫渠先生)이라고 한다. 송대 대양(大梁 : 현 하남성 개봉〈開封〉) 사람으로 거주지는 미현 횡거진(郿縣橫渠鎭 : 현 섬서성 미현〈眉縣〉)이었다. 1057년 진사에 급제했고 운암령(雲巖令)·숭정원교서(崇政院校書) 등을 역임하였다. 젊어서 병법을 좋아하여 범중엄에게 서신을 보냈다가 『중용』을 읽기를 권유받고, 얼마 뒤 『6경(六經)』에 전념하게 되었다. 특히 『역』과 『중용』을 중시하여 『정몽(正蒙)』, 『서명(西銘)』, 『역설(易說)』 등을 지었는데, 이로써 나중에 '관학(關學)'의 창시자가 되었다.

● 熊氏良輔曰 : “卦本爲陰剝陽而陽凶, 爻則以剝陽而見凶. 故五則以順上爲无不利, 三則以應上爲无咎, 而上則有碩果得輿之象焉.”

웅량보가 말했다. “괘는 본래 음이 양을 깎아내어 양이 흉한 것이고, 효는 양을 깎아내어 흉함을 당하는 것이다. 그러므로 오효는 상효를 따름으로 이롭지 않음이 없고, 삼효는 상효에 호응함으로 허물이 없으며, 상효는 큰 과일과 수레를 얻는 상이 있다.”

● 張氏振淵曰 : “遯陰長而猶微, 可制也, 則告陽以制陰之道, 曰 '畜臣妾'. 剝陰長已極, 不可制矣, 則敎陰以從陽之道, 曰'以宮人寵'.”

장진연이 말했다. “돈(遯☶)괘는 음이 자라고 있지만 아직 미미하여 제압할 수 있으니, 양에게 음을 제압하는 방법을 알려주어 '신첩을 기르라'3)고 했다. 박(剝☶)괘는 음이 자라나 이미 지극하게 되어 제압할 수 없으니, 음에게 양을 따르는 방법을 가르쳐 '궁인이 총애 받듯이 하라'고 했다.”

---

3) 『주역』「돈괘(遯卦)」: “九三, 係遯. 有疾, 厲, 畜臣妾, 吉.[구삼은 매어 있으면서 도피해 있다. 병이 있어 위태로우니, 신첩을 기름에는 길하다.]”라고 하였다.

上九, 碩果不食, 君子得輿, 小人剝廬.

상구는 큰 열매가 먹히지 않는 것이니, 군자는 수레를 얻고 소인은 집을 허물 것이다 .

一陽在上, 剝未盡而能復生. 君子在上, 則爲衆陰所載, 小人居之, 則剝極於上, 自失所覆, 而无復碩果得輿之象矣. 取象旣明, 而君子小人, 其占不同, 聖人之情, 益可見矣.

하나의 양이 위에 있으면 깎임이 다하지 않아 다시 나올 수 있다. 군자가 위에 있으면 여러 음이 추대하게 되고, 소인이 그곳에 있으면 깎아냄이 위에서 다하여 스스로 덮어주는 것을 잃어 다시 큰 열매와 수레를 얻는 상이 없다. 상을 취함이 이미 분명하고 군자와 소인은 그 점이 같지 않으니, 성인의 심정을 더욱 알 수 있다.

諸陽消剝已盡, 獨有上九一爻尙存, 如碩大之果不見食, 將見復生之理. 上九亦變則純陰矣, 然陽无可盡之理, 變於上, 則生於下, 无間可容息也. 聖人發明此理, 以見陽與君子之道不可亡也.

여러 양이 사라지고 깎임이 이미 다하여 상구 한 효만 남았으니, 큰 열매가 먹히지 않고 다시 생겨나는 이치를 보는 것과 같다. 상구마저 변하면 순수한 음이 되지만 양이 다하는 이치는 없으니, 위에서 변하면 아래에서 생겨나 사라질 틈이 없다. 성인이 이런 이치를 드러내 밝혀 양과 군자의 도가 없을 수 없음을 드러냈다.

或曰: "剝盡則爲純坤, 豈復有陽乎." 曰: "以卦配月, 則坤當十月. 以氣消息言, 則陽剝爲坤, 陽來爲復, 陽未嘗盡也. 剝盡於上, 則復生於下矣, 故十月謂之陽月, 恐疑其无陽也. 陰亦然, 聖人不言耳."

어떤 이가 "깎아냄이 다하면 순수한 곤(坤)괘인데 어찌 다시 양이 있습니까?"라고 물었다. 답하기를, "괘를 달[月]에 배치하면 곤(坤☷)괘는 시월에 해당합니다. 기운의 사라짐과 자라남으로 말하면, 양이 깎여서 곤(坤☷)괘가 되면 양이 와서 복(復☷)괘가 되니, 양이 다한 적이 없습니다. 깎아냄이 위에서 다하면 아래에서 다시 생기므로 시월을 양월이라고 하니, 양이 없을 것이라고 의심하기 때문인 듯합니다. 음도 그렇지만 성인이 말하지 않았을 뿐입니다"라고 하였다.

陰道盛極之時, 其亂可知, 亂極則自當思治. 故衆心願載於君子, 君子得輿也, 詩匪風下泉, 所以居變風之終也. 理旣如是, 在卦, 亦衆陰宗陽, 爲共載之象.

음의 도가 지극히 성대할 때는 혼란함을 알만하니, 혼란이 극에 달하면 당연히 다스릴 것을 생각한다. 그러므로 사람들이 속으로 군자를 추대하기를 원하니, 군자가 수레를 얻는 것이며, 『시경』의 「비

풍(匪風)과 「하천(下泉)」이 변풍(變風)의 끝에 있는 까닭이다. 이
치가 이미 이와 같고 괘에서도 여러 음이 양을 높이니, 함께 추대하
는 상이다.

'小人剝廬', 若小人則當剝之極, 剝其廬矣, 无所容其身也,
更不論爻之陰陽, 但言小人處剝極則及其廬矣. '廬', 取在上
之象.

'소인이 집을 허물 것이다'는 것은 만약 소인이라면 깎아냄이 다할
때에 그 집을 허물어 그 몸을 용납할 곳이 없으니, 다시 효의 음양
을 막론하고, 단지 소인은 깎아냄이 다하면 그 집에까지 미친다는
말이다. 집은 위에 있는 것을 취한 상이다.

或曰: "陰陽之消, 必待盡而後, 復生於下. 此在上, 便有復生
之義, 何也. 夬之上六, 何以言'終有凶.'"

어떤 이가 "음양의 사라짐은 반드시 다하기를 기다린 뒤에야 다시
아래에서 생겨납니다. 그런데 여기에는 상효에 다시 생겨나는 뜻이
있으니 무엇 때문입니까? 그리고 쾌(夬☱☰)괘의 상육에서는 어째서
'마침내 흉함이 있다'[4]고 하였습니까?"라고 물었다.

曰: "上九居剝之極, 止有一陽. 陽无可盡之理, 故明其有復
生之義, 見君子之道不可亡也. 夬者, 陽消陰, 陰, 小人之道

---

4) 『주역』「쾌괘(夬卦)」: "上六, 无號, 終有凶.[상육은 호소할 곳이 없으니,
마침내 흉함이 있다.]"라고 하였다.

也, 故但言其消亡耳. 何用更言却有復生之理乎."

답하기를, "상구는 깎아냄의 끝에 있어 하나의 양이 있을 뿐입니다.
그런데 양은 다하는 이치가 없기 때문에 다시 생긴다는 뜻이 있음
을 밝혀 군자의 도가 없을 수 없음을 드러냈습니다. 쾌(夬≣)괘는
양이 음을 사라지게 함인데, 음은 소인의 도이기 때문에 그것이 없
어지는 것만 말했을 뿐입니다. 어찌 다시 생겨나는 이치가 있음을
말할 필요가 있겠습니까?"라고 하였다.

집說

● 程子曰 : "息訓爲生者, 蓋息則生矣. 中無間斷, 碩果不食, 則
便爲復也."

정자가 말했다. "식(息)자를 낳게 됨으로 풀이하는 것은 쉬면 나오
기 때문이다. 중간에 끊임이 없어 큰 열매가 먹히지 않으니, 곧 돌
아옴이 된다."

● 楊氏文煥曰 : "貫魚者衆陰在下之象也, 碩果者一陽在上之象
也."

양문환[5]이 말했다. "물고기를 꿰는 것은 여러 음이 아래에 있는 상
이고, 큰 열매는 하나의 양이 위에 있는 상이다."

---

5) 양문환(楊文煥) : 남송의 역학자로 태주 사람이며, 자는 빈부(彬夫)이다.
   저서로는 『오십가역해(五十家易解)』42권이 있다.

● 胡氏炳文曰 : "乾爲木果, 衆陽皆變, 而上獨存, 有碩果不食
象. 果中有仁, 天地生生之心存焉. '碩果'專以象言, '得輿'剝廬,
兼占而言. 牀, 上之藉下以安者也, 廬, 下之藉上以安者也. 始而
剝牀, 欲上失所安, 今而剝廬, 自失所安矣. 自古小人欲害君子,
亦豈小人之利哉."

호병문이 말했다. "건괘는 나무의 열매인데, 여러 양이 모두 변하고
상구만 있으니, 큰 열매가 먹히지 않는 상이 있다. 열매 속에 씨앗
[仁]이 있는 것은 천지가 낳고 낳는 마음이 그것에 깃들어 있기 때
문이다. '큰 열매'는 오로지 상으로 말한 것이고, '수레를 얻는 일'과
'집을 허무는 일'은 점을 겸해서 말한 것이다. 평상은 위에 있는 것
들이 아래에 의지해서 편하고, 집은 아래에 있는 것들이 위에 의지
해서 편하다. 처음에 평상을 깎아내는 일은 올라가면서 편안함을
잃어버리게 하려는 것이고, 이제 집을 허무는 일은 스스로 편안함
을 잃어버리게 하는 것이다. 옛날부터 소인이 군자를 해치는 것이
또한 어찌 자신을 이롭게 하는 일이겠는가?"

● 蔡氏淸曰 : "『易』固爲君子謀. 然其爲君子謀者, 亦所以爲小
人謀也. 觀'小人剝廬'之辭, 可見. 蓋道理自是如此, 天地間, 豈
可一日無善類哉. 不然, 人之類滅矣, 可見聖人非姑爲是抑彼以
伸此也."

채청6)이 말했다. "『역』은 진실로 군자를 위해 도모하는 것이다. 그

---

6) 채청(蔡淸, 1453~1508) : 명(明)대 진강(晉江) 사람으로, 자는 개부(介
   夫)이고 별호는 허재(虛齋)이다. 31세에 진사에 급제하여 벼슬은 남경문
   선랑중(南京文選郎中)·강서제학부사(江西提學副使) 등을 역임하였
   다. 명대의 저명한 이학가(理學家)로서 주로 이정(二程)과 주희(朱熹)의

러나 그렇게 하는 것이 또한 소인을 위해 도모하는 것이니, '소인이 집을 허문다'는 말을 보면 알 수 있다. 도리가 본래 이와 같은데 천지에 어찌 잠시라도 선한 것들이 없을 수 있겠는가? 그렇지 않다면 인류는 멸망하니, 성인이 잠시 이 때문에 저것을 누르고 이것을 펴 준 것이 아님을 알 수 있다."

● 喬氏中和曰 : "'碩果不食', 核也仁也, 生生之根也. 自古無不朽之株, 有相傳之果, 此剝之所以復也."

교중화[7]가 말했다. "'큰 열매가 먹히지 않는 것'은 씨앗인 핵이 있고 인이 있어 낳고 낳는 뿌리가 되기 때문이다. 옛날부터 썩지 않는 나무는 없고 서로 이어주는 열매가 있으니, 이것이 깎아내는 것이 되돌아오는 까닭이다."

저술 연구를 통해 그들의 사상을 계승하였다. 특히 천주(泉州) 개원사(開元寺)에서 역학연구단체를 결성하여 90여 책을 출간하면서 청원학파(淸源學派)를 이루었다. 이정기(李廷機)·장악(張嶽)·임희원(林希元)·진침(陳琛) 등의 학자들이 그 학파의 주요 구성원이었다. 저술로는 『사서몽인(四書蒙引)』, 『역경몽인(易經蒙引)』, 『허재문집(虛齋文集)』 등이 있다.

7) 교중화(喬中和) : 명나라 순덕부(順德府) 내구(內丘) 사람으로 자는 환일(還一)이다. 숭정(崇禎) 연간에 발공(拔貢)되었다. 거듭 승진해서 태원부(太原府) 통판(通判)에 이르렀다. 저서에 『설역(說易)』과 『설주(說疇)』, 『도서연(圖書衍)』, 『대역변통(大易通變)』, 『원운보(元韻譜)』 등이 있다.

24. 복復괘

坤上
震下

程傳

復,「序卦」, "物不可以終盡, 剝窮上反下, 故受之以復." 物无
剝盡之理, 故剝極則復來, 陰極則陽生. 陽剝極於上, 而復生
於下, 窮上而反下也. 復所以次剝也. 爲卦一陽生於五陰之
下, 陰極而陽復也. 歲十月陰盛旣極, 冬至則一陽復生於地
中, 故爲'復'也. 陽, 君子之道. 陽消極而復反, 君子之道消極
而復長也, 故爲反善之義.

복(復)괘에 대해 「서괘전」에서 "사물은 끝내 다할 수 없고, 깎아
냄이 위에까지 다하면 아래로 되돌아오기 때문에 복괘로 받았다"라
고 하였다. 사물에는 깎여나가 다하는 이치가 없기 때문에 박(剝)
괘가 다하면 복괘가 오고 음이 다하면 양이 온다. 양의 깎여나감이
위에서 다하여 돌아옴이 아래에서 생기니, 위에서 다하여 아래로
되돌아오는 것이다. 복괘가 그래서 박괘 다음에 있다.
괘에서 하나의 양이 다섯 음의 아래에서 생기니, 음이 다하여 양이
되돌아온 것이다. 시월에 음의 성대함이 이미 지극하여 동지에는
하나의 양이 땅 속에서 회복되어 나오기 때문에 '되돌아오는 것[復]'
이다. 양은 군자의 도이다. 양이 소멸하고 다하여 다시 돌아오고,

군자의 도가 소멸하고 다하여 다시 자라기 때문에 선으로 되돌아오
는 의미이다.

> 復, 亨, 出入无疾, 朋來无咎. 反復其道, 七日來
> 復, 利有攸往.

복(復)은 형통하니, 나가고 들어옴에 병이 없고 벗이 옴에 허물이
없다. 그 도를 반복하여 칠 일만에 와서 회복하고 가는 것이 이롭
다.

本義

'復', 陽復生於下也. 剝盡則爲純坤十月之卦, 而陽氣已生於
下矣. 積之踰月, 然後一陽之體, 始成而來復, 故十有一月,
其卦爲復. 以其陽旣往而復反, 故有亨道. 又內震外坤, 有陽
動於下, 而以順上行之象. 故其占, 又爲己之出入, 旣得无疾,
朋類之來, 亦得无咎.

'복(復)'은 양이 되돌아와 아래에서 나오는 것이다. 깎임이 다하면
순수한 곤(坤☷)괘인 시월의 괘가 되니 양기가 이미 아래에서 생긴
다. 쌓인 것이 달을 넘은 다음에 하나의 양의 몸체가 비로소 이루어
져 되돌아오기 때문에 십일월은 괘로 복(復☷)괘이다. 양이 이미 갔
다가 되돌아오기 때문에 형통한 도가 있다. 또 내괘는 진[辰☳]괘이
고 외괘는 곤[坤☷]괘여서 양이 아래에서 움직여 순서대로 위로 올
라가는 상이다. 그러므로 그 점이 또 자신의 나가고 들어옴에 이미
병이 없고 벗들이 오더라도 허물이 없다.

又自五月姤卦一陰始生, 至此七爻, 而一陽來復, 乃天運之自
然. 故其占, 又爲反復其道, 至於七日, 當得來復. 又以剛德
方長, 故其占, 又爲利有攸往也. '反復其道', 往而復來, 來而
復往之意. 七日者, 所占來復之期也.

또 오월의 구(姤▤)괘가 하나의 음을 처음 낳는 것에서 여기까지 일
곱 효여서 하나의 양이 되돌아옴은 하늘의 운행이 저절로 그렇게
된다. 그러므로 그 점이 도를 반복하는 것으로 칠일이 되면 당연히
되돌아올 수 있다. 또 굳센 덕이 한창 자라기 때문에 그 점은 가는
것이 이롭다. '도를 반복한다'는 것은 갔다가 되돌아오고 왔다가 되
돌아간다는 의미이다. 칠일은 점쳐서 되돌아오는 기한이다.

程傳

'復亨', 旣復, 則亨也. 陽氣復生於下, 漸亨盛而生育萬物, 君
子之道旣復, 則漸以亨通澤於天下, 故復則有亨盛之理也.
'出入无疾', '出入'謂生長, 復生於內, '入'也, 長進於外, '出'也.
先云'出', 語順耳. 陽生非自外也, 來於內, 故謂之'入'. 物之始
生, 其氣至微, 故多屯艱, 陽之始生, 其氣至微, 故多摧折. 春
陽之發, 爲陰寒所折, 觀草木於朝暮, 則可見矣.

'복은 형통하다'는 것은 이미 되돌아왔으니 형통하다는 뜻이다. 양
기가 되돌아와 아래에서 나와 점점 형통하고 성대하여 만물을 생육
하고, 군자의 도가 이미 회복되고 나면 점점 형통하여 천하에 혜택
을 주기 때문에 되돌아오면 형통하고 성대한 이치가 있다.
'나가고 들어옴에 병이 없다'는 '나가고 들어옴'은 나와서 자라는 것

을 말하니, 다시 안에서 나오는 것이 '들어옴'이고, 성장하여 밖으로 나가는 것이 '나감'이다. '나감'을 먼저 말한 것은 말의 순서일 뿐이다. 양이 나오는 것은 밖이 아니라 안에서 오기 때문에 '들어옴'이라고 했다.

사물이 처음 나오면 그 기운이 아주 약하기 때문에 어려움이 많고, 양이 처음 나옴에 그 기운이 너무 약하기 때문에 꺾임이 많다. 봄의 양기가 나옴에 음기의 차가움에 꺾이는 것은 아침저녁으로 초목을 보면 알 수 있다.

'出入无疾', 謂微陽生長, 无害之者也. 旣无害之, 而其類漸進而來, 則將亨盛, 故无咎也. 所謂'咎', 在氣, 則爲差忒, 在君子, 則爲抑塞, 不得盡其理. 陽之當復, 雖使有疾之, 固不能止其復也, 但爲阻礙耳. 而卦之才有无疾之義, 乃復道之善也. 一陽始生至微, 固未能勝群陰而發生萬物, 必待諸陽之來. 然後能成生物之功而无差忒, 以朋來而无咎也. 三陽子丑寅之氣, 生成萬物, 衆陽之功也. 若君子之道, 旣消而復, 豈能便勝於小人. 必待其朋類漸盛, 則能協力以勝之也.

'나가고 들어옴에 병이 없다'는 미약한 양기가 자라는 데 해치는 것이 없다는 말이다. 이미 해치는 것이 없고 그 무리들이 점점 나와 다가오면 형통하고 성대해지려고 하기 때문에 허물이 없다. 이른바 '허물'이라는 것은 기(氣)에서는 어그러짐이고, 군자에게서는 꺾이고 막혀서 그 이치를 다하지 못함이다. 양이 되돌아올 때 병들게 할 수 있을지라도 진실로 그것이 돌아오는 것을 멈추게 할 수 없으니, 방해하는 정도일 뿐이다.

그런데 괘의 재질은 병이 없는 의미이니 바로 도를 회복하는 데 좋다. 하나의 양이 처음 나옴에 아주 미약하여 진실로 여러 음을 누르고 만물을 발생시킬 수 없으니, 반드시 여러 양이 오기를 기다린다. 그런 다음에 사물을 낳는 공을 이루어 어그러짐이 없으니, 벗이 와서 허물이 없게 되기 때문이다.

자(子☷)·축(丑☷)·인(寅☷)이라는 세 양의 기운은 만물을 낳아 이루는 것으로 여러 양의 공이다. 군자의 도가 소멸되었다가 회복되었다면, 어찌 바로 소인을 이길 수 있겠는가? 반드시 그 벗들이 점점 성대해지기를 기다려야 하니, 협력으로 이길 수 있기 때문이다.

謂消長之道, 反復迭至, 陽之消, 至七日而來復. 姤, 陽之始消也, 七變而成復, 故云七日, 謂七更也. 臨云八月有凶, 謂陽長至於陰長, 歷八月也. 陽進則陰退, 君子道長則小人道消, 故利有攸往也.

사라지고 자라는 도가 반복해서 번갈아 다가오니, 양이 사라졌다가 칠 일만에 와서 회복된다는 말이다. 구(姤☰)괘에서 양이 처음 사라지고 일곱 번 변해 복(復☷)괘가 되기 때문에 '칠일'이라고 하였으니, 일곱 번 변한다는 말이다. 임(臨☷)괘에서 "여덟 달에 흉하다"[1]고 한 것은 양의 성장에서 음의 성장까지 여덟 달이 걸린다는 말이다. 양이 나아가면 음이 물러나고, 군자의 도가 자라면 소인의 도가 사라지기 때문에 가는 것이 이롭다.

---

1) 『주역』「임괘(臨卦)」: "至于八月, 有凶.[여덟 달이 되면 흉함이 있다.]"라고 하였다.

● 房氏喬曰 : 出入, 无疾害之者, 喜陽氣之復, 朋來, 无罪咎之者, 欲衆陽漸進之意

방교2)가 말했다. "나가고 들어옴에 병을 주어 해칠 자가 없는 것은 양기가 돌아오는 것을 반기고, 벗이 옴에 죄주고 허물할 자가 없는 것은 여러 양이 점점 나오기를 바라는 의미이다."

● 邵子曰 : "復次剝, 明治生於亂乎, 夬次姤, 明亂生於治乎. 時哉時哉, 未有剝而不復, 未有夬而不姤者."

소자(邵子 : "邵雍)가 말했다. 복(復☷☳)괘가 박(剝☶☷)괘 다음에 있는 것은 다스림이 어지러움에서 나옴을 밝혔고, 쾌(夬☱☰)괘가 구(姤☰☴)괘 다음에 있는 것은 어지러움이 다스림에서 나옴을 밝혔다. 때에 따르고 때에 따르니, 박(剝☶☷)괘로 되면 복(復☷☳)괘로 되지 않음이 없고 쾌(夬☱☰)괘가 되면 구(姤☰☴)괘로 되지 않음이 없다."

....

2) 방교(房喬, 579~648) : 제주(齊州) 임치(臨淄) 사람으로 자는 현령(玄齡)이다. 당(唐)나라 대신(大臣) 방언겸(房彦謙)의 아들이다. 18세에 진사(進士)가 되었고, 벼슬은 우기위(羽騎尉)가 되었다. 뒤에 이세민(李世民)에게 투항하여 참모가 되었다. 그는 이세민의 현무문(玄武門) 변란을 두여회(杜如晦), 장손무기(長孫無忌), 위지경덕(尉遲敬德), 후군집(侯君集) 등과 주도적으로 추진하여 일등공신이 되었다. 이세민이 황제가 된 후에 중서령(中書令), 상서좌부야(尚書左仆射)가 되었고, 양국공(梁國公)으로 봉해졌다. 그 뒤에 사공(司空)이 되어 조정의 정사를 총괄하였다. 시호는 문소(文昭)이다.

● 鄭氏剛中曰 : "七者陽數, 日者陽物, 故於陽長言七日. 八者陰數, 月者陰物, 臨剛長以陰爲戒, 故曰八月."

정강중(鄭剛中)[3]이 말했다. "칠(七)은 양의 수이고, 일(日)은 양이기 때문에 양이 자라는 것에 대해 칠일이라고 했다. 팔은 음의 수이고, 월(月)은 음이기 때문에 임(臨䷒)괘에서 양이 자라는 것에 대해 음으로 경계를 했기 때문에 '여덟 달'[4]이라고 했다."

● 『朱子語類』云 : "七日只取七義, 猶'八月有凶'只取八義."[5]

『주자어류』에서 말했다. "칠일은 단지 칠이라는 의미를 취한 것일

---

3) 정강중(鄭剛中, 1089~1154) : 송나라 무주(婺州) 금화(金華, 浙江) 사람으로 자는 형중(亨仲) 또는 한장(漢章)이고, 호는 북산(北山)이며, 시호는 충민(忠愍)이다. 고종(高宗) 소흥(紹興) 2년(1132) 진사(進士)가 되고, 감찰어사(監察御史)와 전중시어사(殿中侍御史)를 지냈다. 진회(秦檜)의 추천을 받아 화의(和議)의 잘못을 말하지 못했다. 나중에 섬서분획지계사(陝西分劃地界使)가 되어 금(金)나라가 계·성·민·봉·진·상(階成岷鳳秦商) 여섯 주(州)를 취하려고 할 때 이를 강력하게 반대했다. 예부시랑(禮部侍郎)을 거쳐 천섬선무부사(川陝宣撫副使)에 올랐는데, 장수를 가려 수비하게 하고 잡세(雜稅)를 없애는 등 바른 정치를 했다. 진회가 그가 멋대로 일을 한다고 하여 파직하고 계양군(桂陽軍)에 있도록 했다. 다시 문책하여 호주단련부사(濠州團練副使)로 좌천시키고 복주(復州)에 안치했다가 봉주(封州)로 옮겼다. 『주역』에 조예가 깊었고, 상수학(象數學)과 의리학(義理學)에도 정통했다. 저서에 『주역규여(周易窺餘)』와 『경사전음(經史專音)』, 『서정도리기(西征道里記)』, 『북산집(北山集)』 등이 있다.

4) 『주역』「임괘(臨卦)」 : "至于八月, 有凶.[여덟 달이 되면 흉함이 있다.]"라고 하였다.

5) 『주자어류』 권71, 39조목.

뿐이니, '여덟 달이 되면 흉함이 있다'6)에서 '여덟'을 취한 의미와 같다."

● 胡氏炳文曰:"'反復其道', 統言陰陽往來, 其理如此. '七日來復', 專言一陽往來, 其數如此."

호병문이 말했다. "'그 도를 반복한다'는 음양이 왕래함에 그 이치가 이와 같음을 전체적으로 말한 것이다. '칠 일만에 와서 회복한다'는 하나의 양이 왕래함에 그 수가 이와 같음을 전적으로 말한 것이다."

● 林氏希元曰:"天下事非一人所能獨辦, 君子有爲於天下, 必與其類同心共濟. 故復重朋來, 而泰重彙征."

임희원7)이 말했다. "천하의 일은 한 사람이 혼자 할 수 있는 것이 아니니, 군자가 천하에서 큰일을 할 때는 반드시 그 무리들과 한

---

6) 『주역』「임괘(臨卦)」:"臨, 元亨, 利貞, 至於八月有凶.[임(臨)은 크게 형통하고 곧게 함이 이로운데, 여덟 달이 되면 흉함이 있다.]"라고 하였다.
7) 임희원(林希元, 1481~1565):명(明)대 동안 신점(同安新店) 사람으로, 자는 무정(茂貞)이고 호는 차애(次崖)이다. 명(明) 정덕(正德)11년 (1516)에 진사에 급제하여 남경대리사평사(南京大理寺評事), 광서사주 판관(廣西泗州判官), 흠주지주(欽州知州) 등을 역임했다. 학문으로는 정주학과 채청(蔡淸)의 『역경몽인(易經蒙引)』을 중시했다. 특히 『주역』을 다른 경전에 비해 극히 높게 평가하여, 오경 가운데 『역경』을 뺀 나머지는 강물과 같고 『역경』은 바다와 같다고 했다. 저술로는 『역경존의(易經存疑)』, 『사서존의(四書存疑)』, 『임차애선생문집(林次崖先生文集)』 등이 있다.

마음으로 함께 해야 한다. 그러므로 복괘에서는 벗이 오는 것을 중시했고, 태괘에서는 무리지어 가는 것을 중시했다.[8]"

● 張氏振淵曰 : "'反復其道', 猶云反復計其程道也. 此二句正見天運自有定期, 君子不可不善承之耳."

장진연이 말했다. "'그 도를 반복한다'는 갈 길의 거리를 반복해서 계산한다고 말하는 것과 같다. 여기의 두 구절에서 하늘의 운행에는 본래 일정한 기한이 있으니, 군자가 그것을 잘 이어받지 않을 수 없음을 바로 알 수 있다."

----

8) 『주역』「태괘(泰卦)」 : "初九, 拔茅茹, 以其彙, 征吉.[초구는 띠 풀의 뿌리가 뽑히는 것이니, 그 무리를 거느리고 가는 것이 길하다.]"라고 하였다.

初九, 不遠復, 无祗悔, 元吉.

초구는 멀리 가지 않고 돌아와 후회에 이름이 없으니 크게 길하다.

一陽復生於下, 復之主也. '祗', 抵也. 又居事初, 失之未遠, 能復於善, 不抵於悔, 大善而吉之道也. 故其象占如此.

하나의 양이 아래에서 다시 나왔으니, 복(復☷)괘의 주인이다. '이르다[祗]'는 것은 다다르다는 의미이다. 일의 초기에서 잃음이 오래되지 않았고, 선으로 돌아와 후회에 이르지 않으니 아주 선하고 길한 도이다. 그러므로 그 상과 점이 이와 같다.

'復'者, 陽反來復也. 陽, 君子之道, 故'復'爲反善之義. '初', 剛陽來復, 處卦之初, 復之最先者也, 是不遠而復也. 失而後有復, 不失則何復之有. 唯失之不遠而復, 則不至於悔, 大善而吉也.

'돌아온다[復]'는 양이 되돌아와서 회복되는 것이다. 양은 군자의 도이기 때문에 '돌아온다'는 것은 선으로 되돌아오는 뜻이다. '초효'는 굳센 양이 되돌아와서 괘의 처음에 있으니, 돌아오기를 가장 먼저 하여 멀리 가지 않고 돌아온 것이다. 잃어버린 뒤에 돌아오니, 잃어

버리지 않았다면 어떻게 돌아오겠는가? 오직 잃어버렸음에 멀리 가지 않고 돌아오니, 후회하지 않고 크게 선하고 길하다.

'祗', 宜音'柢', '抵'也. 『玉篇』云, '適'也, 義亦同. '无祗悔', 不至於悔也. 坎卦曰, "祗旣平无咎", 謂至旣平也. 顏子无形顯之過, 夫子謂其庶幾, 乃无祗悔也. 過旣未形而改, 何悔之有. 旣'未能不勉而中', '所欲不踰矩', 是有過也. 然其明而剛, 故一有不善, 未嘗不知, 旣知, 未嘗不遽改, 故不至於悔, 乃不遠復也. '祗', 陸德明音'支', 『玉篇』『五經文字』『群經音辨』, 竝見衣部.

'이르다'고 할 때의 '지(祗)'는 음을 '저(柢)'로 해야 하니, '다다르다[抵]'는 의미이다. 『옥편』에서는 '이르다[適]'고 하였으니, 의미가 또한 같다. '후회에 이름이 없다[无祗悔]'는 후회에 이르지 않는다는 것이다. 감(坎䷜)괘에서 "이미 평평해진 것에 이르렀다면 허물이 없다"[9]라고 한 것은 이미 평평해짐에 이르렀음을 말한다.

안자는 드러나는 잘못이 없어 공자가 도에 거의 가까웠다고 하였으니, 바로 후회하는 데까지 이르지 않는 것이다. 잘못이 아직 드러나지 않았는데 벌써 고쳤다면 어떻게 후회하겠는가? 이미 '힘쓰지 않아도 도에 맞고'[10] '하고 싶은 대로 해도 법도를 넘지 않음'[11]을 해

---

9) 『주역』「감괘(坎卦)」: "九五, 坎不盈, 祗旣平, 无咎.[구오는 구덩이가 차지 않았으나, 이미 평평해짐에 이르면 허물이 없다.]"라고 하였다.

10) 『중용장구』20장: "誠者, 不勉而中, 不思而得, 從容中道, 聖人也.[참된 자는 억지로 힘쓰지 않아도 도에 맞고, 굳이 생각을 하지 않아도 터득해서 자연히 도에 합치되는데, 이런 분이 바로 성인이다.]"라고 하였다.

11) 『논어』「위정(爲政)」: "七十而從心所欲不踰矩.[나는 일흔 살이 되자 이

낼 수 없다면, 이는 잘못이 있는 것이다.

그런데 밝고 굳건하기 때문에 조금이라도 선하지 못한 것이 있으면 알아차리지 못한 적이 없고, 이미 알아차렸다면 바로 고치지 않은 적이 없기 때문에 후회하는 데까지 이르지 않으니, 바로 멀리 가지 않고 돌아온다. '지(祇)'에 대해 육덕명은 음이 '지(支)'라고 하였고, 『옥편』·『오경문자』·『군경음변』에서는 모두 의부(衣部)에 나온다.

集說

● 楊氏時曰 : "初九陽始生而未形, 動之微也. 吉凶悔吝, 生乎動者也. 未形而復, 其復不遠矣, 故不至於悔而元吉."

양시12)가 말했다. "초구는 양이 처음으로 나와 아직 드러나지 않았으니 움직임이 미미한 것이다. 길함·흉함·후회·부끄러움이 움직임에서 나온다. 아직 드러나지 않았는데 돌아온다면 그 돌아옴이 멀리 있는 것이 아니기 때문에 후회에 이르지 않으니 크게 길하다."

....

제 하고 싶은 대로 해도 법도에 어긋나는 일이 없게끔 되었다.]"라고 하였다.

12) 양시(楊時, 1053~1135) : 자는 중립(中立)이고 호는 구산(龜山)이며 시호는 문정(文靖)이다. 북송 장락(將樂 : 현 복건성 장락현) 사람이다. 관직은 고종(高宗) 때 용도각직학사(龍圖閣直學士)에 이르렀다. 정호(程顥)·정이(程頤) 형제에 사사(師事)했는데, 특히 형 정호의 신임을 받았다. 민학(閩學)의 창시자이자 정문 4대 제자 가운데 한 사람이다. 그는 오래 살면서 이정(二程 : 정호·정이)의 도학을 전하여 낙학(洛學 : 이정의 학파)의 대종(大宗)이 되었으며, 그 학계(學系)에서는 주희·장식(張栻)·여조겸(呂祖謙) 등 뛰어난 학자가 많이 배출되었다. 저서에 『구산집(龜山集)』, 『구산어록(龜山語錄)』, 『이정수언(二程粹言)』 등이 있다.

● 俞氏琰曰 : "初居震動之始, 方動卽復, 是不遠而復, 復之最
先者也. 故不至於悔而元吉."

유염이 말했다. "초구가 움직이는 진震(☳)괘의 처음에 있어 한창
움직이는 것이 돌아오니 멀리 가지 않고 되돌아온 것으로 복괘의
맨 앞에 있다. 그러므로 후회에 이르지 않고 크게 길한 것이다."

六二, 休復, 吉.

육이는 아름다운 돌아옴이니 길하다.

本義

柔順中正, 近於初九, 而能下之, 復之休美, 吉之道也.

유순하고 중정하면서 초구를 가까이 하여 그것에게 낮출 수 있으니, 돌아옴이 아름다워 길한 도이다.

程傳

二雖陰爻, 處中正而切比於初, 志從於陽, 能下仁也, 復之休美者也. '復'者, 復於禮也. 復禮, 則爲仁. 初陽復, 復於仁也. 二比而下之, 所以美而吉也.

이효가 음효일지라도 중정한 자리에 있고 초효와 아주 가까우며 뜻이 양을 따르니, 어진 자에게 낮출 수 있고 돌아옴이 아름다운 것이다. '돌아옴'은 예(禮)로 돌아옴이다. 예로 돌아오는 것은 어짊이다. 처음의 양이 돌아옴은 어짊으로 돌아온 것이다. 이효가 가까이 하고 낮추기 때문에 아름답고 길하다.

集說

● 『朱子語類』云 : "學莫便於近乎仁. 旣得仁者而親之, 資其善

以自益, 則力不勞而學美矣, 故曰'休復吉'.[13]

『주자어류』에서 말했다. "배움은 어짊을 가까이 하는 일보다 편한 것이 없다. 어진 자를 만난 다음 그와 가까이 하여 그의 선함에 의지하여 스스로 보태면 힘들이지 않고 배움이 아름다워진다. 그러므로 '아름다운 돌아옴이니 길하다'고 하였다."

---

13) 『주자어류』 권71, 40조문.

六三, 頻復, 厲无咎.

육삼은 자주 돌아옴이니, 위태롭지만 허물은 없다.

本義

以陰居陽, 不中不正, 又處動極, 復而不固, 屢失屢復之象.
屢失故危. 復則无咎, 故其占, 又如此.

음으로 양의 자리에 있으면서 알맞고 바르지 않으며, 또 움직임의
끝에 있어 돌아와도 견고하지 않으니 자주 잃고 자주 돌아오는 상
이다. 자주 잃기 때문에 위태롭다. 그러나 돌아오면 허물이 없기 때
문에 그 점이 또 이와 같다.

程傳

三以陰躁, 處動之極, 復之頻數, 而不能固者也. 復貴安固.
頻復頻失, 不安於復也. 復善而屢失, 危之道也, 聖人開遷善
之道, 與其復而危其屢失. 故云厲无咎, 不可以頻失而戒其復
也. 頻失則爲危, 屢復何咎. 過在失, 而不在復也.

삼효는 음의 조급함으로 움직임의 끝에 있어 돌아옴을 자주하는데
견고하게 할 수 없는 것이다. 돌아옴은 편안하고 견고함을 귀하게
여긴다. 그런데 자주 돌아왔다가 자주 잃으니, 돌아옴에 편안하지
않기 때문이다. 선으로 돌아왔다가 자주 잃는 것은 위태로운 도이

다. 성인은 선으로 옮겨가는 도를 열어놓아 돌아오는 것을 허여하
고 자주 잃는 것을 위태롭게 여겼다. 그러므로 "위태롭지만 허물은
없다"고 하였으니, 자주 잃는다고 해서 돌아옴을 경계할 수는 없다.
자주 잃는 것은 위태롭지만 자주 돌아오는 것이 무슨 허물이 되겠
는가? 잘못은 잃는 데 있고 돌아오는 데 있지 않다.

集說

● 郭氏忠孝曰 : "唯君子能久於其道. 其餘則日月至焉而已. 是
以子夏之徒, '出見紛華盛麗而悅, 入聞夫子之道而樂', 與夫'回
之爲人拳拳服膺而弗失之'者, 固有間矣."

곽충효[14]가 말했다. "군자만이 그 도를 오래할 수 있을 뿐이다. 그
나머지는 며칠이나 몇 달 정도를 할 수 있다. 그 때문에 자하의 무
리들이 '나가서는 번화하고 화려한 것을 보고 기뻐하고 들어와서는
선생님의 말씀을 듣고 즐거워한다'[15]고 했는데, '안회가 중용을 가
려 하나의 선을 얻으면 정성스럽게 가슴에 담아두고 잃지 않는
다'[16]는 것과는 다르다."

....

14) 곽충효(郭忠孝, ?~1128) : 자는 입지(立之)이고 하남(河南) 낙양(洛陽)
   사람이다. 신종(神宗) 원풍(元豊) 연간에 진사(進士)가 되었고 휘종(徽
   宗) 선화(宣和) 연간에 하동로제거(河東路提擧)가 되었다. 금(金)나라
   와의 화친에 반대했다. 금나라가 침입해 왔을 때 사망했다. 정이(程頤)
   의 제자이다.
15) 『사기(史記)』「예서(禮書)」: "자하(子夏)가 '밖에 나가서는 번화하고 화
   려한 것들을 보고 기뻐하고, 들어와서는 선생님의 도를 듣고 즐거워하니,
   이 두 가지가 마음속에서 서로 싸워 스스로 결단할 수가 없다.[出見紛華
   盛麗而說 入聞夫子之道而樂 二者心戰 未能自決]"라고 하였다.

● 趙氏汝楳曰：“三爲震動之極，故曰‘頻’. ‘厲’, 危也. 卽‘人心惟危’之危.”

조여모가 말했다. “삼효가 진괘의 움직이는 끝이 있기 때문에 ‘자주’라고 하였다. ‘위태롭다[厲]’는 위험하다는 것으로 곧 ‘사람의 마음은 오직 위험하다’[17)고 할 때의 위험하다는 뜻이다.”

---

16) 『중용장구』 8장 : “回之爲人也, 擇乎中庸, 得一善, 則拳拳服膺, 而弗失之矣.[안회는 사람됨이 중용을 가려 하나의 선을 얻으면 정성스럽게 가슴에 담아두어 잃지 않는다.]”라고 하였다.

17) 『서경』「대우모(大禹謨)」 : “人心惟危, 道心惟微, 惟精惟一, 允執厥中.[사람의 마음은 위태하고 도의 마음은 미미하니, 오직 정밀하고 일관되게 하여 그 중도를 진실로 잡아야 한다.]”라고 하였다.

六四, 中行, 獨復.
육사는 가운데를 지나가지만 혼자 돌아온다.

四處群陰之中, 而獨與初應, 爲與衆俱行而獨能從善之象. 當
此之時, 陽氣甚微, 未足以有爲, 故不言吉. 然理所當然, 吉
凶, 非所論也. 董子曰, "仁人者, 正其義, 不謀其利, 明其道,
不計其功," 於剝之六三及此爻, 見之.

사효가 여러 음효 가운데 있으면서 혼자 초효와 호응하니, 무리와
함께 가면서 혼자 선을 따를 수 있는 상이다. 이때에는 양기가 너무
미약하여 일할 수 없기 때문에 길함을 말하지 않았다. 그런데 이치
의 당연함은 길흉을 논할 것이 아니다.
동중서가 "어진 사람은 의리를 바르게 하고 이익을 도모하지 않으
며, 도를 밝히고 공을 따지지 않는다"[18]고 하였으니, 박(剝☷)괘의
육삼과 이 효에서 그것을 알 수 있다.

---

18) 『춘추번로(春秋繁露)』「천지음양(天地陰陽)」: "仁人者, 正其誼, 不謀其
利, 明其道, 不計其功.[어진 사람은 의리를 바르게 하고 이익을 도모하
지 않으며, 도를 밝히고 공을 따지지 않는다.]"라고 하였다.

此爻之義, 最宜詳玩. 四行群陰之中, 而獨能復, 自處於正,
下應於陽剛, 其志可謂善矣. 不言吉凶者, 蓋四以柔居群陰
之間, 初方甚微, 不足以相援, 无可濟之理. 故聖人但稱其能
獨復, 而不欲言其獨從道而必凶也. 曰 : '然則不言无咎, 何
也.' 曰 : '以陰居陰, 柔弱之甚, 雖有從陽之志, 終不克濟, 非
无咎也.'

이 효의 의미를 가장 자세히 살펴봐야 한다. 사효가 여러 음들의 가
운데를 지나가지만 홀로 되돌아올 수 있어 스스로 바름에 머물고
아래로 굳센 양과 호응하니 그 뜻이 선하다고 할 수 있다.
길흉을 말하지 않은 것은 사효가 부드러운 음으로 여러 음의 사이
에 있고, 초효가 너무 미약하여 서로 끌어당기기에 부족해서 구제
할 수 있는 이치가 없기 때문이다. 그러므로 성인은 단지 그것이 홀
로 돌아올 수 있음을 칭찬하고, 그것이 혼자 도를 따르다가 반드시
흉하게 됨을 말하고자 하지 않았다. '그렇다면 허물이 없다고 말하
지 않은 것은 무엇 때문인가?'라고 한다면 '음으로서 음의 자리에
있어 너무 유약하고, 양을 따르려는 뜻이 있을지라도 끝내 구제할
수 없으니, 허물이 없는 것은 아니다'라고 하겠다.

● 孔氏穎達曰 : "'中行獨復'者, 處於上卦之下, 上下各有二陰,
已獨應初, 居在衆陰之中, 故云'中行'. 獨自應初, 故云'獨復'."

공영달이 말했다. "'가운데를 지나가지만 혼자 돌아온다'는 것은 윗

괘의 아래에 있어 위아래로 각기 둘씩 음이 있는데, 이미 혼자서 초효와 호응하여 여러 음의 가운데 있기 때문에 '가운데를 지나간 다'고 하였다. 혼자 스스로 초효와 호응하기 때문에 '혼자 돌아온다' 고 하였다."

● 繆氏昌期曰 : "'中'卽中以自考中字. '獨'卽中庸'慎獨'之獨. 四能以中而行, 而於獨知之中. 憬然自覺, 所謂復以自知也. 蓋復之所以爲復, 全在初爻, 猶人之初念也. 五陰皆復此而已, 惟四在陰中, 有所專向, 故發此義."

무창기(繆昌期)[19]가 말했다. "'가운데'는 곧 가운데이니, 그것으로 스스로 가운데라는 말을 고찰할 수 있다. '혼자'는 『중용』에서 '홀로 있을 때를 삼간다'고 할 때의 '홀로'라는 의미이다. 사효가 가운데에 있으면서도 행할 수 있어 홀로 아는 가운데서 깨달아 자각하니 이른바 되돌아옴을 저절로 아는 것이다. 복(復䷗)괘가 복괘가 되는 까닭이 모두 초효에 있으니, 사람이 처음 생각한 것과 같다. 다섯 음이 모두 여기로 되돌아오지만 사효만 음 가운데서 오로지 향하는 것이 있기 때문에 이런 의미를 드러냈다."

---

19) 무창기(繆昌期, 1562~1626) : 명(明)나라 때 관리이다. 강음(江陰) 사람으로 자는 당시(當時), 우원(又元)이고, 호는 서계(西溪)이며, 시호는 문정(文貞)이다. 만력(萬曆) 41년(1613)의 진사(進士) 출신으로 벼슬은 한림원서길사(翰林院庶吉士), 검토(檢討)를 지냈다.

六五, 敦復, 无悔.

육오효는 돌아옴을 돈독하게 하니, 후회가 없다.

本義

以中順居尊, 而當復之時, 敦復之象, 无悔之道也.

중도의 유순함으로 존귀한 자리에 있으면서 돌아오는 때에 돌아옴을 돈독하게 하는 상이니, 후회가 없는 도이다.

程傳

六五以中順之德, 處君位, 能敦篤於復善者也, 故无悔. 雖本善, 戒亦在其中矣. 陽復方微之時, 以柔居尊, 下復无助, 未能致亨吉也, 能无悔而已.

육오는 중도의 유순한 덕으로 임금의 자리에 있어 선으로 돌아오기를 돈독하게 할 수 있기 때문에 후회가 없다. 본래 선할지라도 경계는 또한 그 안에 있다. 양의 돌아옴이 미약할 때 부드러운 음이 존귀한 자리에 있고, 아래에 다시 도움이 없어 형통하고 길함을 이룰 수 없으니, 후회가 없을 수 있는 것일 뿐이다.

集說

● 項氏安世曰 : "臨以上六爲'敦臨', 艮以上九爲'敦艮', 皆取積

厚之極. 復於五卽言'敦復'者, 復之上爻迷而不復, 故復至五而
極也. 卦中復者五爻. 初最在先, 故爲不遠, 五最在後, 故爲敦."

항안세가 말했다. "임(臨▦)괘에서는 상육을 '돈독하게 임하는
것'20)으로 여겼고, 간(艮▦)괘에서는 상육을 '그침에 돈독함'21)으로
여겼으니, 모두 쌓아서 두터운 궁극을 취한 것이다. 그런데 복괘에
서는 오효에서 곧 '돌아옴을 돈독하게 한다'고 한 것은 복괘의 상효
는 혼미해서 되돌아오지 못하기 때문에 되돌아옴이 오효에서 다하
였다. 괘에서 되돌아오는 것은 다섯 효이다. 초효는 맨 앞에 있기
때문에 멀리 가지 않고, 오효는 맨 뒤에 있기 때문에 돈독하다."

● 蔡氏淵曰 : "'敦', '厚'也, 坤象. 復主初陽. 五雖與初無係, 而
處位得中, 能自厚於復者也, 可以无悔."

채연이 말했다. "'돈독하게 하다'는 '두텁게 하다'는 것으로 곤괘의
상이다. 복괘는 초효의 양을 주로 한다. 그런데 오효가 초효와 관
계가 없을지라도 존귀한 자리에 있고 중도를 얻어 돌아오는 것을
스스로 두텁게 할 수 있으니 후회가 없을 수 있다."

● 李氏簡曰 : "初九陽剛, 君子之道也. 相應相比者, 復之易, 二
與四是也. 遠而非應者, 復之難, 六五所以稱敦復. 敦復者, 厚之
至也. 不與初應, 本當有悔, 以其能復, 是以无悔."

---

20) 『주역』「임괘(臨卦)」 : "上六, 敦臨, 吉, 無咎.[상육효는 돈독하게 임하니,
길하여 허물이 없다.]"라고 하였다.
21) 『주역』「간괘(艮卦)」 : "上九, 敦艮, 吉.[상구효는 그침에 돈독하니, 길하
다.]"라고 하였다.

이간이 말했다. "초구는 양의 굳셈이니 군자의 도이다. 서로 호응
하고 서로 가까이 함은 돌아오기가 쉬운 것이니, 이효와 사효가 여
기에 해당한다. 멀리 있고 호응하지 않음은 돌아오기가 어려운 것
이니, 육오가 돌아옴을 돈독하게 한 까닭이다. 돌아옴을 돈독히 함
이 지극히 두터운 것이다. 초효와 호응하지 않으면 본래 후회가 있
어야 하지만 그것이 돌아올 수 있으니, 이 때문에 후회가 없다."

● 胡氏炳文曰 : "不遠復者, 善心之萌, 敦復者, 善行之固. 故初
九无祗悔, 敦復則可无悔矣. 不遠復, 入德之事也, 敦復, 其成德
之事與."

호병문이 말했다. "돌아옴을 멀리하지 않음은 선한 마음이 싹 트는
것이고, 돌아옴을 돈독하게 함은 선한 행동이 확고한 것이다. 그러
므로 초구는 후회하게 되지 않으니, 돌아옴을 돈독하게 하면 후회
가 없을 수 있다. 멀리 가지 않는 것은 덕으로 들어가는 일이고,
돌아옴을 돈독하게 하는 것은 덕을 이루는 일이다."

上六, 迷復, 凶, 有災眚, 用行師, 終有大敗, 以其
國君凶, 至于十年, 不克征.

상육은 돌아옴에 혼미하여 흉하니, 재앙이 있어 군사를 동원하면
마침내 크게 패하고 그 임금에게 흉하여 십년이 될 때까지 가지
못할 것이다.

本義

以陰柔居復終, 終迷不復之象, 凶之道也. 故其占如此. '以'猶
'及'也.

부드러운 음이 복(復▤)괘의 끝에 있으므로 끝내 혼미하여 돌아오
지 못하는 상이니, 흉한 도이다. 그러므로 그 점이 이와 같다. '에게
는[以]'는 '~에 미친대[及]'는 말과 같다.

程傳

以陰柔居復之終, 終迷不復者也. 迷而不復, 其凶可知. '有災
眚', '災', 天災, 自外來, '眚', 己過, 由自作. 旣迷不復善, 在己
則動皆過失, 災禍亦自外而至, 蓋所招也. 迷道不復, 无施而
可. 用以行師, 則終有大敗, 以之爲國, 則君之凶也. 十年者,
數之終, 至於十年, 不克征, 謂終不能行. 旣迷於道, 何時而
可行也.

부드러운 음이 복(復☷☳)괘의 끝에 있으므로 끝내 혼미하여 돌아오
지 못하는 것이다. 혼미하면서 돌아오지 못하니 그 흉함을 알만하
다. '재앙이 있다[有災眚]'에서 '재(災)'는 천재(天災)로 밖에서 오는
것이고, '앙[眚]'은 자신의 잘못으로 스스로 만든 것이다.

이미 혼미하여 선으로 돌아오지 못하고, 자신에게는 움직이는 일이
모두 과실이니, 재화가 또한 밖에서 오더라도 불러들인 것이다. 도
(道)에 혼미하여 돌아오지 못하니, 시행해서 할 수 있는 것이 없다.
그것으로 군대를 동원하면 마침내 크게 패하고, 나라를 다스리면
임금이 흉하다.

십년은 수(數)의 끝이니, 십년이 될 때까지 가지 못하는 것은 끝내
행할 수 없음을 말한다. 이미 도에 혼미하니, 어느 때에 행할 수 있
겠는가?

集說

● 徐氏幾曰："上六位高，而無下仁之美，剛遠而無遷善之機，
厚極而有難開之蔽. 柔終而無改過之勇，是昏迷而不知復者也."

서기22)가 말했다. "상육은 지위가 높아 어짊을 베푸는 아름다움이
없고, 굳셈이 멀리 있어 선으로 옮겨갈 기틀이 없으며, 두터움이 다

---

22) 서기(徐幾) : 자는 자여(子與)이고, 호는 진재(進齋)이다. 송대 숭안(崇
安 : 현 복건성 무이산시〈武夷山市〉) 사람이다. 송 리종(理宗) 경정(景
定) 5년(1264)에 적공랑(迪功郎)에 천거되고, 건녕부교수(建寧府教授)
겸 건안서원산장(建安書院山長) 겸 숭정전설서(崇政殿說書)를 제수받
았다. 박학다재(博學多才)하였고 특히 역학에 정통하여 『역집(易輯)』,
『역의(易義)』 등을 저술하였다.

해 열기 어려운 폐단이 있고, 부드러움이 끝에 있어 허물을 고치려는 용기가 없으니, 혼미하면서도 돌아올 줄 모르는 것이다."

● 楊氏啓新曰 : "心爲天君, 以其國君言, 喪失其本心也."

양계신이 말했다. "마음은 하늘의 임금이니, 임금으로 말했다면 그 본심을 잃었다는 뜻이다."

● 何氏楷曰 : "坤本先迷, 今居其極, 則迷之甚矣. 言'迷復', 卽昏迷, 而不知所復之謂, '行師'以下, 皆假象以喩一心, 不能馭衆動, 徇物必至喪天君也."

하해가 말했다. "곤괘는 본래 먼저 하면 혼미한 것인데, 이제 그 끝에 있으니 아주 혼미하다. '돌아옴에 혼미하다'고 말은 곧 혼미한데도 돌아올 줄 모르는 것을 뜻한다. '군대를 동원한다'는 것 이하는 모두 상을 빌려 하나인 마음이 사람들의 움직임을 제어할 수 없음을 비유하였으니, 사물을 따르면 반드시 천군[마음]을 잃기 때문이다."

總論

● 胡氏炳文曰 : "'迷復'與'不遠復'相反. 初不遠而復. 迷則遠而不復. '敦復'與'頻復'相反, 敦無轉易. 頻則屢易. '獨復'與'休復'相似, 休則比初, 獨則應初也. '十年不克征', 亦'七日來復'之反."

호병문이 말했다. "'돌아옴에 혼미하다'와 '멀리 가지 않고 돌아온다'는 말은 상반된다. 처음에는 멀리 가지 않고 돌아왔는데, 혼미해지면 멀리 가서도 돌아올 줄 모른다. '돌아옴을 돈독하게 한다'와 '자주 돌아온다'는 말은 상반된다. 돈독하면 다른 데로 굴러가서 바뀜이 없고, 자주 하다보면 자주 바뀐다. '혼자서 돌아온다'와 '아름다운 돌아옴'은 서로 비슷한데, 아름다운 것은 초효를 가깝게 하고 혼자 하는 것은 초효와 호응한다. '십년이 될 때까지 가지 못한다'는 말은 또한 '칠 일만에 와서 회복한다'는 말의 반대이다."

25. 무망无妄괘

䷘ 乾上
震下

程傳

无妄,「序卦」, "復則不妄矣, 故受之以无妄." '復'者, 反於道
也. 旣復於'道', 則合正理而无妄, 故復之後, 受之以无妄也.
爲卦, 乾上震下. 震, 動也, 動以天爲无妄, 動以人欲則妄矣,
无妄之義, 大矣哉.

무망괘(无妄卦)에 대해 「서괘전(序卦傳)」에서 "돌아오면 함부로 하
지 않으므로 무망괘로 받았다"라고 하였다. '복(復)'은 도(道)로 돌
아오는 것이다. '도'로 돌아오고 나면 바른 이치에 합하여 함부로 함
이 없기 때문에 복(復䷗)괘의 뒤에 무망(无妄䷘)괘로 받았다.
괘의 모양은 건(乾☰)괘가 위에 있고 진(震☳)괘가 아래에 있다. 진
괘는 움직임이다. 움직임을 천도(天道)로 하면 함부로 함이 없고,
움직임을 인욕(人欲)으로 하면 함부로 하니, 무망의 뜻이 크다!

无妄, 元亨利貞, 其匪正有眚, 不利有攸往.

무망은 크게 형통하고 곧게 함이 이로우니, 바르지 않으면 허물이
있어 가는 것이 이롭지 않다.

'无妄', 實理自然之謂. 『史記』作'无望', 謂'无所期望而有得焉'
者, 其義亦通. 爲卦自訟而變. 九自二來而居於初, 又爲震主,
動而不妄者也, 故爲无妄. 又二體震動而乾健, 九五剛中而應
六二, 故其占大亨而利於正. 若其不正, 則有眚而不利有所往也.

'무망(无妄)'은 진실로 이치가 저절로 그러함을 말한다. 『사기(史
記)』에는 '무망(无望)'으로 되어 있는데, '기대하고 바라는 것이 없
는데도 얻는다'는 말이니, 그 뜻이 또한 통한다.
괘는 송(訟☰)괘에서 변한 것이다. 구(九)가 이효에서 와서 초효에
있으면서 또 진(震☳)괘의 주인이 되니, 움직이면서도 함부로 하지
않기 때문에 무망이 되었다. 또 두 몸체에서 진괘는 움직이고 건괘
는 굳세니, 구오(九五)가 굳센 양으로 가운데 있으면서 육이(六二)
와 호응하기 때문에 그 점이 크게 형통하고 바르게 함이 이롭다. 바
르지 않다면 허물이 있어 가는 것이 이롭지 않다.

'无妄'者, 至誠也. 至誠者, 天之道也. 天之化育萬物, 生生不

窮, 各正其性命, 乃无妄也. 人能合无妄之道, 則所謂"與天地
合其德"也. 无妄, 有大亨之理, 君子行无妄之道, 則可以致大
亨矣. 无妄, 天之道也, 卦言人由无妄之道也. '利貞', 法无妄
之道, 利在貞正. 失貞正, 則妄也. 雖无邪心, 苟不合正理, 則
妄也, 乃邪心也, 故有匪正, 則爲過眚. 旣已无妄, 不宜有往,
往則妄也.

'무망(无妄)'은 지극히 성실함이다. 지극히 성실함은 하늘의 도이다.
하늘이 만물을 화육함에 끊임없이 낳고 낳아 각각 성명(性命)을 바
르게 하는 것이 무망이다. 사람이 함부로 함이 없는 도에 합할 수
있으면, 이른바 건괘의 "천지와 덕을 합한다"[1]는 뜻이다.
무망에는 크게 형통한 이치가 있으니, 군자가 무망의 도를 행하면
크게 형통함을 이룰 수 있다. 무망은 하늘의 도이니, 괘에서 사람이
무망의 도를 따름을 말하였다. '곧음이 이롭다'는 것은 무망의 도를
본받음에 이로움이 곧고 바름에 있다는 말이다. 곧고 바름을 잃으
면 함부로 하는 것이다. 간사한 마음이 없을지라도 바른 이치에 맞
지 않는다면 함부로 하는 것으로 바로 간사한 마음이기 때문에 바
르지 않으면 허물이 된다. 이미 함부로 함이 없다면 가서는 안 되
니, 가면 함부로 하는 것이다.

---

1) 『주역』「건괘(乾卦)」: "夫大人者, 與天地合其德, 與日月合其明, 與四
   時合其序, 與鬼神合其吉凶. 先天而天弗違, 後天而奉天時, 天且弗違,
   而況於人乎, 況於鬼神乎.[대인은 천지와 덕이 합하며, 해와 달과 밝음
   이 합하고, 사시(四時)와 질서가 합하며, 귀신과 길흉이 합한다. 하늘보
   다 먼저 해도 하늘과 어긋나지 않고 하늘보다 뒤에 해도 하늘의 때를
   받드니, 하늘이 또한 어기지 않는데 하물며 사람에게 있어서이겠으며,
   귀신에게 있어서이겠는가!]"라고 하였다.

● 『朱子語類』云 : "无妄一卦, 雖云禍福之來也無常, 然自家所
守者, 不可不利於正, 不可以彼之無常, 而吾之所守, 亦爲之無
常也. 故曰'无妄, 元亨利貞, 其匪正有眚.'"2)

『주자어류』에서 말하였다. "무망 한 괘에서는 화복이 오는 것에 일
정함이 없다고 했으나 자신이 지키는 것은 바름이 이롭지 않을 수
없으니, 저것이 일정함이 없다고 해서 내가 지키는 것도 일정함이
없어서는 안 된다. 그러므로 '무망은 크게 형통하고 곧게 함이 이로
우니, 바르지 않으면 허물이 있다'고 했다."

● 問 : "'雖無邪心, 苟不合正理則妄也'. 旣無邪, 何以不合正?"
曰 : "有人自是其心全無邪, 而却不合於正理. 如賢者過之, 其心
豈曾有邪, 却不合正理. 佛氏亦豈有邪心者."3)

물었다. "'간사한 마음이 없을지라도 바른 이치에 맞지 않으면 함부
로 하는 것'이라고 했습니다. 그런데 이미 간사한 마음이 없다면,
어째서 바름에 맞지 않는 것입니까?"
대답했다. "사람이 본래 그 마음에 전혀 간사함이 없는데도 바른
이치에 맞지 않는 것이 있습니다. 이를테면 지혜로운 자가 그것을
지나쳤다고 그 마음에 어찌 간사함이 있어 바른 이치에 맞지 않는
것이겠습니까? 부처가 또한 어찌 간사한 마음이 있었겠습니까?"

---

2) 『주자어류』 권71, 85조목.
3) 『주자어류』 권71, 82조목.

● 丘氏富國曰 : "惟其无妄, 所以無望也. 若其處心, 未免於妄,
則無道以致福, 而妄欲徼福, 非所謂無望之福, 有過以召災, 而
妄欲免災, 非所謂無望之災. 此皆未免容心於禍福間, 非所謂无
妄也. 若眞實无妄之人, 則純乎正理, 禍福一付之天, 而無苟得
倖免之心也."

구부국이 말했다. "오직 함부로 함이 없기 때문에 바라는 것이 없
다. 마음 씀씀이가 아직 함부로 함을 벗어나지 못했다면, 도리가
없는 것으로 복을 원하면서 함부로 복을 이루려고 하니 이른바 원
하지 않는 복이 아니고, 잘못이 있는 것으로 재앙을 불러놓고 함부
로 재앙을 면하려고 하니 이른바 원하지 않는 재앙이 아니다. 이런
것들은 모두 화와 복에 마음을 두고 있는 데서 아직 벗어난 것이
아니니 이른바 무망이 아니다. 진실로 함부로 함이 없는 사람이라
면, 바른 이치에 순수하고 화와 복을 하나로 하늘에 맡겨놓으므로
구차하게 얻고 요행으로 벗어나려는 마음이 없다."

● 胡氏炳文曰 : "朱子解中庸誠字, 以爲眞實无妄之謂, 此解无
妄, 則以爲實理自然之謂. 自然二字, 已兼無所期望之意矣."

호병문이 말했다. "주자가 『중용』의 성(誠)자를 해석한 것은 진실
하여 함부로 함이 없음을 말하는 것이고4), 여기에서 무망을 해석한

----

4) 『중용장구』 20장 주자주 : "誠者, 眞實無妄之謂, 天理之本然也. 誠之
者, 未能眞實無妄, 而欲其眞實無妄之謂, 人事之當然也.[성(誠)은 진실
하고 함부로 함이 없는 것을 말하니 하늘의 이치에서 본래 그런 것이고,
성실하려고 하는 것은 진실하고 함부로 함이 없을 수 없어 진실하고 함
부로 함이 없으려고 함을 말하니 사람의 일에서 당연한 것이다.]"라고
하였다.

것은 진실한 이치가 저절로 그런 것을 말하는 것으로 여겼다. 저절
로 그런 것이라는 말에는 이미 기대하여 바라는 마음이 없는 것을
겸하고 있다."

● 胡氏居仁曰 : "无妄, 誠也, 誠, 天理之實也. 聖人只是循其實
理之自然, 無一豪私意造爲. 故出乎實理无妄之外, 則爲過眚,
循此實理, 无妄而行之, 則吉無不利. 不幸而災疾之來, 亦守此
无妄之實理, 而不足憂. 卦辭爻辭皆此意."

호거인이 말했다. "함부로 함이 없음은 성실함이고, 성실함은 하늘
의 이치에서 참다움이다. 성인은 단지 참다운 이치가 저절로 그러
함을 따르고 조금의 사욕으로도 조작함이 없다. 그러므로 참다운
이치의 함부로 함이 없는 바깥으로 벗어나면 허물이 되고, 참다운
이치를 따라 함부로 행함이 없다면 길하여 이롭지 않음이 없다. 불
행하게 재앙이 닥칠지라도 함부로 함이 없는 참다운 이치를 지키면
별로 걱정할 것이 없다. 괘사와 효사가 모두 이런 의미이다."

初九, 无妄, 往吉.

초구는 무망이니, 가는 것이 길하다.

以剛在內, 誠之主也. 如是而往其吉可知. 故其象占如此

굳셈이 안에 있어 성실함의 주인이다. 이와 같이 하여 가니, 길함을 알 수 있다. 그러므로 그 상과 점이 이와 같다.

九以陽剛爲主於內, '无妄'之象, 以剛實變柔而居內, 中誠不妄者也. 以'无妄'而往, 何所不吉. 卦辭言'不利有攸往', 謂旣无妄不可復有往也, 過則妄矣. 爻言'往吉', 謂以无妄之道而行則吉也.

구(九)는 굳센 양으로 안에서 주인이 되었으니 '함부로 함이 없는[无妄]' 상이고, 굳셈과 진실함으로 부드러움을 변화시켜 안에 있으니 마음이 성실하여 함부로 하지 않은 것이다. '함부로 함이 없음'으로 가면 어느 곳인들 길하지 않겠는가!

괘사에 '가는 것이 이롭지 않다'고 말한 것은 이미 함부로 함이 없었다면 다시 가서는 안 되고 지나치면 함부로 하기 때문이다. 효(爻)에 '가는 것이 길하다'고 말한 것은 함부로 함이 없는 도로 가면 길하다는 말이다.

● 蘭氏廷瑞曰 : “初則當行, 終則當止. 行止適當, 則无妄, 不妄則吉. 无妄之初, 當行者也, 故往則有吉. 无妄之終, 當止者也, 故行則有眚.”

난정서가 말했다. “처음에는 가야 하고, 끝에는 멈추어야 한다. 가고 멈추는 것이 합당하다면 함부로 함이 없고, 함부로 함이 없으면 길하다. 무망의 처음에는 가야 하기 때문에 가면 길하다. 무망의 끝에는 멈추어야 하기 때문에 가면 허물이 있다.”

● 胡氏炳文曰 : “象曰, ‘剛自外來而爲主於内’, 『本義』, 於此曰, ‘以剛在内, 誠之主也’, 主字最有力. 蓋‘妄’者, ‘誠’之反也. 誠之主如此, 妄自然无矣. 如此而往, 其吉固宜.”

호병문이 말했다. “「단전」에서 ‘굳셈이 밖으로부터 와서 안에서 주인이 되었다’⁵⁾고 하였다. 『주역본의』에서는 이것에 대해 ‘굳셈이 안에 있어 성실함의 주인이다’라고 하였으니, 주인이라는 말에 가장 힘이 있다. ‘함부로 한다’는 것은 ‘성실하다’의 반대이다. 성실함을 주인으로 하여 이와 같이 하면 함부로 함은 저절로 없어진다. 이와 같이 하면서 가니, 그 길함은 진실로 당연하다.”

● 何氏楷曰 : “此爻足蔽无妄全卦. 震陽初動, 誠一未分, 是之

---

5) 『주역』「무망괘(无妄卦)」 : “象曰, 无妄, 剛自外來而爲主於内.[「단전」에서 말하였다. ‘무망은 굳센 양이 밖으로부터 와서 안에서 주인이 되었다.’]”라고 하였다.

謂'无妄'. 以此而往, 動與天合, 何不吉之有."

하해가 말했다. "이 효로 무망 전체 괘를 요약할 수 있다. 진괘의 양은 처음으로 움직여 성실하고 전일함이 아직 나눠지지 않았으니, 이것을 '무망'이라고 한다. 이와 같이 해서 간다면 움직임이 하늘과 합하니 어떻게 길하지 않음이 있겠는가?"

六二, 不耕穫, 不菑畬, 則利有攸往.

밭을 갈거나 수확하지 않으며, 일 년 된 밭과 삼 년 된 밭을 만들지
않으니, 가는 것이 이롭다.

本義

柔順中正, 因時順理, 而无私意期望之心. 故有不耕穫不菑畬
之象, 言其无所爲於前, 无所冀於後也. 占者如是, 則利有所
往也.

유순하고 중정하여 때에 따르고 이치에 순응해서 사사로운 마음으
로 기대하고 바라는 마음이 없다. 그러므로 밭을 갈거나 수확하지
않으며 일 년 된 밭과 삼 년 된 밭을 만들지 않는 상이 있으니, 앞
에서 하는 일이 없고 뒤에서 기대하는 일이 없음을 말하였다. 점치
는 자가 이와 같이 하면, 가는 것이 이롭다.

程傳

凡理之所然者, 非妄也, 人所欲爲者, 乃妄也. 故以'耕穫"菑
畬'譬之. 六二居中得正, 又應五之中正, 居動體而柔順, 爲動
能順乎中正, 乃无妄者也. 故極言无妄之義. 耕, 農之始, 穫,
其成終也.

이치상 그러한 것은 함부로 하는 것이 아니고, 사람이 어떻게 하고

자 하는 것이 함부로 하는 것이다. 그러므로 '가는 것과 수확하는 것', '일 년 된 밭과 삼 년 된 밭'으로 비유하였다.

육이는 가운데 있으면서 바름을 얻었고, 또 알맞고 바른 오효와 호응하며, 움직이는 몸체에 있어 유순하고, 움직여서 알맞고 바름을 따를 수 있으니, 바로 함부로 함이 없는 것이다. 그러므로 무망의 뜻을 지극히 말하였다. 논밭을 가는 일은 농사의 시작이고, 수확하는 일은 끝을 이루는 것이다.

田一歲曰'菑', 三歲曰'畬'. "不耕而穫, 不菑而畬", 謂不首造其事, 因其事理所當然也. 首造其事, 則是人心所作爲, 乃妄也. 因事之當然, 則是順理應物, 非妄也, 穫與畬, 是也.

밭이 개간된 지 일 년 된 것을 '일 년 된 밭[菑]'이라고 하고, 삼 년 된 것을 '삼 년 된 밭[畬]'이라고 한다. "밭을 갈지 않고도 수확하고 일 년 된 밭을 만들지 않고도 삼 년 된 밭을 만든다"는 것은 앞장서서 일을 만들지 않고 사리의 당연한 바를 따른다는 말이다.

앞장서서 일을 만든다면, 사람의 마음으로 작위한 부분이기 때문에 함부로 하는 것이다. 일의 당연한 바를 따른다면, 이치에 따라 사물에 순응하기 때문에 함부로 하는 것이 아니니, 수확과 밭이 여기에 해당한다.

蓋耕則必有穫, 菑則必有畬, 是事理之固然, 非心意之所造作也. 如是則爲无妄, 不妄則所往利而无害也.

밭을 갈면 반드시 수확이 있고, 일 년 된 밭을 만들면 반드시 삼 년 된 밭이 있음 일의 이치가 본래 그러한 것이지 마음과 뜻으로 조작한 것은 아니다. 이와 같이 하면 함부로 함이 없다. 함부로 하지 않으면 가는 것이 이롭고 해로움이 없다.

或曰: "聖人制作, 以利天下者, 皆造端也, 豈非妄乎."

어떤 이가 말하였다. "성인이 제작하여 천하를 이롭게 하는 것은 모두 단서를 만드는 것이니, 어찌 함부로 한 것이 아니겠습니까?"

曰: "聖人隨時制作, 合乎風氣之宜, 未嘗先時而開之也. 若不待時, 則一聖人足以盡爲矣, 豈待累聖繼作也. 時乃事之端, 聖人隨時而爲也."

답하였다. "성인은 때에 따라 제작하여 풍속의 마땅함에 합하게 하였고, 일찍이 때에 앞서 열어 놓은 적은 없었습니다. 때를 기다리지 않았다면, 한 분의 성인이 모두 만들었을 것이니, 어찌 여러 성인이 뒤이어 나오기를 기다렸겠습니까? 때는 바로 일의 단서이니, 성인은 때에 따라 하는 분입니다."

集說

● 『朱子語類』問: "『程傳』爻辭恐未明白. 竊謂無不耕而穫, 不菑而畬之理, 只是不於耕而計穫之利. 如程子所解象傳, 移之以解爻辭, 則可曰易傳爻象之辭, 雖若相反, 而意實相近, 特辭有未足耳. 爻辭言當循理, 象傳言不計利."

『주자어류』에서 물었다. "『정전』의 효사가 명백하지 않은 것 같습니다. 곰곰이 생각건대, 밭을 갈지 않고도 수확하고 일 년 된 밭을 만들지 않고도 삼 년 된 밭을 만든다는 이치는 밭을 갈지 않고도 계획하여 수확하는 이로움일 뿐입니다. 정자가 「상전」을 해석한 것을 효사로 옮겨 해석하면, 상반된 것 같을지라도 의미가 실로 가깝게 되는데, 설명을 충분하게 하지 않았을 뿐입니다. 「효사」에서는 순리를 따라야 함을 말했고, 「상전」에서는 계산하여 이롭게 하지 않음을 말했습니다."

● 陳氏埴曰 : "伊川大意, 只謂不爲穫而耕, 不爲畬而菑. 凡有所爲而爲者, 皆計利之私心卽妄也. 但經文中不如此下語, 故『易傳』中頗費言語, 始謂不耕而穫, 不菑而畬. 謂不首造其事, 則似以耕菑爲私意. 中謂耕則必有穫, 菑則必有畬, 非心造意作, 則以耕穫菑畬, 爲非私意. 終謂旣耕則必有穫, 旣菑則必成畬, 非必以穫畬之富而爲, 則又似以穫畬爲私意. 三説不免自相抵捂, 所以『本義』但據經文, 直説謂無耕穫菑畬之私心."

진식이 말했다. "이천 선생의 요지는 수확 때문에 밭을 가는 것이 아니고, 삼 년 된 밭 때문에 일 년 된 밭을 만들지 않는다는 말일 뿐이다. 뭔가를 하려고 하는 것은 모두 이익을 따지는 사사로운 마음으로 나아가 함부로 하는 것이다. 다만 경문에 이와 같이 말하지 않은 것이 있기 때문에 『역전』에서는 말을 아꼈다. 그런데 처음에는 밭을 갈지 않고도 수확하고 일 년 된 밭을 만들지 않고도 삼 년 된 밭을 만든다는 것은 앞장서서 일을 만들지 않음을 말한 것이라고 설명하였으니, 밭을 갈고 삼 년 된 밭을 만드는 것을 사심으로 여긴 것 같다. 중간에는 밭을 갈면 반드시 수확이 있을 것이고, 일 년 된 밭을 만들면 반드시 삼 년 된 밭이 있다는 것은 마음으로 조작한 것이 아니라고 설명하였으니, 밭을 갈아 수확하고 일 년 된

밭을 만들어 삼 년 된 밭을 만드는 것은 사심이 아닌 것이다. 끝에
는 이미 밭을 갈았다면 반드시 수확이 있고, 이미 일 년 된 밭을
만들었다면 반드시 삼 년 된 밭이 있는 것은 반드시 삼 년 된 밭의
풍요로움을 얻으려고 한 것이 아니라고 설명했으니, 또 삼 년 된
밭을 얻는 것을 사심으로 여긴 듯하다. 세 가지로 설명한 것이 서
로 어긋나기 때문에 『주역본의』에서는 단지 경문에 따라 밭 갈아
수확하고 일 년 된 밭을 만들어 삼 년 된 밭을 만드는 사심이 없는
것으로 곧바로 설명하였다."

● 胡氏炳文曰 : "耕穫者, 種而斂之也. 菑畬者, 墾而熟之也. 一
歲之農, 始於耕, 終於穫, 三歲之田, 始於菑, 終於畬. '不耕穫不
菑畬', 諸家以爲不耕而穫不菑而畬. 惟『本義』以爲始終無所作
爲之象, 而必曰'因時順理'者. 理本自然, 無所作爲, 自始至終,
絶無計功謀利之心, 故其占曰'利有攸往'."

호병문이 말했다. "밭을 갈고 수확하는 것은 씨를 뿌리고 거둬들이는
것이다. 일 년 밭을 만들어 삼 년 된 밭을 만드는 일은 개간해서
만드는 것이다. 일 년 농사는 밭가는 일에서 시작해서 수확하는 일에
서 끝나고, 삼 년 된 밭은 첫 해에 개간하는 일에서 시작해서 삼 년
동안 다듬는 것에서 끝난다. '밭을 갈거나 수확하지 않으며 일 년
된 밭과 삼 년 된 밭을 만들지 않는 것'에 대해 여러 학자들은 밭을
갈지 않고도 수확하고 일 년 된 밭을 만들지 않고도 삼 년 된 밭을
만드는 것으로 여겼다. 그런데 오직 『주역본의』에서만 처음에서나
끝에서나 작위하는 것이 없는 상으로 여기고, 굳이 '때에 따르고 이
치에 순응하는 것'이라고 하였다. 이치는 본래 저절로 그런 것이어서
작위하는 것이 없으니, 처음부터 끝까지 절대로 공을 따져 이익을
도모하는 일이 없기 때문에 그 점에서 '가는 것이 이롭다'고 했다."

● 林氏希元曰:"田必耕, 然後穫, 必菑, 然後畬. 其耕也, 正以望穫, 其菑也, 正以望畬, 豈有不耕穫不菑畬之理. 爲此語者, 特以明自始至終, 絶無營爲計較之心焉耳."

임희원이 말했다. "밭은 반드시 간 다음에 수확이 있고, 일 년 된 밭을 만든 다음에 삼 년 된 밭이 된다. 밭을 가는 일은 바로 수확을 바라는 것이고, 일 년 된 밭을 만드는 일은 바로 삼 년 된 밭을 원하는 것이니, 어찌 밭을 갈거나 수확하지 않으며 일 년 된 밭과 삼년 된 밭을 만들지 않을 이유가 있겠는가? 이런 말을 한 것은 처음부터 끝까지 절대로 뭔가 만들려고 하고 따지는 마음이 없어야 함을 밝히는 것일 뿐이다."

● 何氏楷曰:"人之有妄, 在於期望. 不耕穫者, 不方耕而卽望有其穫也, 不菑畬者, 不方菑而卽望成其畬也. 學者之除妄心, 而必有事焉, 當如此矣. 故曰'則利有攸往', 言必如此而後利也."

하해가 말했다. "사람들이 함부로 하는 것은 원하는 무엇이 있기 때문이다. 밭을 갈지 않고 수확하려는 것은 밭을 갈지 않고 있으면서 수확이 있기를 바라고, 일 년 된 밭을 만들지 않고 삼 년 된 밭을 만들려고 하는 것은 일 년 된 밭을 만들지 않고 있으면서 삼 년 된 밭을 만들려고 바란다. 배우는 자들은 함부로 하는 마음을 없애 반드시 일삼음이 있음을 이와 같이 해야 할 것이다. 그러므로 '가는 것이 이롭다'고 하였으니, 반드시 이와 같이 한 다음에 이롭다는 말이다."

案

● 何氏説, 與『傳』『義』頗異. 質諸夫子'先事後得''先難後獲'之訓,

則於理尤長. 且「象傳」以'未富'釋之, 正謂其無望穫之心, 未必以
耕爲可廢也.

하씨의 설명은 『정전』·『주역본의』와는 아주 다르다. 공자의 '해야
할 일을 먼저 하고 얻음을 뒤로 하고'[6] '어려움을 먼저 하고 얻는
것은 뒤로 하는 가르침'[7]에 질정해보면, 이치에서 더욱 뛰어나다.
또 「상전」의 '부유하게 되려는 것이 아니다'[8]로 해석하면, 바로 수
확하여 얻기를 바라는 마음이 없다는 설명이니, 반드시 밭가는 일
을 하지 않으려는 일은 아니다.

---

6) 『논어』「안연(顏淵)」: "樊遲從遊於舞雩之下曰, 敢問崇德脩慝辨惑. 子
曰, 善哉問. 先事後得, 非崇德與. 攻其惡, 無攻人之惡, 非脩慝與. 一
朝之忿, 忘其身, 以及其親, 非惑與.[번지(樊遲)가 공자를 따라 무우(舞
雩)의 아래에서 노닐다가 말하였다. '감히 덕을 높이고, 사특함을 없애
고, 미혹을 분별하는 방도는 무엇입니까?' 공자가 말하였다. '훌륭하구나,
너의 질문이. 해야 할 일을 먼저 하고 얻음을 뒤로 하는 것이 덕을 높이
는 길이 아니겠는가. 자기의 악을 다스리고 남의 악을 질책하지 않음이
사특함을 없애는 길이 아니겠는가. 일시의 분노로 자신을 잊고 싸우다가
부모에게 화(禍)가 미치게 하는 것이 미혹한 짓이 아니겠는가.]"라고 하
였다.
7) 『논어』「옹야(雍也)」: "仁者 先難而後獲 可謂仁矣.[인자는 어려움을 먼
저 하고 얻는 것은 뒤로 한다. 그렇게 하면 인이라고 말할 수 있을 것이
다.]"라고 하였다.
8) 『주역』「무망괘(无妄卦)」: "象曰, 不耕穫, 未富也.[「상전」에서 말하였
다. "밭을 갈거나 수확하지 않음"은 부유하게 되려는 것이 아니다.]"라고
하였다.

六三, 无妄之災, 或繫之牛, 行人之得, 邑人之災.

육삼은 무망의 재앙이니, 간혹 매어 놓은 소를 길 가는 사람이
얻음에 읍 사람이 당하는 재앙이다.

本義

卦之六爻, 皆'无妄'者也. 六三處不得正, 故遇其占者, 无故而
有災. 如行人牽牛以去, 而居者反遭詰捕之擾也.

괘의 여섯 효가 모두 '함부로 함이 없는 것[无妄]'이다. 육삼은 바름
을 얻지 못한 곳에 있기 때문에 그 점을 만난 경우에는 까닭 없이
재앙이 있다. 이를테면 길 가는 사람이 소를 훔쳐 갔는데, 그곳에
있던 사람이 도리어 심문을 받고 체포를 당하는 봉변을 만난 것이다.

程傳

三以陰柔而不中正, 是爲妄者也. 又志應於上欲也, 亦妄也,
在无妄之道, 爲災害也. 人之妄動, 由有欲也. 妄動而得亦必
有失, 雖使得其所利, 其動而妄, 失已大矣. 況復凶悔隨之乎.
知者見妄之得, 則知其失必與稱也. 故聖人因六三有妄之象,
而發明其理云, "无妄之災, 或繫之牛, 行人之得, 邑人之災."
言如三之爲妄, 乃无妄之災害也. 設如有得, 其失隨至, 如或
繫之牛.

삼효는 부드러운 음으로 중정하지 못하니, 함부로 하는 것이다. 또 뜻이 상효와 호응하여 욕심을 부릴 경우에도 함부로 하는 것이니, 함부로 함이 없는 도에서는 재해이다.

사람이 함부로 움직이는 것은 욕심 때문이다. 함부로 움직여 얻으면 또한 반드시 잃게 되니, 이로움을 얻었을지라도 그 움직임이 함부로 한 것이라면 잃음이 이미 크다. 하물며 다시 흉함과 뉘우침이 뒤따름에는 말해 무엇 하겠는가!

지혜로운 자는 함부로 해서 얻음을 보면 그 잃음이 반드시 거기에 걸맞음을 안다. 그러므로 성인이 육삼에 함부로 하는 상이 있는 것으로 말미암아 그 이치를 밝혀 "육삼은 '함부로 함이 없는[无妄]' 재앙이니, 간혹 매어 놓은 소를 길 가는 사람이 얻음에 읍 사람이 당하는 재앙이다"라고 하였으니, 삼효가 함부로 하는 것과 같은 사례가 바로 무망의 재앙이라는 말이다. 얻는 것이 있더라도 그 잃음이 뒤따라 간혹 소를 매어 놓는 것과 같다.

'或', 謂'設或'也. 或繫得牛, 行人得之, 以爲有得, 邑人失牛, 乃是災也. 借使邑人繫得馬, 則行人失馬, 乃是災也. 言有得則有失, 不足以爲得也. 行人邑人, 但言有得則有失, 非以爲彼已也. 妄得之福, 災亦隨之, 妄得之得, 失亦稱之, 固不足以爲得也. 人能知此, 則不爲妄動矣.

'혹(或)'은 '설혹(設或)'이라는 말이다. 설혹 매어 놓은 것에서 소를 얻었다 하더라도 길 가는 사람이 얻은 것을 얻었다고 여기는 것은 읍 사람에게는 소를 잃은 것으로 바로 재앙이다. 가령 읍 사람이 매어 놓은 것에서 말을 얻었다면 길 가는 사람에게는 말을 잃은 것으로 바로 재앙이다. 이는 얻음이 있으면 잃음이 있어서 얻은 것이 되기에 부족하다는 말이다. 길 가는 사람과 읍 사람은 얻음이 있으면 잃음이 있다고 말한 것일 뿐으로 저들과 자신이라고 말한 것은 아니다. 함부로 해서 얻은 복에는 재앙이 또한 뒤따르고, 함부로 해서 얻은 얻음에는 잃음이 또한 거기에 걸맞으니, 진실로 얻었다고 여기기에 부족하다. 사람이 이를 알 수 있다면, 함부로 행동하지 않을 것이다.

集說

● 關氏朗曰 : "无妄而災者, 災也. 有妄而災, 則其所也, 非災之也. 運數適然, 非己妄致, 乃无妄之災."

관랑9)이 말했다. "함부로 함이 없는데도 재앙을 당한 것이 재앙이다. 함부로 해서 재앙을 당하였다면 그것은 재앙을 당한 것이 아니다. 운수가 그렇게 되어 자신이 불러들인 것이 아닌데도 함부로 함이 없이 당하는 재앙이다."

● 『朱子語類』云 : "此卦六爻, 皆是'无妄'. 但六三地頭不正, 故有无妄之災, 言無故而有災也. 如行人牽牛以去, 而居人反遭捕詰之擾, 此正无妄之災之象."10)

『주자어류』에서 말했다. "무망괘의 여섯 효는 모두 '함부로 함이 없

---

9) 관랑(關郎) : 남북조시대 북위의 유학자로 하동 해주 사람이며, 자는 자명(子明)이다. 499년 진양왕 때에 공부서기가 되었고, 효문제 때도 벼슬했다. 『주역』에 정통했으며 양웅의 사상을 숭배했다. 저서로는 『동극진경(洞極眞經)』, 『관씨역전(關氏易傳)』 등이 있다.
10) 『주자어류』 권71, 88조목.

는 것[无妄]'이다. 그런데 다만 육삼은 그 자리가 바르지 않기 때문에 함부로 함이 없이 당하는 재앙이 있으니, 까닭 없이 재앙을 당한다는 말이다. 이를테면 길 가는 사람이 소를 훔쳐 갔는데, 그곳에 있던 사람이 도리어 심문을 받고 체포를 당하는 봉변을 만난 것과 같으니, 이것이 바로 함부로 함이 없는데도 당하는 재앙의 상이다."

● 胡氏炳文曰 : "匪正有眚, 人自爲之也. 无妄之災, 天實爲之也. 六爻皆无妄, 三之時, 則无妄而有災者也. 「雜卦」曰, '无妄災也', 其此之謂與."

호병문이 말했다. "바르게 하지 않아 허물이 있음은 사람들이 스스로 저지른 것이다. 함부로 함이 없음에도 당하는 재앙은 하늘이 진실로 그렇게 만든 것이다. 여섯 효에는 모두 함부로 함이 없다. 그런데 삼효의 때에는 함부로 함이 없는데도 재앙을 당하는 것이니, 「잡괘전」에서 '무망은 재앙이다'[11]라고 했는데, 이것을 말한 것이다."

---

11) 『주역』「잡괘전(雜卦傳)」 : "大畜, 時也, 无妄, 災也.[대축(大畜䷙)은 때이고, 무망(无妄䷘)은 재앙이다.]"라고 하였다.

九四, 可貞, 无咎.

구사는 곧게 할 수 있어 허물이 없다.

本義

陽剛乾體, 下无應與, 可固守而无咎, 不可以有爲之占也.

군센 양으로 건괘의 몸체이고 아래에 호응하여 함께 하는 자가 없
으니, 굳게 지키면 허물이 없을 수 있고, 무엇인가 해서는 안 된다
는 점괘이다.

程傳

四剛陽而居乾體, 復无應與, 无妄者也. 剛而无私, 豈有妄乎.
可貞固守此, 自无咎也.

사효는 굳센 양으로 건괘의 몸체에 있고 다시 호응하여 함께 함이
없으니, 함부로 함이 없는 것이다. 굳세고 사사로움이 없는데, 어찌
함부로 함이 있겠는가? 곧고 굳게 이것을 지킬 수 있으니 저절로
허물이 없다.

九居陰, 得爲正乎. 曰 : 以陽居乾體, 若復處剛, 則爲過矣, 過
則妄也. 居四, 无尙剛之志也. '可貞'與'利貞'不同, '可貞', 謂
其所處可貞固守之, '利貞', 謂利於貞也.

구(九)가 음의 자리에 있는데 바름을 행할 수 있는가? 말하자면, 양으로 건괘의 몸체에 있으니, 다시 굳센 자리에 있게 되면 지나침이고, 지나치면 함부로 함이다. 사효에 있다면 굳셈을 숭상하는 뜻이 없다. '곧게 할 수 있다[可貞]'와 '곧음에 이롭다[利貞]'는 말은 같지 않으니, '곧게 할 수 있다'는 말은 그 처신을 곧고 굳게 지킬 수 있음을 뜻하고, '곧음에 이롭다'는 말은 곧게 하는 것이 이롭다는 뜻이다.

● 胡氏炳文曰 : "'貞', 正而固也, 曰'利貞', 則訓'正'字, 而兼'固'字之義. 曰'不可貞', 則專訓固字, 而無正字之義. 九四陽剛健體, 下無應與, 可貞正守之, 而其占不可有爲也."

호병문이 말했다. "'곧음'은 바르고 견고하다는 것이니, '곧음에 이롭다'고 한다면 '바르다'로 풀이하면서 '견고하다'는 의미를 겸한 것이고, '곧아서는 안 된다'고 한다면, '견고하다'로만 풀이해서 바르게 한다는 의미가 없다. 구사는 양의 굳셈으로 굳건한 몸체이고 아래로 호응하여 함께 할 것이 없어 곧게 지킬 수 있으니, 그 점은 무엇인가 해서는 안 된다는 것이다."

● 何氏楷曰 : "四剛陽而居乾體, 本自无妄者也, 可貞固守此則无咎. 初九之无妄, 往吉, 行乎其所當行者也, 九四之可貞, 无咎, 止乎其所當止者也."

하해가 말했다. "사효는 양의 굳셈이고 건괘의 몸체여서 본래 저절로 함부로 함이 없는 것이니, 이것을 바르고 굳게 지킬 수 있으면 허물이 없다. 초구의 무망은 가는 것이 길하니, 가야 할 곳으로 가는 것이고, 구사의 곧게 할 수 있어 허물이 없음은 멈춰야 할 곳에 멈추는 것이다."

九五, 无妄之疾, 勿藥, 有喜.

구오는 무망의 병증이니, 약을 쓰지 말아야 기쁜 일이 있을 것이다.

本義

乾剛中正, 以居尊位, 而下應亦中正, 无妄之至也. 如是而有
疾, 勿藥而自愈矣, 故其象占如此.

굳센 건(乾☰)괘의 알맞고 바름으로 높은 자리에 있고 아래의 호응
도 또한 중정하니, 지극히 함부로 함이 없는 것이다. 이와 같은데
병증이 있으면 약을 쓰지 않아도 저절로 낫기 때문에 그 상과 점이
이와 같다.

程傳

九以中正當尊位, 下復以中正順應之, 可謂无妄之至者也, 其
道无以加矣. '疾', 爲之病者也. 以九五之无妄, 如其有疾, 勿
以藥治, 則有喜也. 人之有疾, 則以藥石攻去其邪, 以養其正.
若氣體平和, 本无疾病, 而攻治之, 則反害其正矣. 故勿藥則
有喜也. '有喜', 謂疾自亡也.

구(九)가 알맞고 바름으로 높은 자리에 있고 아래에서 다시 육이가
알맞고 바름으로 순응하고 있어 지극히 함부로 함이 없는 것이라
할 만하니, 그 도에 보탤 것이 없다.

'병증'은 그렇게 하기 때문에 병이 되는 것이다. 구오의 무망으로 병증이 있으니, 약으로 치료하지 않으면 기쁜 일이 있을 것이다. 사람에게 병증이 있으면 약이나 침으로 나쁜 기운을 다스려 바른 기운을 길러야 한다. 기운과 몸이 화평하여 본래 질병이 없는데 약이나 침으로 다스린다면 도리어 바른 기운을 해치게 된다. 그러므로 약을 쓰지 않으면 기쁜 일이 있는 것이다. '기쁜 일이 있다'는 것은 질병이 저절로 없어짐을 이른다.

无妄之所謂'疾'者, 謂若治之而不治, 率之而不從, 化之而不革, 以妄而爲无妄之疾. 舜之有苗, 周公之管蔡, 孔子之叔孫武叔, 是也. 旣已无妄而有疾之者, 則當自如无妄之疾, 不足患也. 若遂自攻治, 乃是渝其无妄, 而遷於妄也. 五旣處无妄之極, 故唯戒在動. 動則妄矣.

무망괘에서 이른바 '병증'이라고 한 것은 다스리면 다스려지지 않고 이끌면 따르지 않으며 교화하면 고쳐지지 않는 사안으로 함부로 해서 무망의 병증을 만든 것을 말한다. 순임금에게는 유묘(有苗)[12]가, 주공에게는 관숙(管叔)·채숙(蔡叔)[13]이, 공자에게는 숙손무숙(叔孫武叔)[14]이 여기에 해당한다.

---

12) 유묘(有苗): 요·순·우 시대에 이르기까지 남방에서 활동한 고대민족의 하나로서 자주 반란을 일으켰다.

13) 관숙(管叔): 중국 주(周) 무왕(武王)의 동생으로, 기원전 1043년 무왕이 죽은 뒤 동생인 주공(周公) 단(旦)이 섭정이 되자 다른 형제들인 채숙(蔡叔), 곽숙(霍叔)과 함께 상(商)의 유민(遺民)을 이끌던 무경(武庚)과 합세하여 반란을 일으켰다.

14) 『논어』「자장(子張)」: "叔孫武叔毀仲尼, 子貢曰, '無以爲也. 仲尼不可

이미 함부로 함이 없는데도 병증이 있는 경우는 스스로 무망의 병처럼 여기고 근심할 필요가 없다. 마침내 스스로 다스린다면 바로 함부로 함이 없는 것을 변질시켜 함부로 하는 것으로 만들게 된다. 오효는 이미 무망의 끝에 있기 때문에 오직 움직이는 것을 경계했다. 움직이면 함부로 하는 것이다.

案

● '勿'者, 禁止之辭, 言无妄矣, 而偶有疾, 則亦順其自然而氣自復, 勿復用藥以生他候, 如人有无妄之災, 則亦順其自然而事自平, 勿復用智以生他咎也. 凡『易』中言'勿'者, 皆同義. 此爻之疾, 與六三之災同, 然此曰'有喜'者, 剛中正而居尊位, 德位固不同也.

'~하지 말라[勿]'는 금지하는 말이다. 함부로 함이 없는데도 뜻하지 않게 병증이 있게 되면, 또한 그런대로 놔두어 기운이 저절로 회복되게 해야지 다시 약을 사용해 다른 조짐을 만들지 말아야 하니, 사람에게 함부로 함이 없는데도 재앙이 있으면, 또한 그런대로 놔두어 일이 저절로 평안해지게 해야지 다시 머리를 짜내 다른 허물

毀也, 他人之賢者, 丘陵也, 猶可踰也, 仲尼日月也, 無得而踰焉. 人雖欲自絶, 其何傷於日月乎. 多見其不知量也.[숙손무숙이 중니를 헐뜯자, 자공이 '그러지 말라, 중니는 훼방할 수 없으니, 보통사람 가운데 어진 자는 언덕과 같아 그래도 넘을 수 있지만, 중니는 해와 달과 같아 넘을 수가 없다. 사람들이 비록 스스로 끊고자 해도 어찌 해와 달에 손상이 되겠는가! 다만 자기의 분수를 알지 못함을 드러낼 뿐이다.']"라고 하였다.

을 만들어서는 안 되는 것과 같다. 『역』에서 '~하지 말래[勿]'고 하는 경우는 모두 같은 의미이다. 여기 오효의 병증은 육삼의 재앙과 같은데, 여기에서는 '기쁜 일이 있을 것이다'라고 한 것은 굳셈이 중정하고 존귀한 자리에 있어 덕과 지위가 진실로 같지 않기 때문이다.

上九, 无妄行, 有眚, 无攸利

상구는 함부로 할 것이 없는데도 행해 허물이 있고 이로울 것이 없다.

上九非有妄也, 但以其窮極而不可行耳, 故其象占如此.

상구가 함부로 한 것이 아니라 다만 궁극에 있어 행해서는 안 되기 때문에 그 상과 점이 이와 같다.

上九居卦之終, 无妄之極者也. 極而復行, 過於理也, 過於理 則妄也. 故上九而行, 則有過眚而无所利矣.

상구는 괘의 끝에 자리하였으니, 무망이 지극한 자이다. 지극한데 다시 행하면 이치에 지나치고, 이치에 지나치면 함부로 하는 것이 다. 그러므로 상구인데도 행하면 허물이 있고 이로움이 없다.

● 龔氏煥曰: "无妄者, 實理自然之謂. 循是理則吉, 拂是理則 凶. 初往吉, 二利有攸往, 循是理而動者也. 四可貞无咎, 守是理

而不動者也. 三有災, 五有疾, 不幸而遇無故非意之事, 君子亦
聽之而已, 守是理而不爲動者也. 或動或靜, 惟理是循, 所以爲
无妄. 上九居无妄之極, 不可有行. 若不循理而動, 則反爲妄矣,
其有眚而不利也宜哉."

공환이 말했다. "함부로 함이 없는 것은 참된 이치가 저절로 그러
함을 말한다. 이 이치를 따르면 길하고 어기면 흉하다. 초구는 가
는 것이 길하고 이효는 가는 것이 이로우니, 이 이치를 따라 움직
이는 것이다. 사효는 곧게 할 수 있어 허물이 없으니, 이 이치를
따라 움직이지 않는 것이다. 삼효에 재앙이 있고 오효에 병증이 있
는 것은 불행하게 까닭도 없고 의도하지도 않은 일을 만난 것으로
군자가 또한 그것을 따를 뿐이니, 이 이치를 따라 움직이지 않는
것이다. 어떤 때는 움직이고 어떤 때는 가만히 있는 것은 이치를
따르는 것일 뿐이기 때문에 함부로 함이 없는 것이다. 상구는 무망
의 끝에 있어 행함이 있어서는 안 된다. 이치를 따르지 않고 움직
이면 도리어 함부로 하는 것이니, 허물이 있고 이롭지 않음은 당연
하다."

● 何氏楷曰 : "「彖」所謂'匪正有眚, 不利有攸往'者."

하해가 말했다. "「단전」에서 말한 '바르지 않으면 허물이 있어 가는
것이 이롭지 않다'는 뜻이다."

總論

● 胡氏炳文曰 : "六爻皆无妄也. 特初九得位, 而爲震動之主,
時之方來, 故'无妄往吉'. 上九失位, 而居乾體之極, 時已去矣,

故其行雖无妄, 有眚无攸利. 是故善學『易』者, 在識時. 初曰‘吉’,
二曰‘利’, 時也, 三曰‘災’, 五曰‘疾’, 上曰‘眚’, 非有妄以致之也, 亦
時也. 初與二, 皆可往, 時當動而動也. 四‘可貞’, 五‘勿藥’, 上‘行
有眚’, 時當靜而靜也."

호병문이 말했다. "여섯 효가 모두 함부로 함이 없는 것이다. 그런
데 특히 초효는 자리를 얻고 진괘의 움직이는 주인이라 때가 온 것
이기 때문에 ‘무망이니 가는 것이 길하다’는 뜻이다. 상구는 자리를
잃고 건괘의 끝에 있어 때가 이미 가버린 것이기 때문에 그 행함이
함부로 함이 없는데도 허물이 있고 이로운 것이 없다. 이 때문에
『역』을 잘 배우는 것은 때를 아는 데 있다. 초효에서 ‘길하다’고 하
고 이효에서 ‘이롭다’고 하는 것은 때에 맞춘 것이고, 삼효에서 ‘재
앙’이라고 하고 오효에서 병증이라고 하며 상효에서 허물이라고 한
것은 함부로 해서 그렇게 된 것이 아니니 또한 때에 맞춘 것이다.
초효와 이효는 모두 가도 되니, 때가 움직임에 합당해서 움직인 것
이다. 사효가 ‘곧게 할 수 있고’, 오효가 ‘약을 쓰지 말아야 하며’,
상구가 ‘행하니 허물이 있는 것’은 가만히 있어야 할 때이므로 가만
히 있어야 하는 것이다."

26. 대축大畜괘

艮上
乾下

程傳

大畜, 「序卦」, "有无妄然後可畜, 故受之以大畜." 无妄則爲
有實, 故可畜聚, 大畜所以次无妄也. 爲卦, 艮上乾下, 天而
在於山中, 所 畜至大之象. '畜'爲'畜止'又爲'畜聚', 止則聚矣.
取天在山中之象, 則爲蘊畜, 取艮之止乾, 則爲'畜止'. 止而後
有積, 故'止'爲'畜'義.

대축괘에 대해 「서괘전」에서 "무망이 있은 뒤에 쌓을 수 있으므로
대축괘로 받았다"라고 하였다. 무망이면 실질이 있기 때문에 쌓아
모을 수 있으니, 대축괘가 이 때문에 무망괘의 다음이 되었다.
괘의 모양은 간(艮☶)괘가 위에 있고 건(乾☰)괘가 아래에 있어 하
늘이 산 속에 있으니, 지극히 크게 쌓은 상이다. '축(畜)'은 '쌓아 멈
춤[畜止]'이 되기도 하고, 또한 '쌓아 모임[畜聚]'이 되기도 하니, 멈
추면 모이기 때문이다.
하늘이 산 가운데에 있는 상을 취하면 온축함이 되고, 간괘가 건괘
를 멈추게 함을 취하면 '쌓아 멈추게 함'이 된다. 멈추게 한 뒤에 쌓
임이 있기 때문에 '멈추게 함'이 '축(畜)'의 뜻이 된다.

大畜, 利貞, 不家食吉, 利涉大川.

대축은 곧음이 이로우니, 집에서 밥을 먹지 않아 길하고, 큰 내를
건너는 것이 이롭다.

本義

'大', '陽'也. 以艮畜乾, 又畜之大者也, 又以內乾剛健, 外艮篤
實輝光, 是以能日新其德, 而爲畜之大也. 以卦變言, 此卦自
需而來, 九自五而上, 以卦體言, 六五尊而尚之, 以卦德言,
又能止健, 皆非大正不能. 故其占爲'利貞而不家食吉'也. 又
六五下應於乾, 爲應乎天, 故其占又爲'利涉大川'也. '不家食',
謂食祿於朝, 不食於家也.

'대(大)'는 '양(陽)'이다. 간(艮☶)괘로 건(乾☰)괘를 멈추게 함은 또
한 멈추게 함이 크고, 또 안의 건괘는 강건하고 밖의 간괘는 독실하
고 빛나니, 이 때문에 날로 덕을 새롭게 하여 쌓임이 크다.

괘의 변화로 말하면 대축(大畜☶)괘는 수(需卦☰)괘에서 와서 구
(九)가 오효에서 위로 올라갔고, 괘의 몸체로 말하면 육오가 높으면
서 상구를 높여주며, 괘의 덕으로 말하면 또 강건함을 멈추게 하니,
모두 크게 바름이 아니면 할 수가 없다.

그러므로 그 점이 '곧음이 이롭고 집에서 밥을 먹지 않아 길한 것'이
다. 또 육오가 아래로 건괘에 호응하여 하늘에 호응하기 때문에 그
점이 또 '큰 내를 건너는 것이 이롭다'는 것이다. '집에서 밥을 먹지
않는다[不家食]'는 것은 조정에서 봉록을 먹어 집에서 밥을 먹지 않

음을 말한다.

莫大於天, 而在山中, 艮在上而止乾於下, 皆蘊畜至大之象
也. 在人爲學術道德充積於內, 乃所畜之大也. 凡所畜聚皆
是, 專言其大者. 人之蘊畜, 宜得正道, 故云'利貞'. 若夫異端
偏學, 所畜至多, 而不正者, 固有矣. 旣道德充積於內, 宜在
上位, 以享天祿, 施爲於天下, 則不獨於一身之吉, 天下之吉
也. 若窮處而自食於家, 道之否也, 故不家食則吉. 所畜旣大,
宜施之於時, 濟天下之艱險, 乃大畜之用也, 故利涉大川. 此
只據大畜之義而言, 「象」更以卦之才德而言, 諸爻則惟有止
畜之義. 蓋易體道隨宜, 取明且近者.

하늘보다 더 큰 것이 없는데 산 속에 있어 간(艮)괘가 위에서 건
(乾)괘를 아래로 멈추게 하니, 모두 온축함이 지극히 큰 상이다.
사람에게는 학술과 도덕이 내면에 쌓임이 되니, 바로 쌓인 바가 큰
것이다. 쌓아 모으는 것이 모두 해당되지만 오로지 그 큰 것을 말
하였다.

사람의 온축은 바른 도를 얻어야 하기 때문에 '곧음이 이롭다'고 하
였다. 이단과 편벽된 학문은 쌓은 것이 지극히 많더라도 바르지 못
한 것이 진실로 있다. 이미 도덕이 안에 쌓였으면 높은 지위에서 하
늘이 주는 봉록을 누리고 천하에 베풀어야 하니, 자신에게 길할 뿐
만이 아니라 천하 사람들에게 길하다. 곤궁하게 살아 스스로 집에
서 밥을 먹으면 도가 막힌 것이기 때문에 집에서 밥을 먹지 않으면
길한 것이다.

쌓인 바가 이미 크면 당시에 베풀어서 천하의 어려움과 험함을 구제해야 하는 것이 바로 대축의 쓰임이기 때문에 큰 내를 건너는 것이 이롭다. 여기서는 다만 대축의 뜻에 근거하여 말하였고, 「단전」에서는 다시 괘의 재질과 덕을 가지고 말하였는데, 여러 효에서는 오직 멈추게 하는 뜻만 있다. 역은 도를 체득하고 마땅함을 따라야 하니, 분명하고도 또한 가까운 것을 취한다.

集說

● 『朱子語類』云 : "某作『本義』, 欲將文王卦辭, 只大綱依文王本義略說, 至其所以然之故, 却於孔子象傳中發之. 且如'大畜利貞, 不家食吉, 利涉大川', 只是占得大畜者, 爲利貞, 不家食而吉, 利於涉大川. 至於'剛上尚賢'等處, 乃孔子發明, 各有所主, 爻象亦然. 如此, 則不失文王本意, 又可見孔子之意, 但今未暇整頓耳."[1]

『주자어류』에서 말했다. "내가 『주역본의』를 지은 이유는 문왕(文王)의 괘사(卦辭)로 단지 대략 문왕(文王)의 본래 의도에 따라 간략히 설명하는 것인데, 그것이 그렇게 되는 까닭은 공자의 단사(彖辭)에서 드러나 있다. 이를테면 '대축은 곧음이 이로우니, 집에서 밥을 먹지 않아 길하고, 큰 내를 건너는 것이 이롭다'는 말은 점을 쳐서 대축(大畜)을 얻은 경우에 곧음이 이로우니, 집에서 밥을 먹지 않아 길하고, 큰 내를 건너는 것에 이롭다는 뜻일 뿐이다. 그런데 '굳셈이 위에 있어 현명한 사람을 높인다'[2] 등의 구절은 바로 공자가

---

1) 『주자어류』 권71, 93조목.
2) 『주역』 「대축괘(大畜卦)」 : "彖曰, 大畜, 剛健篤實輝光, 日新其德, 剛上

발명하여 각각 주장하는 바가 있고, 효상(爻象)도 그렇다. 이와 같이 하면 문왕의 본래 의미를 손상하지 않고 또 공자의 의도를 알수 있는데, 지금은 정돈할 틈이 없을 뿐이다."

● 胡氏炳文曰: "'不家食', 是賢者不畜於家而畜於朝. '涉大川', 又似有畜極而通之意. 要之兩'利'字一'吉'字, 占辭自分爲三, 不必泥而一之也."

호병문 말했다. "'집에서 먹지 않는다'는 것은 현명한 사람은 집에서 모이지 않고 조정에서 모인다는 말이다. '큰 내를 건넌다'는 것에는 또 멈추게 함이 다해 통한다는 의미가 있는 것 같다. 요컨대, '이롭다'는 두 번의 말과 '길하다'는 한 번의 말은 점사가 저절로 구분되어 세 가지로 된 것이니, 굳이 그것에 구애되어 하나로 여길 필요는 없다."

而尚賢, 能止健, 大正也.[「단전」에서 말하였다 : '대축은 강건하고 독실하고 빛나서 날로 덕을 새롭게 하니, 굳센 양이 위에 있어 현명한 사람을 높이며 강건함을 저지할 수 있어 크게 바르다.]'라고 하였다.

初九, 有厲, 利已.

초구는 어려움이 있으니, 그만두는 것이 이롭다.

本義

乾之三陽, 爲艮所止, 故內外之卦, 各取其義. 初九爲六四所
止, 故其占, 往則有危, 而利於止也.

건(乾☰)괘의 세 양이 간(艮☶)괘에 의해 멈추게 되기 때문에 내외
의 괘가 각각 그 뜻을 취하였다. 초구가 육사에 의해 멈추게 되기
때문에 그 점은 가면 위태로움이 있어 그만두는 것이 이롭다.

程傳

大畜, 艮止畜乾也. 故乾三爻, 皆取被止爲義, 艮三爻, 皆取
止之爲義. 初以陽剛, 又健體而居下, 必上進者也. 六四在上,
畜止於已, 安能敵在上得位之勢. 若犯之而進, 則有危厲, 故
利在已而不進也. 在他卦, 則四與初, 爲正應相援者也, 在大
畜, 則相應乃爲相止畜. 上與三皆陽, 則爲合志. 蓋陽皆上進
之物, 故有同志之象, 而无相止之義.

대축은 간(艮☶)괘가 건(乾☰)괘를 멈추게 한다. 그러므로 건괘(乾
卦)의 세 효는 모두 멈춤을 당하는 것으로 의미를 삼았고, 간(艮)괘
의 세 효는 모두 멈추게 하는 것으로 의리를 삼았다.

초효는 굳센 양으로 또 건괘(乾卦)의 몸체이면서 아래에 있으니, 반드시 위로 나아갈 것이다. 그러나 육사가 위에 있으면서 자기를 멈추게 하니, 위에서 지위를 얻은 자의 형세를 어떻게 대적할 수 있겠는가? 범하면서 나아가면 위태로움이 있기 때문에 이로움이 그만두고 나아가지 않는 데에 있다.

다른 괘에서 사효와 초효는 바른 호응으로 서로 원조하지만 대축(大畜☰☰)괘에서는 서로 호응하는 것이 바로 서로 멈추게 한다. 상효와 삼효가 모두 양효인 것은 뜻이 합하는 것이다. 양은 모두 위로 나아가는 것이기 때문에 뜻을 같이 하는 상이 있고 서로 멈추게 하는 뜻이 없다.

● 蔡氏淸曰 : "初九不可進, 而未必能自不進, 故戒之云, '進則有厲', 惟利於已也. 若九二之處中, 能自止而不進者也, 則以其所能言之曰, '輿說輹'."

채청이 말했다. "초구는 나아가서는 안 되는데, 굳이 스스로 나아가지 않을 수 없기 때문에 경계해서 '나아가면 어려움이 있다'고 하였으니, 그만 두는 것이 이로울 뿐이다. 구이가 가운데 있는 것이라면 스스로 멈추어 나아가지 않을 수 있으니, 할 수 있는 것으로 말하여 '수레의 바퀴통이 빠졌다'라고 하였다."

九二, 輿說輹.

구이는 수레의 바퀴통이 빠졌다.

九二, 亦爲六五所畜, 以其處中, 故能自止而不進, 有此象也.

구이도 육오에게 저지를 당하지만 가운데 있기 때문에 스스로 멈추어 나아가지 않을 수 있으니 이러한 상이 있다.

二爲六五所畜止, 勢不可進也. 五據在上之勢, 豈可犯也. 二雖剛健之體, 然其處得中道, 故進止无失, 雖志於進, 度其勢之不可, 則止而不行, 如車輿脫去輪輹, 謂不行也.

이효를 육오가 멈추게 하여 형세상 위로 나아갈 수 없다. 오효가 위에 있는 형세를 점거하였으니, 어찌 범할 수 있겠는가? 이효가 강건한 몸체일지라도 처신에 알맞은 도를 얻었기 때문에 나아가고 멈춤에 잘못이 없고, 나아감에 뜻을 둘지라도 형세가 불가하다는 것을 헤아리면 멈추고 가지 않아 수레의 바퀴통이 빠진 것과 같으니, 가지 않는 것을 말한다.

九三, 良馬逐, 利艱貞, 日閑輿衛, 利有攸往.

구삼은 좋은 말이 달려가지만 어렵게 여기고 곧게 함이 이로우니, 날마다 수레 타기와 호위를 익히면, 가는 것이 이롭다.

本義

三以陽居健極, 上以陽居畜極, 極而通之時也. 又皆陽爻, 故 不相畜而俱進, 有良馬逐之象焉. 然過剛銳進, 故其占必戒以 艱貞閑習, 乃利於有往也. ‘曰’當爲‘日月’之‘日’.

삼효는 양으로 강건함의 끝에 있고 상효는 양으로 멈추게 함의 끝에 있으니 극에 달하여 통하는 때이다. 또 모두 양효이기 때문에 서로 멈추게 하지 않고 함께 나아가서 좋은 말이 달려가는 상이 있다. 그러나 지나치게 굳세고 빨리 나아가기 때문에 점에서 반드시 어렵게 여기고 곧은 도를 지키며 수레 타는 것과 호위함을 익혀야만 가는 것이 이롭다고 경계하였다. ‘왈(曰)’자는 ‘일월(日月)’의 ‘일(日)’자가 되어야 한다.

程傳

三剛健之極, 而上九之陽, 亦上進之物, 又處畜之極, 而思變 也, 與三乃不相畜, 而志同相應, 以進者也. 三以剛健之才, 而在上者與合志而進. 其進如良馬之馳逐, 言其速也. 雖其進

之勢速, 不可恃其才之健與上之應, 而忘備與愼也, 故宜艱難
其事, 而由貞正之道. '輿'者, 用行之物, '衛'者, 所以自防, 當
自日常閑習其車輿與其防衛, 則利有攸往矣. 三乾體而居正,
能貞者也, 當有銳進, 故戒以知難與不失其貞也. 志旣銳於
進, 雖剛明有時而失, 不得不誡也.

삼효는 강건함이 지극하고, 상구의 양효도 위로 나아가며, 또 대축
괘의 끝에 있어 변할 것을 생각하니, 삼효와 서로 멈추게 하지 않고
뜻이 같아 서로 호응하여 나아간다. 삼효가 강건한 재질인데 위에
있는 것이 함께 뜻을 합하여 나아간다. 그 나아감이 좋은 말이 달려
감과 같다는 것은 그것이 빠름을 말한다. 나아가는 형세가 빠를지
라도 재주의 강건함과 윗사람의 호응함을 믿고서 방비와 삼감을 잊
어서는 안 되기 때문에 그 일을 어렵게 여기고 곧고 바른 도를 따라
야 한다.
'수레'는 길을 갈 때 쓰는 물건이고, '호위[衛]'는 스스로 방위하는 일
이니, 스스로 날마다 항상 수레 타는 일과 방위하는 일을 익히면 가
는 것이 이롭다. 삼효는 건괘의 몸체이고 바른 자리에 있으니, 바르
게 할 수 있지만 빨리 나아가려고 하기 때문에 어렵게 여길 줄을
아는 것과 바른 도를 잃지 말라는 것으로 경계하였다. 뜻이 이미 빨
리 나아가 굳세고 밝을지라도 때로 실수할 수가 있으니, 경계하지
않을 수 없다.

集說

● 項氏安世曰:"初九在初, 故稱童牛, 九二以剛居柔無勢, 故
爲豶豕, 九三純乾, 故爲良馬."

항안세가 말했다. "초구는 처음에 있기 때문에 어린 소를 말하였고, 구이는 굳셈이 부드러운 자리에 있어 기세가 없기 때문에 거세한 멧돼지이며, 구삼은 순수한 건괘이기 때문에 좋은 말이다."

六四, 童牛之牿, 元吉.

육사는 어린 소의 뿔에 가로나무를 더하니, 크게 길하다.

本義

‘童’者, 未角之稱. ‘牿’, 施橫木於牛角, 以防其觸, 詩所謂‘福
衡’者也. 止之於未角之時, 爲力則易, 大善之吉也, 故其象占
如此. 「學記」曰, “禁於未發之謂‘豫’,” 正此意也.

‘어리다[童]’는 것은 뿔이 아직 나지 않은 것을 말한다. ‘가로나무
[牿]’는 소의 뿔에 나무를 가로로 설치하여 뿔로 뜸을 막는 것이니,
『시경』에서는 ‘뿔막이 가름대[福衡]’라고 말하였다.3)
아직 뿔이 나지 않았을 때 멈추게 하면 힘쓰는 것이 쉬우니, 크게
선하여 길하기 때문에 그 상과 점이 이와 같다. 「학기(學記)」에 “발
로되지 않았을 때 금하는 것을 ‘예방[豫]’이라 한다”4)고 하였으니,
바로 이러한 뜻이다.

....

3) 『시경』「비궁(閟宮)」: “秋而載嘗, 夏而福衡.[가을에 지내는 상(嘗) 제사
를 위해 여름부터 뿔막이 가름대를 댄다.]”라고 하였다.
4) 『예기(禮記)』「학기(學記)」: “大學之法, 禁於未發之謂豫, 當其可之謂
時, 不陵節而施之謂孫, 相觀而善之謂摩.[대학의 교육 방법에서는 아직
드러나지 않았을 때 방지하는 것을 예방이라 하고, 사리에 합당하게 하
는 것을 시기적절함이라 하며, 예의범절을 넘어서지 않고 시행하는 것을
공손함이라 하고, 서로 보고 좋게 되도록 하는 것을 연마함이라고 한
다.]”라고 하였다.

以位而言, 則四下應於初, 畜初者也. 初居最下, 陽之微者.
微而畜之, 則易制, 猶童牛而加牿, 大善而吉也. 槩論畜道,
則四艮體, 居上位而得正, 是以正德居大臣之位, 當畜之任者
也. 大臣之任, 上畜止人君之邪心, 下畜止天下之惡人.

자리로 말하면 사효가 아래로 초효와 호응하는 것은 초효를 멈추게
하는 일이다. 초효는 맨 밑에 있어 양 가운데 미약한 것이다. 미약
한데 멈추게 하면 제압하기 쉬워 어린 소에 가로나무를 더한 것과
같으니, 크게 선하고 길하다.

저지하는 도를 대체적으로 논하면, 사효는 간괘의 몸체로 높은 지
위에 있고 바름을 얻었으니, 바른 덕으로 대신의 지위에 있어 저
지하는 임무를 맡은 것이다. 대신의 임무는 위로는 임금의 잘못된
마음을 멈추게 하고 아래로는 천하의 악한 사람을 멈추게 하는 것
이다.

人之惡止於初則易, 旣盛而後禁, 則扞格而難勝. 故上之惡旣
甚, 則雖聖人救之, 不能免違拂, 下之惡旣甚, 則雖聖人治之,
不能免刑戮, 莫若止之於初. 如童牛而加牿, 則元吉也. 牛之
性, 觝觸以角, 故牿以制之. 若童犢始角, 而加之以牿, 使觝
觸之性不發, 則易而无傷. 以況六四能畜止上下之惡於未發
之前, 則大善之吉也.

사람의 악은 초기에 멈추게 하면 쉽고, 이미 성대해진 다음에 금하
면 덤벼들기 때문이 이기기 어렵다. 그러므로 윗사람의 악이 이미
심하면 성인이 바로잡을지라도 덤벼드는 것을 면하지 못하고, 아랫

사람의 악이 이미 심하면 성인이 다스릴지라도 형벌주는 것을 면하지 못하여 초기에 멈추게 하는 것만 못하니, 어린 소에 가로나무를 더함과 같이 하면 크게 선하고 길하다.

소의 성질은 뿔로 뜨기 때문에 가로나무를 더하여 제지한다. 어린 송아지가 처음 뿔이 났을 때 가로나무를 대서 뿔로 받는 성질이 나오지 않게 하듯이 하면 쉽고 상하게 함이 없다. 이로써 육사가 상하의 악이 발로되기 전에 멈추게 할 수 있음을 비유하였으니, 크게 선하여 길하다.

集說

● 『朱子語類』云 : "大畜下卦取其能自畜而不進, 上卦取其能畜彼而不使進. 然四能止之於初, 故爲力易. 五則陽已進而止之則難. 以柔居尊, 得其機會可制, 故亦吉. 但不能如四之元吉耳."5)

『주자어류』에서 말했다. "대축(大畜䷙)괘에서 아래의 괘는 스스로 멈추어서 나아가지 않음을 취했고, 위의 괘는 저것을 멈추게 해서 나아가지 못하게 하는 의미를 취했다. 그러나 사효(四爻)는 초효(初爻)를 멈추게 할 수 있기 때문에 힘쓰기가 쉽다. 오효(五爻)는 양(陽)이 이미 나아가서 멈추게 하기는 어렵다. 그런데 부드러움으로 존귀한 자리에 있으니, 그 기회를 얻어 제재할 수 있기 때문에 또한 길하다. 다만 육사의 크게 길한 것과 같을 수 없다.

---

5) 『주자어류』 권71, 93조목.

六五, 豶豕之牙, 吉.

육오는 멧돼지를 거세하여 이빨을 쓰지 못하게 하니, 길하다.

本義

陽已進而止之, 不若初之易矣. 然以柔居中而當尊位, 是以得
其機會而可制. 故其象如此, 占雖吉而不言元也.

양이 이미 나갔는데 멈추게 하니, 초구의 쉬움과 같지 않다. 그러나
부드러운 음으로 가운데 있고 높은 자리를 담당하였으니, 이 때문
에 기회를 얻어 제지할 수 있다. 그러므로 그 상이 이와 같고, 점이
길할지라도 크다고 말하지는 않았다.

程傳

六五居君位, 止畜天下之邪惡. 夫以億兆之衆, 發其邪欲之
心, 人君欲力以制之, 雖密法嚴刑, 不能勝也. 夫物有總攝,
事有機會, 聖人操得其要, 則視億兆之心猶一心, 道之斯行,
止之則戢. 故不勞而治, 其用若豶豕之牙也. '豕', 剛躁之物,
而牙爲猛利. 若强制其牙, 則用力勞, 而不能止其躁猛, 雖縶
之維之, 不能使之變也. 若豶去其勢, 則牙雖存而剛躁自止,
其用如此, 所以吉也.

육오가 임금의 지위에 있으면서 천하 사람들의 사악함을 저지한다.

수많은 사람들이 잘못된 욕심을 드러내는데, 임금이 힘으로 이것을 제지하고자 하면, 법을 치밀하게 하고 형벌을 엄격하게 하더라도 감당할 수가 없다.

물건에는 핵심적으로 잡는 데가 있고 일에는 기회가 있어 성인이 그 요령을 잡았으니, 수많은 사람들의 마음을 한 사람의 마음처럼 여겨 인도하면 따라오고 멈추면 그만둔다. 그러므로 수고로이 하지 않고도 다스려지고, 그 쓰임이 멧돼지를 거세하여 이빨을 쓰지 못하게 하는 것과 같다.

'멧돼지'는 강하고 조급한 동물로 이빨이 사납고 날카롭다. 그 이빨을 억지로 제지하면 수고롭게 힘을 들이고도 그 조급하고 사나움을 제지하지 못하니, 묶고 동여매더라도 변하게 할 수 없다. 그런데 거세하면 이빨이 있어도 강함과 조급함이 저절로 멈춘다. 그 쓰임이 이와 같기 때문에 길하다.

君子發豶豕之義, 知天下之惡, 不可以力制也, 則察其機, 持其要, 塞絶其本原. 故不假刑法嚴峻, 而惡自止也, 且如止盜. 民有欲心, 見利則動, 苟不知敎而迫於飢寒, 雖刑殺日施, 其能勝億兆利欲之心乎. 聖人則知所以止之之道, 不尙威刑, 而修政敎, 使之有農桑之業, 知廉恥之道, 雖賞之, 不竊矣. 故止惡之道, 在知其本得其要而已. 不嚴刑於彼, 而修政於此, 是猶患牙之利, 不制其牙, 而豶其勢也.

군자가 멧돼지를 거세하는 뜻을 말한 것은 천하의 악을 힘으로 억제할 수 없음을 안다면, 기미를 살피고 요점을 잡고 근본과 근원을 막아서 끊기 때문에 형법의 준엄함을 빌리지 않는데도 악이 저절로 멈추는 것이니, 또한 도둑질을 멈추게 하는 것과 같다.

백성들은 욕심이 있어 이익을 보면 움직이니, 가르침을 알지 못하고 굶주림과 추위에 절박하면, 형벌과 죽임을 날마다 시행하더라도 어찌 수많은 사람들의 이익과 탐욕의 마음을 이길 수 있겠는가? 성인은 이것을 저지하는 방도를 알아 위엄과 형벌을 숭상하지 않고, 정치와 교육을 닦아서 농사짓고 누에치는 생업이 있게 하고 염치의 도리를 알게 하니, 상을 주더라도 도둑질하지 않는다.

그러므로 악을 멈추게 하는 도는 근본을 알고 요점을 얻는 데 있을 뿐이다. 저들에게 형벌을 엄하게 하지 않는데도 여기에서 정사(政事)가 닦여지는 것은 멧돼지 이빨의 예리함을 걱정하여도 그 이빨을 제지하지 않고 거세하는 것과 같다.

上九, 何天之衢, 亨.

상구는 어찌 그리 하늘의 거리와 같은가? 형통하다.

本義

'何天之衢', 言何其通達之甚也. 畜極而通, 豁達无礙, 故其象
占如此

'어찌 그리 하늘의 거리와 같은가?'라고 한 것은 어쩌면 그리도 통
달함이 지극하냐는 말이다. 저지함이 다해서 통하고 활달하여 막힘
이 없기 때문에 그 상과 점이 이와 같다.

程傳

予聞之胡先生, 曰"'天之衢亨', 誤加'何字'." 事極則反, 理之常
也. 故畜極而亨. 小畜畜之小, 故極而成, 大畜畜之大, 故極
而散. 極旣當變, 又陽性上行, 故遂散也. '天衢', 天路也, 謂
虛空之中. 雲氣飛鳥往來, 故謂之'天衢'. 天衢之亨, 謂其亨通
曠濶, 无有蔽阻也. 在畜道, 則變矣, 變而亨, 非畜道之亨也.

내가 호선생(胡先生)6)에게 들었는데 "'하늘의 거리는 형통하다[天之
衢亨]'는 말에 '어찌 그리[何]'란 말이 잘못 들어왔다"고 말하였다. 일

---

6) 호선생(胡先生): 호원(胡瑗)을 말한다.

이 궁극에 이르면 되돌아가는 것은 항상 그러한 이치이다. 그러므로 멈추게 함이 궁극에 이르면 형통한 것이다.

소축괘는 멈추게 함이 작기 때문에 지극하면 이루어지고, 대축괘는 멈추게 함이 크기 때문에 지극하면 흩어진다. 궁극에 이르고 나면 변해야 하고, 또 양의 성질은 위로 가기 때문에 마침내 흩어진다. '하늘의 거리[天衢]'는 하늘의 길로, 허공의 가운데를 말한다. 구름 기운과 나는 새가 왕래하기 때문에 '하늘의 거리'라고 말하였다. 하늘의 거리가 형통함은 형통함이 광활하여 가림과 막힘이 없는 것을 말한다. 멈추게 하는 도에서는 변한 것이니, 변해서 형통한 것은 멈추게 하는 도가 형통하다는 뜻이 아니다.

集說

● 張氏浚曰 : "剛在上爲何, 何謂勝其任."

장준이 말했다. "굳셈이 위에 있는 것이 멘대[何]는 말이니, 멘다는 그 책임을 감당한다는 것을 말한다."

● 王氏宗傳曰 : "「象傳」曰, '剛上而尙賢', 則上九是也. 以陽德而居五之上, 爲五所尙, 此所以有'何天之衢之象'. 天衢, 通顯之地也. 下之三陽, 由已上進, 故九三曰, '良馬', 逐又曰, '上合志也', 此賢者之道, 所以亨也. '何', 如'何校'之'何'. 釋文曰, 梁武帝讀音賀, 是也. 言以身任天下之責, 當畜賢之時, 爲五所尙, 主張賢路, 賢者之得志, 莫盛於斯也."

왕종전이 말했다. "「단전」에서 '굳셈이 위에 있어 현명한 사람을 높인다[7]고 한 것은 상구가 여기에 해당한다. 양의 덕으로 오효의 위에 있어 오효가 높으니, 이것이 '어찌 그리 하늘의 거리와 같은가'라는 상이 있는 까닭이다. 하늘의 거리는 통하여 드러나는 곳이다. 아래의 세 양은 이미 위로 나아갔기 때문에 구삼에서는 '좋은 말'이라 하고 마침내 또 '위와 뜻이 합하기 때문이다'라고 하였으니, 이것은 어진 사람의 도가 형통한 까닭이다.

'어찌 그리[何]'는 서합괘에서 '형틀을 채운다[何校]'고 할 때의 '채운다[何]'와 같다. 『석문』에서 양무제가 음을 하(賀)라고 읽은 것이 여기에 해당한다. 몸소 천하의 책임을 맡음에 현명한 사람들을 저지하는 때에 오효에게 높임을 받아 현명한 길을 주장하니, 현명한 사람들이 뜻을 얻음이 이보다 성대함이 없다는 말이다."

● 吳氏澄曰 : "後漢王延壽魯「靈光殿賦」云, '荷天衢以元亨', '何'作'荷', '何天之衢', 其辭猶詩言'何天之休, 何天之龍'. 大畜者, 一陽止於外, 而三陽藏畜於內, 畜極則散, 止極則行, 故上九雖艮體, 至畜之終, 則不止而行也."

오징이 말했다. "후한 때 왕연수[8]의 노나라 『영광전무』에서 '하늘

---

7) 『주역』「대축괘(大畜卦)」: "象曰, 大畜, 剛健篤實輝光, 日新其德, 剛上而尚賢, 能止健, 大正也.[「단전」에서 말하였다. 대축은 강건하고 독실하고 빛나서 날로 덕을 새롭게 하니, 굳셈이 위에 있어 현명한 사람을 높이며 강건함을 저지할 수 있어 크게 바르다.]'라고 하였다.

8) 왕연수(王延壽, 124?~148) : 후한 남군(南郡) 의성(宜城, 지금의 湖北) 사람으로 사부가(辭賦家)이다. 자는 문고(文考) 또는 자산(子山)이다. 왕일(王逸)의 아들이다. 뛰어난 재주가 있어 어릴 때 노국(魯國)을 유람하며 「영광전부(靈光殿賦)」를 지어 한(漢)나라 때의 건축과 벽화 등을 묘사했는데, 생동하는 형상에서 그 시대 사회의 한 측면을 볼 수 있다.

의 거리를 짊어져서 크게 형통하다'고 하면서, '어찌 그리[何]'를 '짊어지다[荷]'로 해놨으니 '하늘의 거리를 짊어진다[何天之衢]'는 것은 그 말이 『시경』에서 '하늘의 영광을 받고 하늘의 은총을 받으셨네'[9])라고 하는 것과 같다.

대축은 하나의 양이 밖에서 저지해서 세 양이 안에서 쌓여 있는 것이니, 쌓임이 다하면 흩어지고, 멈추게 함이 다하면 가기 때문에 상구가 간괘의 몸체일지라도 쌓여 있음의 끝이 되면 멈추지 못해 가는 것이다."

● 胡氏炳文曰 : "隨畜隨發, 不足爲大畜. 惟畜之極而通, 豁達無礙, 如天衢然. 此不徒爲仕者之占. 『大學章句』, 所謂用力之久, 一旦豁然貫通者, 亦是此意. 多識'前言往行以畜其德'者, 以之可也."

호병문이 말했다. "저지함을 따르고 드러냄을 따라서는 대축이라고 하기에 부족하다. 오직 멈추게 함이 다해서 통하고 활달하여 막힘이 없는 것은 하늘의 거리와 같으니, 이것은 단지 벼슬하는 자들을 위한 점일 뿐만은 아니다. 『대학장구』의 이른바 오래도록 힘써 어느 날 아침 탁 트이며 관통하는 것[10])도 이런 의미이다. 「상전」에서

....

나중에 채옹(蔡邕)도 같은 작품을 짓고자 했지만 이루지 못하다가 왕연수의 작품을 보고는 깊이 탄복하고 붓을 꺾어버렸다. 나이 20세 때 쯤 물에 빠져 죽었다.

9) 『시경』「상송(商頌)」: "受小球大球, 爲下國綴旒, 何天之休. …. 受小共大共, 爲下國駿厖, 何天之龍.[크고 작은 구슬을 받고 제후들의 뛰어난 천자가 되어 하늘의 영광을 받으셨네. …. 크고 작은 공물을 받고 제후들의 준방이 되어 하늘의 은총을 받으셨네.]"라고 하였다.

10) 『대학장구』의 「보전(補傳)」에서 격물치지(格物致知)의 공부에 대해 이

'이전의 말과 지난 행동을 많이 알아 덕을 쌓는다'[11]는 것은 이렇게
해서 되는 것이다."

● 蔡氏清曰 : "觀畜極而通之意, 則知君子患屈之未至耳, 不患
其不伸也."

채청이 말했다. "쌓임이 다하여 통하는 의미를 보면, 군자가 물러남
이 아직 이르지 않았을 때 근심하고 펴지 못함을 근심하지 않는 것
에 대해 알게 된다."

案

'何'字, 『程傳』以爲'誤加', 『本義』以爲'發語'. 而諸家皆以'荷'字爲
解義, 亦可從. 蓋'剛上尚賢'者, 惟上九一爻當之, 且爲民主, 是
卦之主也. 故取尚賢之義, 則是賢路大通, 卦所謂'不家食'者, 此
已. 取民主之義, 則能應天止健, 卦所謂'涉大川'者, 此已. 故'天
衢'者喻其通也, '荷天之衢'者, 言其遇時之通也. 「雜卦」云, '大畜
時'也, 正謂此也. 吳氏引「商頌」之詩者, 語意尤近.

'어찌 그리[何]'라는 말은 『정전』에서는 '잘못 들어간 것'으로 여겼

치를 궁구하는 공부를 오래도록 힘써 하면 하루아침에 활연관통(豁然貫
通), 즉 모든 이치가 툭 트이게 되어 뭇 사물의 표리(表裏)와 정조(精粗)
가 나의 마음에 이르지 않음이 없게 된다고 하였다.
11) 『주역』「대축괘(大畜卦)」: "象曰, 天在山中, 大畜, 君子以, 多識前言
往行, 以畜其德.[「상전」에서 말하였다. 하늘이 산 가운데 있는 것이
대축이니, 군자가 그것을 본받아 이전의 말과 지난 행동을 많이 알아
덕을 쌓는다.]"라고 하였다.

고, 『주역본의』에서는 '입을 여는 것'으로 여겼다. 그런데 여러 학자들이 모두 '짊어진다'는 말로 의미를 풀이한 것도 따를 만하다. '굳셈이 위에 있어 현명한 사람을 높인다'[12]는 것은 오직 상구 한 효가 그것에 해당하는데, 또 간괘의 주인이 되었으니, 대축괘의 주인이다. 그러므로 현명한 사람을 높이는 의미를 취한 것은 현명한 길이 크게 통한다는 뜻이니, 괘에서 이른바 '집에서 밥을 먹지 않는다'는 말이 이것일 뿐이다. 간괘의 주인이라는 의미를 취한 것은 하늘에 호응하여 굳건함을 저지할 수 있다는 뜻이니, 괘에서 이른바 '큰 내를 건넌다'는 말이 이것일 뿐이다.

그러므로 '하늘의 거리'는 통하는 것을 비유한 말이다. '하늘의 거리를 짊어진다'는 것은 때가 통함을 만났다는 뜻이다. 「잡괘전」에서 '대축은 때이다'[13]라고 했는데 바로 이것을 말한다. 오씨가 「상송」의 시를 인용한 것은 말의 의미가 더욱 근사하다.

總論

● 胡氏炳文曰 : "他卦取陰陽相應, 此取相畜. 內卦受畜, 以自止爲義, 外卦能畜, 以止之爲義. 獨三與上, 居內外卦之極, 畜極而通, 不取止義."

호병문이 말했다. "다른 괘에서는 음과 양이 서로 호응하는 것을

---

12) 『주역』「대축괘(大畜卦)」: "象曰, 大畜, 剛健篤實輝光, 日新其德, 剛上而尙賢, 能止健, 大正也.[「단전」에서 말하였다 : 대축은 강건하고 독실하고 빛나서 날로 덕을 새롭게 하니, 굳셈이 위에 있어 현명한 사람을 높이며 강건함을 저지할 수 있어 크게 바르다.]"라고 하였다.

13) 『주역』「잡괘전(雜卦傳)」: "大畜, 時也, 无妄, 災也.[대축(大畜☳)은 때이고, 무망(无妄☴)은 재앙이다.]"라고 하였다.

취했고, 여기에서는 서로 멈추게 하는 것을 취했다. 내괘는 멈추게 함을 받아 스스로 멈추는 것으로 뜻을 삼았고, 외괘는 멈추게 할 수 있어 멈추게 하는 것으로 뜻을 삼았다. 그런데 오직 삼효와 상효는 내괘와 외괘의 끝에 있어 멈추게 하는 것이 다하여 통하니, 멈추는 뜻을 취하지 않았다."

● 葉氏良佩曰："「卦」「彖」兼取畜止畜聚二義，「大象」專取畜聚義，六爻專取畜止義. 初九進，則有厲，惟利於己，知難而止者也. 九二處得中道，能說輨而不行，時止而止者也. 九三與上，合志其進也如良馬之馳逐，此畜極而通之象. 然猶以艱貞閑習爲戒者，慮其可進而銳於進也. 六四當大畜之任，能止惡於初，若童牛始角而加之以牿，則大善之吉也. 六五制惡有道，得其機會，故其象爲豶豕之牙. 其占雖吉然比之於四，則有間矣. 或問'六四元吉', 「傳」曰'有喜', 六五之吉，乃曰'有慶', 何也'. 曰'論爲力之難易，則四爲易，故曰'元吉', 論其功之廣狹，則五爲廣，故曰'有慶'. 上九之亨，畜極而大通也，故以天之衢爲象. 雲行雨施，天下平也，其斯以爲道大行乎."

섭량패가 말했다. "「괘사」와 「단사」에서는 쌓아 멈추고 쌓아 모으는 두 가지 의미를 겸하여 취하였고, 「대상전」에서는 오로지 쌓아 모으는 의미만 취하였으며, 여섯 효에서는 쌓아 멈추는 의미만 취하였다.
초구의 나아감은 그만 두는 것에 이로우니, 어려움을 알고 멈추는 것이다. 구이는 처신이 중도를 얻었으나 바퀴통이 빠져갈 수 없으니 멈출 때에 맞춰 멈춘 것이다. 구삼과 상효는 뜻을 합해 그 나아감이 좋은 말이 달려가는 것과 같으니, 이것은 멈춤이 다하여 통하는 상이다. 그런데 어렵게 여기고 곧게 하며 익히는 것으로 경계를 삼은 것은 나아갈 수 있어 그렇게 하는 데 빨리 하는 것을 경계한 것이다. 육사가 대축의 책임을 담당하여 초기에 악을 멈추게 할 수 있는 것은 어린 소가 처음 뿔이 날 때 가로나무를 대는 것과 같으니, 크게 선하여 길한 것이다. 육오는 악을 제재함에 도가 있고 기회를 얻었기 때문에 그 상이 멧돼지를 거세하여 이빨을 쓰지 못하게 하는 것이다. 그 점이 길할지라도 사효에 비교하면 차이가 있다.

어떤 이가 '육사의 크게 길함은 「상전」에서 '기쁨이 있다'[14]고 하고, 육오의 길함은 '경사가 있다'[15]고 한 것은 무엇 때문입니까?'라고 물었다. 대답했다. '힘씀의 어렵고 쉬움을 논하면 사효는 쉽기 때문에 '크게 길하다'고 하고, 공의 크고 작음을 논하면 오효는 크기 때문에 '경사가 있다'고 하였다. 상구의 형통함은 멈추게 함이 다해 크게 통하기 때문에 하늘의 거리로 상을 삼았다. 구름이 흘러가고 비가 내림은 천하가 태평한 것이니, 이것으로 도가 크게 행해지는 것으로 여겼다.'"

案

● 有厲, 説輹, 則猶家食者也, 阻於大川者也. 牿牛, 豶豕, 則猶治不肖者也, 弘濟艱難者也. 至良馬逐, 則漸通矣. 然猶防賢路之崎嶇, 而日閑輿衛, 故至於'何天之衢'然後, 大道夷, 而險阻去也. 卦爻義之相關者在此.

---

14) 『주역』 「대축괘(大畜卦)」: "象曰, 六四元吉, 有喜也.[「상전」에서 말하였다. '육사의 크게 길함'은 기쁨이 있다.]"라고 하였다.

15) 『주역』 「대축괘(大畜卦)」: "象曰, 六五之吉, 有慶也.[「상전」에서 말하였다. '육오의 길함'은 경사가 있다.]"라고 하였다.

어려움이 있고 바퀴통이 빠진 것은 집에서 밥을 먹고 큰 내에 막힌 것과 같다. 소의 뿔에 가로나무를 더하고 멧돼지를 거세하는 것은 불초한 자를 다스리고 어려움을 널리 구제하는 일과 같다. 좋은 말이 달려가는 것은 점차로 통하는 뜻이다. 그러나 여전히 현명한 길을 가로막는 험한 산이어서 날마다 수레 타기와 호위를 익힌다. 그러므로 '어찌 그리 하늘의 거리와 같은가'에 이른 다음에 큰 도가 평탄해지고 험하게 가로 막는 것이 사라지니, 괘효의 의미가 서로 연관된 것이 여기에 있다.

27. 이頤괘

程傳

頤,「序卦」,"物畜然後可養, 故受之以頤." 夫物旣畜聚, 則
必有以養之. 无養則不能存息, 頤所以次大畜也. 卦上艮下
震, 上下二陽爻中含四陰, 上止而下動, 外實而中虛, 人頤頷
之象也. '頤', 養也, 人口所以飮食, 養人之身, 故名爲'頤'. 聖
人設卦推養之義, 大至於天地養育萬物, 聖人養賢以及萬民,
與人之養生養形養德養人, 皆頤養之道也. 動息節宣, 以養
生也, 飮食衣服, 以養形也, 威儀行義, 以養德也, 推己及物
以養人也.

이(頤䷚)괘에 대해 「서괘전」에서 "물건이 모인 뒤에 기를 수 있으므
로 이괘로 받았다"라고 하였다. 물건이 이미 쌓여 모이면 반드시 길
러주어야 한다. 길러주지 않으면 생존하고 번식할 수 없으니, 이괘
가 이 때문에 대축(大畜䷙)괘의 다음이 되었다.

괘의 모습을 보면 위는 간(艮☶)괘이고 아래는 진(震☳)괘여서 위
아래의 두 양효가 가운데에 네 음을 싸고 있고, 위는 멈추고 아래는
움직이며, 밖은 충실하고 안은 비었으니, 사람의 턱과 같은 상이다.
'턱[頤]'은 길러줌이니, 사람의 입은 마시고 먹어서 사람의 몸을 기

르기 때문에, '이(頤)'라고 이름을 지었다.

성인이 괘를 만들어 기름을 미룬 뜻이 크게는 천지가 만물을 양육함에 미치니, 성인이 현자를 길러 모든 백성에게 미치는 것과 사람이 삶을 기르고 형체를 기르며 덕을 기르고 사람을 길러주는 것이 모두 이(頤☲)괘의 기르는 도이다. 움직이고 쉬는 것을 적절하게 하여 생명을 기르고, 음식을 먹고 의복을 입어 형체를 기르며, 격식을 차리고 의를 행하여 덕을 기르고, 자신을 미루어 사물에 미쳐 사람을 길러준다.

頤, 貞吉, 觀頤自求口實.

이(頤)는 곧게 하면 길하니, 턱을 보고 스스로 음식을 구한다.

‘頤’, 口旁也. 口食物以自養, 故爲養義. 爲卦, 上下二陽, 內含四陰, 外實內虛, 上止下動, 爲頤之象, 養之義也. ‘貞吉’者, 占者得正, 則吉. ‘觀頤’, 謂觀其所養之道, ‘自求口實’, 謂觀其所以養身之術, 皆得正則吉也.

턱[頤]은 입가이다. 입으로 음식을 먹어 스스로 기르기 때문에 기르는 뜻이 된다. 괘의 모양은 위아래의 두 양이 안으로 네 음을 싸고 있어 밖은 차 있고 안은 비었으며, 위는 멈추고 아래는 움직이니, 턱의 상으로 기르는 뜻이다.

‘곧게 하면 길하다’는 것은 점치는 자가 바른 도를 얻으면 길하다는 뜻이다. ‘턱을 본다’는 것은 기르는 도를 본다는 말이고, ‘스스로 음식[口實]을 구한다’는 것은 자신을 기르는 법을 본다는 뜻이니, 모두 바름을 얻으면 길하다.

頤之道, 以正則吉也, 人之養身養德養人養於人, 皆以正道, 則吉也. 天地造化, 養育萬物, 各得其宜者, 亦正而已矣. ‘觀頤自求口實’, 觀人之所頤與其自求口實之道, 則善惡吉凶,可見矣.

이(頤)의 도는 바름으로 하면 길하니, 사람이 몸을 기르고 덕을 기르며 남을 길러주고 남에게 길러지는 일을 모두 바른 도로 하면 길하다. 천지의 조화가 만물을 양육해서 각각 마땅함을 얻게 하는 것도 또한 바른 도일뿐이다.

'턱을 보고 스스로 음식을 구한다'는 것은 사람이 길러주고 스스로 먹고 사는 도를 보면 선악과 길흉을 알 수 있다는 말이다.

集說

● 『朱子語類』云 : "養須是正則吉. '觀頤', 是觀其養德正不正, '自求口實', 是觀其養身正不正, 未說到養人處."[1]

『주자어류』에서 말했다. "기르는 것이 반드시 바르다면 길하다. '턱을 본다'는 덕을 기름이 바른지 바르지 않은지 보는 것이고, '스스로 음식을 구한다'는 자신을 기름이 바른지 바르지 않은지 보는 것이니, 사람을 기르는 일은 아직 설명하지 않았다."

● 林氏希元曰 : "人之所養有二. 一是養性, 一是養身, 二者皆不可不正. 觀其所養之道, 如『大學』聖賢之道, 正也, 異端小道, 則不正矣. 又必自求其口實, 如重道義而畧口體, 正也, 急口體而輕道義, 則不正矣, 皆正則吉, 不正則凶."

임희원이 말했다. "사람이 기르는 것에는 두 가지가 있다. 하나는

---

1) 『주자어류』 권71, 95조목.

본성을 기르고 다른 하나는 자신을 기르는 일로 두 가지는 모두 바르지 않아서는 안 된다. 기르는 도를 보기를 『대학』에서 성현의 도와 같이 하면 바르고, 이단의 하찮은 도와 같이 하면 바르지 않다. 또 반드시 스스로 음식을 구하며 도의를 중시하면서 몸을 다스리는 것과 같이 하면 바르고, 몸에 급급해 도의를 가볍게 여기는 것과 같이 하면 바르지 않으니, 모두 바르면 길하고 바르지 않으면 흉하다."

● 陳氏琛曰 : "集義以養其氣, 寡欲以養其心, 守聖道而不溺於虛無, 崇聖學而不流於術數, 則所以養德者, 正矣. 窮而不屑於嚅蹴, 達而不至於素餐, 不以貧賤飢渴害其心, 不以聲色臭味汨其性, 則所以養身者. 正矣."

진침이 말했다. "의를 모아 기운을 기르고 욕심을 줄여 마음을 기르며, 성인의 도를 지켜 허무에 빠지지 않으며, 성인의 학문을 높여 술수에 휩쓸리지 않으면 덕을 기르는 것이 바르다. 궁색할지라도 화를 내며 핍박하는 것에 마음에 두지 않고 잘 살지라도 노력 없이 먹지 않으며, 가난과 굶주림 때문에 마음을 해치지 않고 현란한 음악·아름다운 여색·좋은 향기와 맛난 음식 때문에 본성을 어지럽히지 않으면 자신을 기르는 것이 바르다."

● 陸氏銓曰 : "'觀頤', 卽考其善不善, '自求口實', 卽於己取之而已矣."

육전이 말했다. "'턱을 보는 것'은 선한지 선하지 않은지를 생각하는 것이고, '스스로 음식을 구하는 일'은 자신에게서 그것을 취할 뿐이다.

案

● 陸氏說與『傳』『義』異. 蓋云‘觀其所養’者, 以自求養而已. 如
所養者德乎, 則當自求其所以養德之道, 如所養者身乎, 則當自
求其所以養身之方, 與夫子「象傳」語意尤合也.

육씨의 설명은 『정전』·『주역본의』와 다르다. '기르는 것을 본다'는
말은 스스로 기르는 것을 구하는 일일 뿐이다. 기르는 것이 덕이라
면 그것을 기르는 도를 스스로 구해야 될 뿐이고, 기르는 것이 자
신이라면 그것을 기르는 방법을 스스로 구해야 될 뿐이니, 공자
「단전」의 의미와 더욱 부합한다.

初九, 舍爾靈龜, 觀我, 朶頤, 凶.

초구는 너의 신령스러운 거북을 버리고 나를 보며 턱을 늘어뜨리니, 흉하다.

本義

靈龜, 不食之物. '朶'垂也, '朶頤', 欲食之貌. 初九陽剛在下, 足以不食, 乃上應六四之陰而動於欲, 凶之道也. 故象占如此.

신령스런 거북은 먹지 않고 사는 동물이다. '늘어뜨림'은 벌리는 것이니, '턱을 늘어뜨림[朶頤]'은 먹고 싶어 하는 모양이다.

초구는 굳센 양으로 아래에 있어 별로 먹지 않을 수 있는데, 마침내 위로 육사의 음에 호응하여 욕심에 동요되니, 흉한 도이다. 그러므로 그 상과 점이 이와 같다.

程傳

蒙之初六, 蒙者也, 爻乃主發蒙而言, 頤之初九, 亦假外而言. '爾', 謂初也. '舍爾之靈龜, 乃觀我而朶頤', '我'對'爾'而設. 初之所以朶頤者四也. 然非四謂之也, 假設之辭爾. 九陽體剛明, 其才智足以養正者也. 龜能咽息不食, 靈龜喩其明智而可以不求養於外也.

몽(蒙䷃)괘의 초육은 몽매한 자이니, 효사에서는 몽매함을 깨우쳐

주는 것을 위주로 말하였고, 이(頤䷚)괘의 초구 또한 외괘를 빌어 말하였다. '너[爾]'는 초효를 말한다. "너의 신령스러운 거북을 버리고 나를 보며 턱을 늘어뜨린다"는 말에서 '나'는 '너'를 상대하여 말한 것이다. 초효가 턱을 늘어뜨리는 것은 사효 때문이다. 그러나 사효가 그렇다고 말한 것이 아니고, 가정하여 한 말일 뿐이다. 구(九)는 양의 몸체로 군세고 밝아서 재주와 지혜가 기르기를 충분히 바르게 할 수 있는 자이다. 거북은 목구멍으로 숨만 쉬고 먹지 않을 수 있으니, 신령스러운 거북이 밝고 지혜로워 밖에서 길러주기를 구하지 않은 것에 비유하였다.

才雖如是, 然以陽居動體, 而在頤之時, 求頤, 人所欲也. 上應於四, 不能自守, 志在上行, 說所欲而朶頤者也. 心旣動, 則其自失必矣, 迷欲而失己, 以陽而從陰, 則何所不至. 是以凶也. '朶頤', 爲朶動其頤頷, 人見食而欲之, 則動頤垂涎, 故以爲象.

재주가 이와 같을지라도 양으로 움직이는 몸체에 있고 이(頤)괘의 때에 있으니, 길러주기를 구하는 것은 사람이 하고 싶은 일이다. 위로 사효에 호응하여 스스로 지키지 못하고 뜻이 위로 가는데 있으니, 하고 싶은 것을 좋아하여 턱을 늘어뜨리고 있다.
마음이 이미 움직였으면 스스로 잃을 것이 틀림없으니, 욕심에 어두워 자기 지조를 잃고 양으로서 음을 따른다면 무슨 일인들 하지 않겠는가? 이 때문에 흉하다. '턱을 늘어뜨림'은 턱을 벌리며 움직이는 것이니, 사람이 음식을 보고 먹고 싶으면 턱을 움직이며 침을 흘리기 때문에 그것으로 상을 삼았다.

● 王氏弼曰 : "'朵頤'者, 嚼也. 以陽處下而爲動始, 不能令物由
己養, 動而求養者也. 夫安身莫若不競, 修己莫若自保. 守道則
福至, 求祿則辱來. 居養賢之世, 不能貞其所履以全其德, 而舍
其靈龜之明兆, 羡我朵頤而躁求, 凶莫甚焉."

왕필이 말했다. "'턱을 늘어뜨림'은 맛을 보는 것이다. 양으로 아래
에 있어 움직임의 시작인데 사물을 부릴 수 없어 자신으로부터 기
르니, 움직이면서 기름을 구한다. 자신을 편하게 하는 것으로는 다
투지 않는 것만 한 것이 없고, 자신을 수양함은 스스로 보전하는
것만 한 것이 없다. 도를 지키면 복이 이르고 봉록을 구하면 욕이
찾아온다. 현명함을 기르는 때에 있으면서 실천하는 것을 바르게
하고 덕을 온전하게 할 수 없어 신령한 거북의 밝은 조짐을 버리고,
나를 부러워하여 턱을 늘어뜨리고 조급하게 구하니 흉함이 이보다
심한 것이 없다."

● 蘇氏軾曰 : "養人者陽也, 養於人者陰也. 君子在上足以養人,
在下足以自養. 初九以一陽而伏於四陰之下, 其德足以自養, 而
無待於物者, 如龜也. 不能守之, 而觀於四, 見其可欲, 朵頤而慕
之, 爲陰之所致也, 故凶."

소식이 말했다. "사람을 기르는 것은 양이고, 사람에게 길러지는 것
은 음이다. 군자가 위에 있으면 사람을 기르기에 충분하고, 아래에
있으면 스스로 기르기에 충분하다. 초구가 하나의 양으로 네 음의
아래에 있어 그 덕이 스스로 기르기에 충분하고 사람들에게 바랄
게 없는 것은 거북과 같다. 그것을 지킬 수 없어 사효를 보고 욕심
낼만한 사안임을 알고 턱을 늘어뜨리고 원하는 것은 음이 하는 일

이기 때문에 흉하다.

● 鄭氏汝諧曰 : “頤之上體皆吉, 而下體皆凶, 上體止也, 下體動也. 在上而止, 養人者也, 在下而動, 求養於人者也. 動而求養於人者, 必累於口體之養, 故雖以初之剛陽未免於動其欲而觀朶頤也.”

정여해가 말했다. “이(頤䷚)괘에서 위의 몸체는 모두 길하고, 아래의 몸체는 모두 흉하니, 위의 몸체는 머물러 있고 아래의 몸체는 움직이기 때문이다. 위에 있으면서 머물러 있는 것은 사람을 기르는 자들이고, 아래에 있으면서 움직이는 것은 사람에게 길러줌을 구하는 자들이다. 움직이면서 사람들에게 길러줌을 구하는 자들은 반드시 몸을 기름에 얽매이기 때문에 초효의 굳센 양일지라도 욕심을 움직여 나를 보고 턱을 늘어뜨리는 것을 면하지 못한다.”

● 何氏楷曰 : “初與上, 陽剛之德同. 而吉凶不同者, 初爲動之主, 上爲止之主. 養道宜靜故也.”

하해가 말했다. “초효와 상효는 양의 굳센 덕이 같다. 그러나 길함과 흉함이 다른 것은 초효는 움직임의 주인이고 상효는 머물러 있음의 주인인데, 기르는 도는 고요해야 하기 때문이다.”

附録

● 項氏安世曰 : “頤卦惟有二陽. 上九在上, 謂之‘由頤’, 固爲所養之主. 初九在下, 亦足爲自養之賢. 靈龜伏息而在下, 初九之象也. '朶頤', 在上而下垂, 上九之象也. 上九爲卦之主, 故稱'我'.
羣陰從我而求養, 固其所也. 初九本無所求, 乃亦仰而觀我, 有
靈而不自保, 有貴而不自珍, 宜其凶也. 初九本靈本貴, 聖人以
其爲動之主, 居養之初, 故深戒之以明自養之道."

항안세가 말했다. "이(頤䷚)괘에는 두 양이 있다. 상구는 위에 있어
'자신으로 말미암아 길러지는 것'이라고 하니, 진실로 길러주는 주
인이다. 초구는 아래에 있어 또한 스스로 기르는 현명한 사람이 되
기에 충분하다. 신령스러운 거북이 숨어서 쉬며 아래에 있으니 초
구의 상이다. '턱을 늘어뜨림'은 위에서 아래로 드리우는 것이니 상
구의 상이다. 상구가 괘의 주인이기 때문에 '나'라고 하였다. 여러
음이 나를 따라 길러줌을 구하니 그 자리를 확고하게 한다. 초구는
본래 구하는 것이 없는데도 또한 나를 바라보고 있으니, 신령스러
움이 있지만 보존하지 못하고 귀함이 있지만 귀하게 여길 줄 모르
는 것으로 흉함이 당연하다. 초구는 본래 신령하고 본래 귀해 성인
이 그것을 움직임의 주인으로 여겼는데, 길러줌의 처음에 있기 때
문에 깊이 경계하여 스스로 기르는 도를 밝혔다.

案

項氏以觀我朶頤爲上九, 亦備一説.

항씨[항안세]가 내가 턱을 늘어뜨린 것을 보는 것을 상구로 여긴 것
도 하나의 설명을 갖춘 것이다.

六二, 顚頤拂經, 于丘頤, 征凶.

육이는 길러주기를 거꾸로 하면 바른 도리에 위배되고, 언덕에서 기르면 가서 흉하다.

本義

求養於初, 則顚倒而違於常理, 求養於上, 則往而得凶. '丘', 土之高者, 上之象也.

초효에게 길러지기를 구하면 거꾸로 되어 떳떳한 도리에 위배되고, 상효에게 길러지기를 구하면 가서 흉함을 얻는다. '언덕'은 흙이 높은 것이니, 상효의 상이다.

程傳

女不能自處, 必從男, 陰不能獨立, 必從陽. 二陰柔不能自養, 待養於人者也. 天子養天下, 諸侯養一國, 臣食君上之祿, 民賴司牧之養, 皆以上養下, 理之正也. 二旣不能自養, 必求養於剛陽. 若反下求於初, 則爲顚倒, 故云'顚頤'. 顚則拂違經常, 不可行也. 若求養于丘, 則往必有凶. '丘', 在外而高之物, 謂上九也. 卦止二陽, 旣不可顚頤于初, 若求頤于上九往, 則有凶.

여자는 스스로 처신할 수 없어 반드시 남자를 따르고, 음은 독립할 수 없어 반드시 양을 따른다. 이효는 유약한 음으로 스스로 기르지 못하여 길러주기를 남에게 의지하는 것이다. 천자가 천하를 기르고 제후가 한 나라를 기르며, 신하가 임금의 봉록을 먹고 백성이 지방 관의 기름에 의지하는 것은 모두 위에서 아래를 길러주는 일로 바른 이치이다.

이효는 스스로 기를 수 없으니, 반드시 굳센 양에게 길러지기를 구해야 한다. 그런데 도리어 아래로 초구에게 구하면 거꾸로 되기 때문에 '길러주기를 거꾸로 한다'고 말하였다. 거꾸로 하면 떳떳한 도리에 어긋나 행할 수가 없다. 언덕에게 길러지기를 구한다면 감에 반드시 흉함이 있을 것이다. '언덕'은 밖에 있고 높은 곳이니 상구를 말한다. 이(頤䷚)괘에는 두 양효뿐으로 이미 초구에게 거꾸로 길러져서는 안 된다고 상구에게 길러지기를 구하여 가면 흉할 것이다.

在頤之時相應, 則相養者也. 上非其應而往求養, 非道妄動, 是以凶也. 顚頤則拂經不獲其養爾, 妄求於上往, 則得凶也. 今有人才不足以自養, 見在上者勢力足以養人, 非其族類, 妄往求之, 取辱得凶必矣. 六二中正, 在他卦多吉而凶何也. 曰 時然也. 陰柔旣不足以自養, 初上二爻皆非其與, 故往來則悖 理而得凶也.

이(頤䷚)괘의 때에는 서로 호응하면 서로 길러주는 것이다. 그러나 상효는 그 호응이 아닌데 가서 길러지기를 구한다면 도가 아니고 함부로 움직이는 것이기 때문에 흉하다. 길러주기를 거꾸로 하면 바른 도리에 위배되어 기름을 얻지 못하고, 함부로 상효에게 구하러 가면 흉하게 된다.

지금 어떤 사람이 자기 재주로는 스스로 기를 수 없는데, 위에 있는 자가 그 세력이 남을 길러줄 수 있음을 보고는, 같은 겨레가 아닌데도 함부로 가서 구한다면 욕을 당하고 흉함을 얻을 것이 틀림없다.

육이는 중정하여 다른 괘에서는 길함이 많은데 여기서는 흉한 것은 무엇 때문인가? 때가 그러하기 때문이다. 유약한 음으로 이미 스스로 기를 수 없고, 초효와 상효 두 효가 함께 하지 않기 때문에 가면 이치를 어겨 흉하게 된다.

集說

● 項氏安世曰 : "二五得位得中, 而不能自養, 反由頤於無位之爻, 與常經相悖, 故皆爲拂經. 上艮體, 故爲'于丘'."

항안세가 말했다. "이효와 오효는 제 자리에 있고 가운데를 얻었으나 스스로 기를 수가 없어 도리어 지위가 없는 효에게 길러져 떳떳한 도리에 서로 어긋나기 때문에 모두 바른 도리에 위배된다. 상효는 간괘의 몸체이기 때문에 '언덕에서'가 된다."

● 黃氏幹曰 : "頤之六爻, 只是'顚''拂'二字. 求養於下, 則爲顚, 求養於上則爲拂. 六二比初而求上, 故'顚頤'當爲句, '拂經于丘頤'爲句. '征凶'則其占辭也, 六三'拂頤', 雖與上爲正應, 然是求於上以養已, 故凶. 六四'顚頤', 固與初爲正應, 然是賴初之養以養人, 故雖顚而吉. 六五'拂經', 是比於上, 然是賴上九之養以養人, 所以居貞而亦吉."

황간[2]이 말했다. "이괘의 여섯 효는 '거꾸로 한다'와 '어긴다' 두 말일 뿐이다. 아래에서 길러줌을 구하면 거꾸로 하는 것이고 위에서 길러줌을 구하면 어기는 것이다. 육이는 초효와 가까이 있는데 상구에게 구한다. 그러므로 '길러주기를 거꾸로 한다[顚頤]'에서 구두하고 '언덕의 기름에서 바른 도리를 위배한다[拂經于丘頤]'고 구두해야 한다.

'가서 흉하다'는 것은 점치는 말이다. 육삼이 '기름에 위배되는 것'은 상효와 바른 호응일지라도 그것에게 구하여 자신을 기르기 때문에 흉하다. 육사가 '길러주기를 거꾸로 하는 것'은 진실로 초구와 바른 호응이지만 초효의 길러줌에 의지해 사람들을 기르기 때문에 거꾸로 될지라도 길하다. 육오가 '바른 도리에 위배되는 것'은 상구를 가까이 하지만 상구가 길러줌에 의지해 사람들을 기르면서 곧음에 있기 때문에 또한 길하다."

案

● 項氏黃氏說, 深得文意, 可從. 『本義』雖從『程傳』以'征凶'屬之'丘頤', 然至其解「象傳」, 六二'征凶行失類也', 則曰'初上皆非其類也', 則亦以'征凶'總承兩義矣.

....

2) 황간(黃幹, 1152~1221) : 남송의 성리학자로 민현(閩縣) 장계(長溪)사람이며, 자는 직경(直卿)이고, 호는 면재(勉齋)이다. 주희에게서 배웠으며, 주희의 사위이다. 안경부에서 벼슬하고 직학사를 지냈다. 주희가 죽은 후 심상 3년을 지냈으며, 주희의 학술을 터득했다고 한다. 주희가 편찬한 『의례경전통해』중에서 상(喪)과 제(祭)의 2편을 집필하였으며, 후에 이를 바탕으로 『의례경전통해속편(儀禮經典通解續編)』을 편찬하였다. 이외에 『주자행장(朱子行狀)』, 『오경통의』, 『사서기문(四書記聞)』, 『면재문집』, 『계사전해(繫辭傳解)』 등이 있다.

항씨[항안세]와 황씨[황간]의 설명은 문맥의 의미를 깊이 얻었으니 따를 만하다. 『주역본의』에서는 『정전』을 따라 '가서 흉할 것이다'를 '언덕에서 기르면'과 연결했을지라도 「상전」의 '육이가 가서 흉함은 겨레를 잃었기 때문이다'의 해석에서 '초구와 상효는 모두 겨레가 아니다'라고 했으니, 또한 '가서 흉할 것이다'는 말을 모두 두 가지 의미로 연결한 것이다.

六三, 拂頤, 貞凶, 十年勿用, 无攸利.

육삼은 기름에 위배되니 곧더라도 흉하고, 십년이 되어도 쓰지 못하니 이로울 것이 없다.

本義

陰柔不中正, 以處動極, 拂於頤矣. 旣拂於頤, 雖正亦凶, 故其象占如此.

부드러운 음으로 중정하지 못하면서 움직임의 끝에 있으니, 기름에 위배된다. 이미 기름에 위배되면 바를지라도 흉하다. 그러므로 그 상과 점이 이와 같다.

程傳

頤之道, 唯正則吉. 三以陰柔之質而處不中正, 又在動之極, 是柔邪不正而動者也. 其養如此, 拂違於頤之正道, 是以凶也. 得頤之正, 則所養皆吉, 求養養人則合於義, 自養則成其德. 三乃拂違正道, 故戒以'十年勿用'. '十', 數之終, 謂終不可用, 无所往而利也.

기르는 도는 오직 바르게 하면 길하다. 삼효는 부드러운 음의 자질로 처신이 중정하지 못하고 또 움직임의 끝에 있으니, 유약하고 사악하며 바르지 못하면서 움직인다. 기르는 것이 이와 같으면 그것이 바른 도에 어긋나기 때문에 흉하다.

기르는 것의 바름을 얻으면 기름이 모두 길하니, 기름을 구하여 남을 기르면 의로움에 합하고, 스스로 기르면 그 덕을 이룬다. 삼효는 바른 도에 어긋나기 때문에 십년이 되어도 쓰지 말라고 경계하였다. '십'은 수의 마지막이어서 끝내 쓸 수 없음을 말하였으니, 가서 이로울 것이 없다.

集說

● 張子曰 : "履邪, 好動, 繫說於上, 不但拂頤之經, 而已害頤之正, 莫甚焉, 故凶."

장재(張載)가 말했다. "간사함을 밟고 움직임을 좋아하여 상효와 연계하여 기뻐하는 것은 기르는 도리를 거꾸로 했을 뿐만 아니라 이미 기르는 바름을 이보다 심하게 해치는 것이 없기 때문에 흉하다."

● 楊氏時曰 : "頤正則吉. 六三不中正, 而居動之極, 拂頤之正也. 十年勿用, 則終不可用矣, 何利之有."

양시가 말했다. "기르는 것이 바르면 길하다. 그런데 육삼은 중정하지 않고 움직임의 끝에 있으니 기르는 일의 바름을 어긴다. 십년이 되어도 쓰지 못한다면 끝내 쓸 수 없는 것이니, 무슨 이로움이 있겠는가?"

● 鄭氏汝諧曰 : "三應於上, 若得所養, 而凶莫甚於三. 蓋不中不正, 而居動之極, 所以求養於人者, 必無所不至, 是謂拂於頤

之正, 凶之道也, '十年勿用, 无攸利', 戒之也. 因其多欲妄動, 示
之以自反之理, 作『易』之本意也."

정여해가 말했다. "삼효가 상효에 호응하여 길러줌을 얻는다면 흉
함이 삼효에서 막심하다. 알맞지 않고 바르지 않으며 움직임의 끝
에 있으면서 남에게 길러줌을 구할 경우에는 굳이 하지 못할 짓이
없어 기르는 일의 바름에 위배된다고 한 것으로 흉한 도이니, '십년
이 되어도 쓰지 못하니 이로울 것이 없다'는 말은 경계한 것이다.
많은 욕심으로 함부로 움직이기 때문에 스스로 돌아오는 이치를 보
여주었으니, 『역』을 만든 본래의 의도이다."

六四, 顚頤吉, 虎視耽耽, 其欲逐逐无咎.

육사는 길러주기를 거꾸로 하지만 길하니, 호시탐탐 하고자 함을 좇고 좇으면 허물이 없다.

本義

柔居上而得正, 所應又正, 而賴其養以施於下, 故雖顚而吉. '虎視耽耽', 下而專也, '其欲逐逐', 求而繼也, 又能如是, 則无咎矣.

부드러운 음이 위에 있으면서 바름을 얻고 호응하는 초효가 또 바르며, 그 기름에 의지하여 아래에 베풀기 때문에 거꾸로 할지라도 길하다.

'호시탐탐(虎視耽耽)'은 아래로 해서 전일한 것이고, '하고자 함을 좇고 좇는 것(其欲逐逐)'은 구하기를 계속하는 일이니, 또 이와 같이 할 수 있으면 허물이 없다.

程傳

四在人上, 大臣之位. 六以陰居之, 陰柔不足以自養, 况養天下乎. 初九以剛陽居下, 在下之賢也, 與四爲應, 四又柔順而正, 是能順於初, 賴初之養也. 以上養下, 則爲順, 今反求下之養, 顚倒也. 故曰, '顚頤'.

사효는 사람의 자리에 있으니 대신(大臣)의 자리이다. 육사가 음으로 여기에 있으나 음의 유약함으로는 자신도 기를 수 없으니, 하물며 천하 사람들을 기르겠는가?

초구는 굳센 양으로 아래에 있으니 아래에 있는 현명한 사람인데, 사효와 호응하고 사효가 또 유순하고 바르니, 초효에게 순종하여 그것의 길러줌에 의지하는 것이다. 위에서 아래를 길러주면 순리대로 하는 것인데, 이제 도리어 아랫사람의 길러주기를 구하니, 이는 거꾸로 하는 것이다. 그러므로 '길러주기를 거꾸로 한다'고 하였다.

然已不勝其任, 求在下之賢而順從之, 以濟其事, 則天下得其養, 而已无曠敗之咎, 故爲吉也. 夫居上位者, 必有才德威望, 爲下民所尊畏, 則事行而衆心服從. 若或下易其上, 則政出而人違, 刑施而怨起, 輕於陵犯, 亂之由也. 六四雖能順從剛陽, 不廢厥職, 然質本陰柔, 賴人以濟, 人之所輕. 故必養其威嚴, 耽耽然如虎視, 則能重其體貌, 下不敢易. 又從於人者, 必有常, 若間或无繼, 則其政敗矣.

그러나 이미 자기가 임무를 감당하지 못해 아래에 있는 현명한 사람을 찾아 그에게 순종하여 그 일을 이룬다면, 천하 사람들이 길러짐을 얻고, 자신은 임무를 버리거나 실패하는 허물이 없기 때문에 길하다.

윗자리에 있는 사람이 반드시 재주와 덕과 위엄과 명망이 있어 아래 백성에게 존경과 두려움을 받는다면, 일이 행해져 사람들이 마음으로 복종할 것이다. 간혹 아랫사람이 윗사람을 경시하면, 정사를 행함에 백성들이 어기고, 형벌을 베풂에 원망이 일어나서 가볍게 능멸하고 범할 것이니, 어지럽게 되는 이유이다.

육사가 굳센 양에게 순종하여 그 직책을 폐하지 않을지라도 자질이 본래 부드러운 음이어서 사람에게 의지하여 이루니, 사람들이 경멸한다. 그러므로 반드시 위엄을 길러 호랑이가 노려보듯이 한다면, 그 체모(體貌)를 중시하여 아랫사람들이 감히 함부로 대하지 못할 것이다. 또 남을 따르는 자는 반드시 떳떳함이 있어야 하니, 간혹 계속하지 못하면 정사가 무너진다.

'其欲', 謂所須用者, 必逐逐相繼而不乏, 則其事可濟, 若取於人而无繼, 則困窮矣. 旣有威嚴, 又所施不窮, 故能无咎也. 二顚頤, 則拂經, 四則吉, 何也. 曰二在上而反求養於下, 下非其應類, 故爲拂經, 四則居上位, 以貴下賤, 使在下之賢由己以行其道, 上下之志相應而施於民, 何吉如之. 自三以下養口體者也, 四以上養德義者也. 以君而資養於臣, 以上位而賴養於下, 皆養德也.

'하고자 함'은 반드시 필요함을 말하니, 반드시 좇고 좇아 서로 이어져 다하지 않으면 일이 이루어지고, 남에게 취해 이어지지 못하면 곤궁해진다. 이미 위엄이 있고 또 베푸는 것이 다하지 않기 때문에 허물이 없을 수 있다.
이효가 길러주기를 거꾸로 하면 바른 도에 어긋나는데, 사효가 길한 것은 무엇 때문인가? 이효가 위에 있으면서 도리어 아래의 초효에게 길러지기를 구하는 것은 아래가 호응하는 겨레가 아니기 때문에 바른 도에 어긋나는 것이다. 그런데 사효가 윗자리에서 귀한 신분으로 천한 자에게 낮추는 것은 아래에 있는 현명한 사람이 자기로 말미암아 그 도를 행하게 해서 위아래의 뜻이 서로 호응하여 백성에게 베풀게 되는 것이니, 어떤 길함이 이와 같겠는가?

삼효 이하는 몸을 기르는 자이며, 사효 이상은 덕과 의를 기르는 자이다. 임금으로서 신하에게 기름을 의지하고, 윗자리에 있으면서 아래 사람에게 기름을 의지함은 모두 덕을 기르는 일이다.

集說

● 蘇氏軾曰：“自初而言之, 則初之見養於四, 爲凶, 自四言之, 則四之得養, 初九爲吉.”

소식이 말했다. “초효로 말하면 초효가 사효에게 길러지는 것은 흉하고, 사효로 말하면 사효가 기름을 얻는 것은 초효가 길하게 된다.”

● 游氏酢曰：“以上養下, 頤之正也. 若在上, 而反資養於下, 則於頤爲倒置矣. 此二與四, 所以俱爲顚頤也. 然二之志在物, 而四之志在道, 故四顚頤而吉, 而二則征凶也.”

유초가 말했다. “위에서 아래를 기르는 것이 이(頤☲☳)괘의 바름이다. 위에 있는데 도리어 아래에 기름을 의지한다면 기르는 것이 거꾸로 된다. 이것이 이효와 사효가 모두 길러주기를 거꾸로 하는 것이다. 그러나 이효의 뜻은 사물에 있고 사효의 뜻은 도에 있기 때문에 사효는 기르기를 거꾸로 하여 길하고 이효는 가서 흉하다.”

● 『朱子語類』, 問：“『音辯』, 載馬氏曰, ‘眈眈虎下視貌’, 則當爲下而專矣.”
曰：“然.”
又問：“其欲逐逐, 如何?”

曰 : "求於下以養人, 必當繼繼求之, 不厭乎數, 然後可以養人而
不窮."3)

『주자어류』에서 물었다. "『음변』에 마씨가 '탐탐(眈眈)은 호랑이가
아래로 내려다보는 모양이다'라고 한 말이 실려 있으니, 아래로 해
서 전일해야 하는 것입니다."
대답했다. "그렇습니다."
또 물었다. "그 하고자 함을 좇고 좇는다는 것은 무엇입니까?"
대답했다. "아래에서 구해 사람들을 기르려면 반드시 계속해서 구
하고 자주 하는 것을 싫어하지 않은 다음에 사람을 기르고 끝없이
할 수 있습니다."

● 吳氏澄曰 : "自養於內者, 莫如龜, 求養於外者, 莫如虎, 故頤
之初九六四, 取二物爲象. 四之於初, 其下賢求益之心, 必如虎
之視下. 求食而後, 可其視下也, 專一而不他, 其欲食也. 繼續而
不歇, 如是, 則於人不貳, 於己不自足, 乃得居上求下之道."

오징이 말했다. "안에서 스스로 기르는 것으로는 거북이 같은 동물
이 없고, 밖에서 기름을 구하는 것으로는 호랑이 같은 동물이 없기
때문에 이(頤䷚)괘의 초구와 육사에서 두 동물을 취해 상으로 하였
다. 사효가 초효에 대해 어진 이에게 낮추고 유익함을 구하는 마음
으로는 반드시 호랑이가 아래로 내려다보는 것처럼 해야 한다. 먹
을 것을 구한 다음에 그것이 아래로 내려다보는 것이 괜찮으니, 오
로지 하나로 하여 다른 것을 하지 않는 것은 먹고 싶어 하기 때문
이다. 계속 해서 다하지 않기를 이처럼 하면 사람들에게는 다른 것

3) 『주자어류』 권71, 98조목.

을 하지 않고, 자신에게는 스스로 만족하지 않으니, 위에 있으면서 아래로 구하는 도를 얻는 것이다."

● 林氏希元曰 : "苟下賢之心不專, 則賢者不樂告以善道, 求益之心不繼, 則纔有所得而遽自足."

임희원이 말했다. "어진 사람에게 낮추는 마음을 전일하게 하지 않으면 어진 자가 기꺼이 좋은 방법을 알려주지 않고, 유익함을 구하는 마음이 계속되지 않으면 얻는 것이 있자마자 바로 스스로 만족한다."

六五, 拂經, 居貞吉, 不可涉大川.

육오는 바른 도리에 위배되나 곧음으로 처신하면 길하고, 큰 내를
건너서는 안 된다.

本義

六五, 陰柔不正, 居尊位而不能養人, 反賴上九之養, 故其象
占如此.

육오는 부드러운 음으로 바르지 않고, 높은 자리에 있으면서 사람
을 길러줄 수 없고 도리어 상구의 기름에 의지하기 때문에 그 상과
점이 이와 같다.

程傳

六五, 頤之時, 居君位, 養天下者也. 然其陰柔之質, 才不足
以養天下, 上有剛陽之賢, 故順從之, 賴其養己, 以濟天下.
君者養人者也, 反賴人之養, 是違拂於經常, 旣以己之不足,
而順從於賢師傅. 上師傅之位也, 必居守貞固篤於委信, 則能
輔翼其身, 澤及天下, 故吉也.

육오는 이(頤)괘의 때에 임금의 자리에 있으니, 천하 사람들을 기르
는 자이다. 그런데 부드러운 음의 자질로는 재주가 천하 사람들을
기를 수 없지만, 위에 굳센 양의 어진 사람이 있기 때문에 그에게

순종하고 자기를 길러주는데 의지하여 천하 사람들을 구제한다. 임금은 사람을 길러주는 자인데 도리어 다른 사람의 길러줌에 의지하는 것은 바르고 떳떳함에 어긋나지만 이미 자기가 부족해서 어진 스승에게 순종하는 것이다. 상효는 스승의 자리여서 반드시 곧음을 지키며 맡기고 믿는 것에 대해 돈독함을 확고하게 하면, 그 자신을 도와 천하에 은택을 미치기 때문에 길하다.

陰柔之質, 元貞剛之性, 故戒以能居貞則吉, 以陰柔之才, 雖倚賴剛賢, 能持循於平時, 不可處艱難變故之際, 故云'不可涉大川'也.

부드러운 음의 자질로 크게 바르고 굳센 성질이 없기 때문에 곧게 처신하면 길하다고 경계하였으며, 부드러운 음의 재질로 비록 굳센 현자에게 의지하나 평상시에 따를 수 있을 뿐이고, 어렵고 변고가 있을 때는 대처할 수 없기 때문에 '큰 내를 건너서는 안 된다'고 말하였다.

以成王之才, 不至甚柔弱也, 當管蔡之亂, 幾不保於周公. 況其下者乎. 故書曰, "王亦未敢誚公," 賴二公得終信. 故艱險之際, 非剛明之主, 不可恃也, 不得已而濟艱險者則有矣. 發此義者, 所以深戒於爲君也, 於上九則據爲臣致身盡忠之道言, 故不同也.

성왕(成王)의 재질로는 아주 유약한 정도는 아니지만, 관숙(管叔)과 채숙(蔡叔)의 난에 거의 주공(周公)을 보호하지 못했다. 그런데 하물며 그보다 못한 자들은 말해 무엇 하겠는가? 그러므로 『서경』에서 "왕도 또한 감히 공(公)을 꾸짖지 못했다"라고 말하였으니, 두 공(公)⁴⁾을 의지하여 끝내 믿음을 얻었던 것이다.

어렵고 험한 때에는 굳세고 현명한 임금이 아니면 믿을 수 없으니, 부득이하게 어렵고 험함을 구제하는 경우도 있다. 이 뜻을 말한 것은 임금이 된 자를 깊이 경계하기 위한 것이고, 상구에게서는 신하가 되어 몸을 바쳐 충성을 다하는 도에 근거하여 말했기 때문에 같지 않다.

集說

● 丘氏富國曰 : "豫五不言'豫', 以'豫'由乎四也. 頤五不言'頤', 以'頤'由乎上也."

구부국이 말했다. "예(豫☷☳)괘의 오효에서 '즐거움[豫]'를 말하지 않았으니, '즐거움'⁵⁾이 사효로 말미암기 때문이다. 이괘의 오효에서 '기름'을 말하지 않았으니, '기름'⁶⁾이 상효로 말미암기 때문이다."

● 林氏希元曰 : "不能養人, 而反賴上九以養於人, 故其象爲'拂

4) 태공(太公)과 소공(召公)을 말한다.
5) 『주역』「예괘(豫卦)」: "九四, 由豫, 大有得. 勿疑, 朋盍簪.[구사는 말미암아 즐거워 크게 얻음이 있으니, 의심하지 않으면 벗들이 몰려올 것이다.]"라 하였고, "六五, 貞疾恒, 不死.[육오효는 고질병으로 늘 앓으면서 죽지는 않는다.]"라고 하였다.
6) 『주역』「이괘(頤卦)」: "上九, 由頤, 厲吉, 利涉大川.[상구는 자신으로 말미암아 길러지는 것이니 위태롭게 여기면 길하고, 큰 내를 건너는 것이 이롭다.]"라고 하였다.

經’. 言反常也, 然在己不能養人, 而賴賢者以養, 亦正道也. 故
居貞而吉. 若不用人而自用, 則任大責重, 終不能勝, 如涉大川,
終不能濟, 故不可.”

임희원이 말했다. “사람들을 기를 수 없어 도리어 상구에 의지하여
사람들을 기르기 때문에 그 상이 ‘바른 도리를 위배하는 것’이다.
일상의 법도에 어긋나지만 자신으로는 사람들을 기를 수 없어 어진
자에게 의지해서 길러주는 것도 바른 도리이기 때문에 곧음으로 처
신하면 길하다는 말이다.
사람을 쓰지 못해 스스로 하면 책임이 크고 무거워 끝내 감당할 수
없으니, 이를테면 큰 내를 건넘에 끝내 건널 수 없는 것이기 때문
에 안 된다는 것이다.”

上九, 由頤, 厲吉, 利涉大川.

상구는 자신으로 말미암아 길러지는 것이니 위태롭게 여기면 길하고, 큰 내를 건너는 것이 이롭다.

本義

六五, 賴上九之養以養人, 是物由上九以養也. 位高任重, 故厲而吉, 陽剛在上, 故利涉川.

육오가 상구의 길러줌에 의지하여 사람을 기르니, 사람들이 상구로 말미암아 길러지는 것이다. 지위가 높고 책임이 무겁기 때문에 위태롭게 여기면 길하고, 굳센 양이 위에 있기 때문에 내를 건너는 것이 이롭다.

程傳

上九, 以剛陽之德, 居師傅之任. 六五之君, 柔順而從於己, 賴己之養, 是當天下之任, 天下由之以養也. 以人臣而當是任, 必常懷危厲則吉也. 如伊尹周公, 何嘗不憂勤兢畏. 故得終吉. 夫以君之才不足而倚賴於己身, 當天下大任, 宜竭其才力, 濟天下之艱危, 成天下之治安. 故曰, '利涉大川'. 得君如此之專, 受任如此之重, 苟不濟天下艱危, 何足稱委遇而謂之賢乎. 當盡誠竭力而不顧慮, 然惕厲, 則不可忘也.

상구는 굳센 양의 덕으로 스승의 임무를 담당하고 있다. 육오의 임금이 유순하여 자신을 따라 자신의 길러줌에 의지하는 것은 천하의 임무를 담당한 것으로 천하가 자기로 말미암아 길러지는 것이다. 신하로서 이런 임무를 담당하였으면 반드시 항상 위태로운 마음을 품으면 길하다. 이를테면 이윤(伊尹)과 주공(周公)이 어찌 일찍이 근심하고 힘쓰며 조심하고 두려워하지 않았겠는가? 그러므로 끝내 길함을 얻은 것이다.

임금의 재주가 부족해 자기에게 의지하여 자신이 천하의 큰 임무를 감당하였다면, 재주와 힘을 다해 천하의 어려움과 위태로움을 구제하고 천하의 다스림과 편안함을 이루어야 한다. 그러므로 '큰 내를 건너는 것이 이롭다'고 말하였다. 임금의 신임을 얻은 것이 이와 같이 전일하고 임무를 맡은 것이 이와 같이 무거운데, 천하의 어려움과 위태로움을 구제하지 못한다면, 어찌 맡기고 예우함에 걸맞게 하고 어질다고 하겠는가? 정성과 힘을 다하고 염려하지 않아야 하지만 두려워하고 위태롭게 여기는 것을 잊어서는 안 된다.

集說

● 王氏弼曰:"以陽處上, 而履四陰, 陰不能獨爲主, 必宗於陽也, 故莫不由之以得其養."

왕필이 말했다. "양으로 꼭대기에 있으면서 네 음을 밟고 있고, 음이 홀로 주인이 될 수 없어 반드시 양을 높여 주기 때문에 그것으로 말미암아 기름을 얻지 않음이 없다."

● 李氏舜臣曰:"豫九四曰, '由豫'者, 卽'由頤'之謂也由. 豫在

四, 猶下於五也而已有可疑之迹. 由頤在上, 則過中而嫌於不安,
故厲."

이순신이 말했다. "예(豫☷☳)괘의 구사효에서 '말미암아 즐겁다'[7]는
것은 곧 '자신으로 말미암아 길러지는 것'을 말한다. 즐거움이 사효
에 있는데 여전히 오효에게 낮추니, 이미 의심할 수 있는 흔적이
있기 때문이다. 말미암아 길러지는 것이 상효에 있으면 가운데를
지나서 편안하지 않은 것을 의심하기 때문에 위태롭다."

● 丘氏富國曰 : "陽實陰虛. 實者養人, 虛者求人之養, 故四陰
皆求養於陽者. 然養之權在上, 是二陽爻又以上爲主, 而初陽亦
求養者也, 故直於上九一爻曰, '由頤'焉."

구부국이 말했다. "양은 차 있고 음은 비어 있다. 차 있는 것은 사
람들을 기르고, 비어 있는 것은 사람들이 길러줌을 구하기 때문에
네 음은 모두 양에게 길러짐을 구하는 것이다. 그러나 기름의 권세
가 상효에 있는 것은 두 양효가 또 상효를 주인으로 하는데, 초효
의 양도 길러줌을 구하기 때문에 곧바로 상구 한 효에서만 '자신으
로 말미암아 길러지는 것이다'라고 하였다."

總論

● 吳氏曰愼曰 : "養之爲道, 以養人爲公, 養己爲私. 自養之道

---

7) 『주역』「예괘(豫卦)」: "九四, 由豫, 大有得, 勿疑, 朋盍簪.[구사효는 말
미암아 즐거워 크게 얻음이 있으니, 의심하지 않으면 벗들이 몰려올 것
이다.]"라고 하였다.

以養德爲大, 養體爲小. 艮三爻皆養人者, 震三爻皆養己者. 初
九六二六三, 皆自養口體, 私而小者也, 六四六五上九, 皆養其
德以養人, 公而大者也. 公而大者吉, 得頤之正也, 私而小者凶,
失頤之貞也. 可不觀頤而自求其正耶."

오왈신이 말했다. "기름의 도는 사람을 기르는 일을 공적인 것으로
여기고 자신을 기르는 일을 사적인 것으로 여긴다. 스스로 기르는
도는 덕을 기르는 일을 큰 것으로 여기고, 몸을 기르는 일을 작은
것으로 여긴다.
간(艮☶)괘의 세 효는 모두 사람들을 기르는 일이고, 진(震☳)괘의
삼효는 모두 자신을 기르는 일이다. 초구·육이·육삼은 모두 스스
로 몸을 기르니 사적이고 작은 것이며, 육사·육오·상구는 모두 그
덕을 기르고 사람들을 기르니 공적이고 큰 것이다. 공적이고 큰 것
이 길함은 기름의 바름을 얻었기 때문이고, 사적이고 작은 것이 흉
함은 기름의 바름을 잃었기 때문이니, 기름을 보지 않고 스스로 바
름을 구할 수 있겠는가?"

28. 대과大過괘

兌上
巽下

程傳

大過, 「序卦」曰, "頤者, 養也, 不養則不可動, 故受之以大過."
凡物養而後能成, 成則能動, 動則有'過', 大過所以次頤也. 爲
卦上兌下巽, 澤在木上, 滅木也. 澤者, 潤養於木, 乃至滅沒
於木, 爲大過之義.

대과괘(大過卦)에 대해 「서괘전(序卦傳)」에서 "이(頤)는 기름이니,
기르지 않으면 움직일 수 없기 때문에 대과로 받았다"라고 하였다.
만물은 길러진 뒤에 이루어질 수 있고, 이루어지면 움직일 수 있으
며, 움직이면 '지나침[過]'이 있게 되니, 대과(大過)괘가 이 때문에
이(頤)괘의 다음에 있다.
괘의 모양은 위가 태(兌☱)괘이고 아래가 손(巽☴)괘로 못[澤]이 나
무[木] 위에 있어 나무를 없애는 것이다. 못은 나무를 윤택하게 하
고 길러주는 것인데 마침내 나무를 없애게 되었으니, 이것이 대과
(大過)의 뜻이다.

'大過'者, 陽過也. 故爲大者過, 過之大, 與大事過也, 聖賢道
德功業, 大過於人, 凡事之大過於常者, 皆是也. 夫聖人盡人

道, 非過於理也. 其制事以天下之正理, 矯失之用, 小過於中者則有之, 如行過乎恭, 喪過乎哀, 用過乎儉, 是也. 蓋矯之小過而後, 能及於中, 乃求中之用也.

'대과'란 양이 지나침이기 때문에 큰 것이 지나침과 지나침의 큼과 대사(大事)가 지나친 것이니, 성현의 도덕과 공업이 사람들보다 크게 지나침과 일이 평상시보다 크게 지나침은 모두 여기에 해당한다. 성인이 사람의 도리를 다함은 이치에 지나친 것이 아니다. 일을 천하의 바른 이치로 제재하면서 잘못을 바로잡는 작용이 중도에서 조금 지나치는 경우가 있으니, 이를테면 행함에 공손을 지나치게 하고 상사에 슬픔을 지나치게 하며 씀에 검소함을 지나치게 하는 것이 여기에 해당한다. 바로잡는 것이 조금 지나친 다음에 중도에 미칠 수 있으니, 바로 중도를 구하는 작용이다.

所謂'大過'者, 常事之大者耳. 非有過於理也, 唯其大, 故不常見, 以其比常所見者大, 故謂之'大過', 如堯舜之禪讓, 湯武之放伐, 皆由道也, 道无不中无不常, 以世人所不常見, 故謂之'大過於常'也.

이른바 '대과'라는 것은 보통의 일 가운데에서 큰 것일 뿐이지, 이치에 지나침이 있는 것은 아니다. 다만 크기 때문에 일상적으로 볼 수 없고, 일상적으로 보는 것에 비해 크기 때문에 '대과'라고 하였다. 요임금과 순임금이 선양(禪讓)하고 탕왕과 무왕이 방벌(放伐)한 것과 같은 사례는 모두 도로 말미암은 것이니, 도는 중도가 아님이 없고 일상적이지 않음이 없으나, 세상 사람들이 일상적으로 보지 못하기 때문에 '일상적인 것보다 크게 지나치다'고 한다.

大過, 棟橈, 利有攸往, 亨.

대과는 들보가 휘어지니, 가는 것이 이롭고 형통하다.

大, 陽也. 四陽居中過盛, 故爲大過. 上下二陰, 不勝其重, 故
有棟橈之象. 又以四陽雖過, 而二五得中, 內巽外說, 有可行
之道, 故利有所往而得亨也.

대(大)는 양(陽)이니, 네 양이 가운데에서 지나치게 성대하기 때문
에 대과이다. 위와 아래의 두 음이 무거움을 감당하지 못하기 때문
에 들보가 휘는 상이 있다. 또 네 양이 지나칠지라도 이효와 오효가
가운데 있고, 안으로는 공손하고 밖으로는 기뻐하여 행할 만한 도
가 있기 때문에 가는 것이 이롭고 형통하다.

小過, 陰過於上下, 大過, 陽過於中. 陽過於中而上下弱矣,
故爲棟橈之象. '棟', 取其勝重, 四陽聚於中, 可謂重矣. 九三
九四, 皆取棟象, 謂任重也. 橈取其本末弱, 中强而本末弱,
是以橈也. 陰弱而陽强, 君子盛而小人衰, 故利有攸往而亨
也. '棟', 今人謂之'檁'.

소과(小過☶)괘는 음이 위와 아래에 지나치게 많고, 대과(大過☱)괘

는 양이 가운데에 지나치게 많다. 양이 가운데 지나치게 많아 위
와 아래가 약하기 때문에 들보가 휘어지는 상(象)이다. '들보'는 무
거움을 감당하는 데서 취한 것이다. 네 양이 가운데에 모였으니, 무
겁다고 할 수 있다. 구삼과 구사는 모두 들보의 상을 취하였으니,
짐이 무거움을 이른다.

휘어짐은 밑과 끝이 약함을 취한 것으로 가운데가 강한데 밑과 끝
이 약해 그 때문에 휘어진다. 음이 약하고 양이 강하여 군자가 성하
고 소인이 쇠하기 때문에 가는 것이 이롭고 형통하다. '들보'에 대해
요새 사람들이 '들보도리[檩]'라고 한다.

● 王氏宗傳曰: "天下之事, 固有正理, 豈可過耶. 然古今固有
所謂非常之事者, 以理而論, 亦無非君子之時中. 特其事大勢重
不常見爾."

왕종전이 말했다. "천하의 일에는 진실로 올바른 이치가 있으니, 어
찌 지나쳐서야 되겠는가? 그러나 예나 지금이나 진실로 이른바 일
상적이지 않은 일이 있으니, 이치로 논하면 또한 군자가 때에 맞추
지 않은 것이 아니다. 그 일이 크고 상황이 중대해서 일상적으로
볼 수 없는 것일 뿐이다."

● 『朱子語類』問: "大過小過先生與伊川之説不同."
曰: "然. 伊川此論, 正如以反經合道爲非相似. 殊不知大過自有
大過時節, 小過自有小過時節. 處大過之時, 則當爲大過之事,
處小過之時, 則當爲小過之事. 在事雖是過, 然適當其時, 合當

如此作, 便是合義."[1]

『주자어류』에서 물었다. "대과(大過䷛)괘와 소과(小過䷽)괘에 대한 선생님의 설명과 정이천의 설명은 같지 않습니다."
대답했다. "그렇습니다. 정이천의 이 부분에 대한 논의는 바로 경(經)을 돌이켜 도(道)에 합치시키려는 방법으로 했기 때문에 서로 같지 않습니다. 잘은 모르겠지만 대과에는 본래 대과의 시기가 있고, 소과에는 본래 소과의 시기가 있습니다. 대과의 시기에는 대과의 일을 행해야 하고, 소과의 시기에는 소과의 일을 해야 합니다. 단지 일에 있어서는 지나칠지라도 그 시기에 맞아 이와 같이 해야 하는 것이니, 바로 의(義)에 들어맞는 것입니다."

● 胡氏一桂曰: "或疑頤與大過對者也, 何不名爲小過, 中孚與小過對者也, 何不名爲大過. 蓋大過以四陽在中言, 小過以四陰在外言, 此是聖人內陽外陰之意."

호일계가 말했다. "어떤 이는 이(頤䷚)괘는 대과(大過䷛)괘와 짝인데 어째서 소과괘라고 이름붙이지 않고, 중부(中孚䷼)괘는 소과(小過䷽)괘와 짝인데 어째서 대과괘라고 이름붙이지 않았는지 의심쩍어 한다. 대과(大過䷛)괘는 네 양이 가운데 있는 것으로 말했고, 소과(小過䷽)괘는 네 음이 바깥에 있는 것으로 말했으니, 이것은 성인이 양을 안으로 하고 음을 밖으로 하는 의미이다."

● 胡氏炳文曰: "旣曰'棟橈', 又曰, '利有攸往亨', 何也. 曰'棟橈'

----

1) 『주자어류』 권71, 104조문.

以卦象言也, 利往而後'亨', 是不可無大有爲之才, 而天下亦無不可爲之事, 以占言也."

호병문이 말했다. "'들보가 휜다'고 말해놓고, 또 '가는 것이 이롭고 형통하다'고 한 것은 무엇 때문인가? '들보가 휘는 것'은 괘의 상으로 말했고, '가는 것이 이롭고' 뒤에 '형통하다'는 것은 크게 일할 수 있는 재질이 없을 수 없고, 천하에도 할 수 없는 일이 없으니, 점으로 말하였다."

● 何氏楷曰 : "棟, 『説文』謂之極, 『爾雅』謂之桴, 其義皆訓中也, 卽屋之脊檁. 惟大過, 是以'棟橈', 是以'利有攸往'. 惟有攸往是以'亨'. 「翼傳」乃字當玩. 卦辭言棟橈, 指二三四五言也. 爻辭專及三四者, 擧中樞也."

하해가 말했다. "'들보[棟]'는 『설문해자』에서 '대들보[極]'라고 하고 『이아』에서는 '마룻대[桴]'라고 했으니, 그 의미는 모두 가운데로 풀이한 것으로 곧 가옥에서 '등성마루의 도리[脊檁]'이다. 오직 대과이니, 이 때문에 '들보가 휘고', 이 때문에 '가는 것이 이롭다'. 오직 가는 것이 있으니, 이 때문에 '형통하다'. 「십익[翼傳]」에서 이에 글자를 완미해야 한다. 괘사에서 들보를 말한 것은 이효·삼효·사효·오효를 가리켜서 말했고, 효사에서 삼효와 사효에서만 언급한 것은 중추를 들었다."

初六, 藉用白茅, 无咎.

초육은 자리를 까는데 흰 띠풀을 사용하니, 허물이 없다.

當大過之時, 以陰柔居巽下, 過於畏愼而无咎者也, 故其象占如此. '白茅', 物之潔者.

대과의 때에 부드러운 음으로 손(巽☴)괘의 아래에 있어 두려워하고 삼가기를 지나치게 하여 허물이 없기 때문에 상과 점이 이와 같다. '흰 띠풀'은 물건 중에 깨끗한 것이다.

初以陰柔巽體而處下, 過於畏愼者也. 以柔在下, 用茅藉物之象. 不錯諸地, 而藉以茅, 過於愼也, 是以无咎. 茅之爲物雖薄, 而用可重者, 以用之能成敬愼之道也. 愼守斯術而行, 豈有失乎大過之用也.

초효는 부드러운 음으로 손(巽☴)괘의 몸체이면서 아래에 있으니, 두려워하고 삼가기를 지나치게 하는 것이다. 부드러움이 아래에 있는 것은 띠풀로 물건의 깔개를 하는 상이다. 땅에 놓지 않고 띠풀을 까는 것은 삼감을 지나치게 하고 그 때문에 허물이 없다. 띠풀이 하찮을지라도 쓰임이 중요한 것은 이로서 공경하고 삼가는 도를 이룰 수 있기 때문이다. 이 방법을 삼가 지켜 행한다면, 어찌 대과의 쓰임에 잘못이 있겠는가.

「繫辭」云, "苟錯諸地而可矣, 藉之用茅, 何咎之有. 愼之至也. 夫茅之爲物薄, 而用可重也, 愼斯術也以往, 其无所失矣", 言敬愼之至也. 茅雖至薄之物, 然用之可甚重, 以之藉薦, 則爲重愼之道, 是用之重也. 人之過於敬愼, 爲之非難, 而可以保其安而无過, 苟能愼斯道, 推而行之於事, 其无所失矣.

「계사전」에 "땅에 놓아도 괜찮은데 깔개로 띠풀을 사용하니 무슨 허물이 있겠는가. 삼감이 지극하다. 띠풀은 하찮은 물건이나 쓰임이 중요하니, 이 방법을 삼가고 행하면 잘못이 없을 것이다"라고 하였으니, 공경과 삼감이 지극함을 말한 것이다. 띠풀은 지극히 하찮은 것일지라도 쓰임이 매우 중요하니, 이것을 깔면 신중히 하는 도가 되는 것은 쓰임이 중요하기 때문이다. 사람이 공경하고 삼감을 지나치게 하는 것은 하기 어려운 일이 아니고, 편안함을 보존하여 허물이 없을 수 있으니, 이 방법을 삼가 미루어 일에 행하면 잘못이 없다.

集說

● 胡氏瑗曰 : "爲事之始, 不可輕易, 必須恭愼, 然後可以免咎. 況居大過之時, 是其事至重, 功業至大, 尤不易於有爲, 必當過分而愼重, 然後可也. 苟於事始, 愼之如此則可以立天下之大功, 興天下之大利, 又何咎之有哉."

호원이 말했다. "일을 하는 처음에 가볍고 쉽게 여겨서는 안 되고, 반드시 삼가고 신중하게 한 다음에 허물을 면할 수 있다. 하물며 대과의 때에서는 그 일과 공업이 지극히 중대하니, 일을 함에 쉽게 여기지 않고 반드시 과분하고 신중하게 한 다음에야 괜찮다. 진실로 일의 시작에서 이와 같이 신중하게 한다면 천하의 큰 공을 세우고 천하의 큰 이익을 일으킬 수 있으니, 또 어떻게 허물이 있겠는가?"

● 朱氏震曰 : "茅之爲物, 薄而用重, 過愼也. 過愼者, 愼之至也. 大過, 君子將有事焉, 以任至大之事, 過而无咎者, 其惟過於愼乎. 過非正也. 初六執柔處下, 不犯乎剛, 於此而過, 其誰咎之."

주진이 말했다. "띠풀은 하찮으나 그 쓰임이 중요한 것은 지나치게 삼기 때문이다. 삼감에 지나친 것은 지극히 삼감이다. 대과는 군자가 일을 하려고 할 때 지극히 큰일을 맡고 지나칠 정도로 해서 허물이 없는 것으로 오직 삼감에 지나칠 뿐이다. 지나침은 바름이 아니다. 초육이 부드러움으로 아래에 있어 굳셈을 침범하지 못하고 여기에 지나칠 정도로 하고 있으니, 누가 그것을 허물하겠는가?"

● 趙氏玉泉曰 : "當過時, 而陰居巽下, 是以過愼之心, 任事, 謹始慮終, 無所不至, 如物措諸地, 又藉之以白茅焉. 如是, 則視天下, 無可忽之事者, 擧天下, 無不可爲之事./ 身無過動, 行無敗謀, 何咎之有."

조옥천이 말했다. "지나칠 때에 음이 손괘의 아래에 있어 지나치게 삼가는 마음으로 일을 책임지고 시작을 삼가고 끝을 생각하며 이르지 않음이 없으니, 이를테면 물건을 땅에 놓을 때 또 흰 띠풀을 깔아놓는 것이다. 이렇게 하면 천하를 보기에 소홀히 할 수 있는 일이 없고, 천하를 들기에 할 수 없는 일이 없다. 자신에게는 지나치게 움직이는 것이 없고, 행동에는 잘못 도모하는 것이 없으니, 무슨 허물이 있겠는가?"

案

胡氏朱氏趙氏説, 極於卦義相關. 蓋大過者, 大事之卦也, 自古任大事者, 必以小心爲基, 故聖人於初爻發義. 任重大者, 棟也, 基細微者, 茅也. 棟支於上, 茅藉於下, 故「繫傳」云, '茅之爲物, 薄而用, 可重也', 正對棟爲重物重任而言.

호씨·주씨·조씨의 설명은 괘의 의미를 극도로 해서 서로 관련시킨 것이다. 대과는 큰일의 괘이다. 옛날부터 큰일을 책임진 자는 반드시 삼감을 근본으로 하기 때문에 성인이 초효에서 뜻을 말했다. 중대한 것을 맡은 일은 들보이고 세미한 것을 맡은 일은 띠풀이다. 들보가 위에서 지탱하고 띠풀이 아래에 깔려 있기 때문에 「계사전」에서 "띠풀이 하찮을지라도 쓰임이 중요하다"고 하였으니, 바로 들보가 중요하고 중대한 책임이 있는 것에 짝하여 말하였다.

九二, 枯楊, 生稊, 老夫, 得其女妻, 无不利.

구이는 마른 버드나무에 줄기가 나오고 늙은 남자가 젊은 아내를 얻으니 이롭지 않음이 없다.

本義

陽過之始, 而比初陰, 故其象占如此. '稊', 根也, 榮於下者也. 榮於下, 則生於上矣. 夫雖老而得女妻, 猶能成生育之功也.

양이 지나치는 처음인데 초효의 음과 가까이 있기 때문에 상과 점이 이와 같다. '줄기'는 뿌리인데 아래로 번지는 것이다. 아래로 번지면 위에서 생겨난다. 남자가 늙었을지라도 젊은 아내를 얻으면 여전히 낳고 기르는 공을 이룰 수 있다.

程傳

陽之大過, 比陰則合, 故二與五, 皆有生象. 九二, 當大過之初, 得中而居柔, 與初密比而相與, 初旣切比於二. 二復无應於上, 其相與可知, 是剛過之人, 而能以中自處, 用柔相濟者也. 過剛則不能有所爲, 九三是也. 得中用柔, 則能成大過之功, 九二是也.

크게 지나친 양이 음을 가까이 하면 합하기 때문에 이효와 오효에 모두 낳는 상이 있다. 구이는 크게 지나친 처음에 알맞음을 얻었고 부드러운 음의 자리에 있으며 초효와 매우 가까워 서로 함께 하는데, 초효는 이미 이효와 아주 가까이 있다. 이효가 다시 위에 호응이 없어 이것들이 서로 함께 함을 알만하니, 굳셈이 지나친 사람이지만 알맞음으로 스스로 처신하면서 부드러움을 사용해 서로 구제한다. 지나치게 강하면 일을 할 수가 없으니 구삼이 여기에 해당한다. 알맞음을 얻고 부드러움을 사용하면 '크게 지나친[大過]' 공(功)을 이룰 수 있으니 구이가 여기에 해당한다.

'楊'者, 陽氣易感之物, 陽過則枯矣. 楊枯槁而復生稊, 陽過而未至於極也. 九二陽過而與初, 老夫得女妻之象. 老夫而得女妻, 則能成生育之功. 二得中居柔而與初, 故能復生稊, 而无過極之失, 无所不利也. 在大過, 陽爻居陰則善, 二與四是也. 二不言吉, 方言无所不利, 未遽至吉也. 稊根也. 劉琨「勸進表」云, "生繁華於枯荑," 謂枯根也. 鄭玄易, 亦作荑字, 與稊同.

'버드나무'는 양기에 쉽게 감응하는 식물이어서 양이 지나치면 말라버린다. 버드나무가 말랐다가 다시 줄기가 생겼다면 양(陽)이 지나쳤으나 극단에는 이르지 않은 것이다.
구이가 양이 지나치지만 초효와 함께 함은 늙은 남자가 젊은 아내를 얻는 상이다. 늙은 남자인데 젊은 아내를 얻으면 낳고 기르는 공을 이룰 수 있다. 이효는 알맞음을 얻고 부드러운 음의 자리에 있으면서 초효와 함께하기 때문에 다시 줄기가 나오고 극도로 지나친 잘못이 없으니 이롭지 않음이 없다. 대과에서 양효가 음의 자리에 있으면 좋으니, 이효와 사효가 여기에 해당한다. 그런데 이효에서 길함을 말하지 않고, 이제 이롭지 않음이 없다고 말한 것은 갑자기 길함에 이를 수 없기 때문이다.

줄기[稊]는 뿌리이다. 유곤(劉琨)[2]의 「권진표(勸進表)」[3]에 "화려한 꽃이 '고목의 새싹[枯荑]'에서 핀다"고 하였으니, 마른 뿌리를 말한다. 정현(鄭玄)의 『역(易)』에서도 '싹[荑]'으로 되어 있으니, '줄기[稊]'와 같다.

集說

● 司馬氏光曰 : "大過, 剛已過矣, 止可濟之以柔, 不可濟之以剛也. 故大過之時, 皆以居陰爲吉, 不以得位爲美."

----

2) 유곤(劉琨, 271~318) : 서진(西晉) 중산(中山) 위창(魏昌) 사람으로 자는 월석(越石)이다. 젊어서부터 지기(志氣)를 품어 조적(祖逖)과 벗하면서 세상에 쓰이기를 바랐다. 처음에 사예종사(司隷從事)가 되었다. 진혜제(晉惠帝) 때 어가(御駕)를 맞은 공으로 광무후(廣武侯)에 봉해졌다. 회제(懷帝) 영가(永嘉) 원년(307) 병주자사(幷州刺史)가 되고, 진위장군(振威將軍)이 더해졌다. 민제(愍帝)가 즉위하자 대장군에 임명되어 병주(幷州)의 군사(軍事)를 통솔했다. 원제(元帝)가 칭제(稱制)하자 사람을 보내 즉위를 권하면서 태위(太尉)로 옮겼다. 진나라 조정을 위해 유민들을 돌보는 한편 홀로 하북(河北)을 지키면서 유총(劉聰)과 석륵(石勒)에게 항거했다. 석륵에게 패한 뒤 선비귀족(鮮卑貴族) 유주자사(幽州刺史) 단필제(段匹磾)에게로 달아났다. 단필제가 그를 꺼려 결국 살해당했다. 호방함으로 이름을 떨쳐 문장이 당시 인정을 받았다. 영가(永嘉)의 난을 거친 뒤에는 시풍이 크게 변해 비장강개한 음조를 띠었다. 저서에 『유월석집(劉越石集)』이 있다.

3) 권진표(勸進表) : 유곤(劉琨)은 진(晉)나라 민제(愍帝) 때에 사공(司空)이었으나 오호(五胡)의 난에 민제가 오랑캐에게 시해 당하자 강동(江東)에 있던 사마의(司馬懿)에게 「권진표(勸進表)」를 올려 제위(帝位)에 오를 것을 권하였다. 그 후 사마위가 강동에서 즉위하니 이가 곧 동진(東晉)의 원제(元帝)이다.

사마광이 말했다. "대과는 굳셈이 이미 지나친 것이니, 오직 부드러움으로 구제해야 하고 굳셈으로 구제해서는 안 된다. 그러므로 대과의 때에는 모두 음의 자리에 있는 것을 길하게 여기고 자리 얻은 것을 아름답게 여기지 않는다."

● 楊氏時曰: "聞之蜀僧云, '四爻之剛, 雖同爲木, 然或爲楊, 或爲棟. 棟負衆橑, 則木之强者也, 楊爲早凋, 則木之弱者也. 此卦本末皆弱. 二近於本, 五近於末, 故均爲木之弱也.'"

양시가 말했다. "촉(蜀)나라의 승려가 '네 효의 굳셈이 동일하게 나무일지라도 어떤 것은 버드나무이고 어떤 것은 들보이다. 들보는 서까래를 지고 있으니 굳센 나무이고, 버드나무는 쉽게 마르니 약한 나무이다. 대과괘에서 뿌리와 끝은 모두 약하다. 이효는 뿌리에 가깝고 오효는 끝에 가깝기 때문에 모두 약한 나무이다'라고 하는 것을 들었다."

● 項氏安世曰: "二五, 皆濱於澤. 楊, 澤木也, 當大過之時, 故稱枯焉, 過則木枯也."

항안세가 말했다. "이효와 오효는 모두 못가에 있다. 버드나무는 못가에 있는 나무로 대과의 때이기 때문에 고목이라 하였으니, 지나치면 나무가 말라버리기 때문이다."

● 王氏申子曰: "大過諸爻, 以剛柔適中者爲善. 初以柔居剛, 二以剛居柔, 而比之, 是剛柔適中, 相濟而有功者也. 其陽過也, 如楊之枯, 如夫之老, 其相濟而有功也, 如枯楊而生稊, 如老夫得女妻, 言陽雖過矣, 九二處之得中, 故无不利."

왕신자가 말했다. "대과(大過䷛)괘의 여러 효는 굳셈과 부드러움이 가운데로 가는 것을 좋게 여겼다. 초효는 부드러움이 굳센 자리에 있고 이효는 굳셈이 부드러운 자리에 있으면서 가까운 것들이니, 굳셈과 부드러움이 가운데로 가서 서로 구제하여 공이 있다. 양이 지나치면 버드나무가 마른 것과 같고 남자가 늙은 것과 같으니, 서로 구제하여 공이 있으면 마른 버드나무에 줄기가 나오는 것과 같고 늙은 남자가 젊은 아내를 얻는 것과 같다. 양이 지나칠지라도 구이의 처신이 중도를 얻었기 때문에 이롭지 않음이 없다."

● 胡氏炳文曰: "巽爲木, 兌爲澤. 楊近澤之木, 故以取象. '枯楊', 大過象, '稊', 初, 在下象, 老夫, 九象, 女妻初柔, 在下象. 九二陽雖過, 而下比於陰, 如枯楊, 雖過於老, 稊榮於下, 則復生於上矣. 老夫而得女妻, 雖過以相與, 終能成生育之功, 無他以陽從陰, 過而不過, 生道也."

호병문이 말했다. "손괘는 목이고 태괘는 못이다. 버드나무는 못가에 있는 나무이기 때문에 이런 것으로 상을 취했다. '마른 버드나무'는 크게 지나친 상이고, '줄기'는 초효로 아래에 있는 상이며, 늙은 남자는 구(九)의 상이고, 젊은 아내와 초효의 부드러움으로 아래에 있는 상이다. 구이가 양으로 지나칠지라도 아래로 음과 가까이 있는 것은 마른 버드나무가 지나치게 늙었을지라도 줄기가 아래로 번지면 다시 위로 나오는 것과 같다. 늙은 남자가 젊은 아내를 얻어 지나친 것으로 함께 할지라도 마침내 낳아서 기르는 공을 이룰 수 있으니, 다름이 아니라 양이 음을 따라 지나치면서도 지나치지 않아 도를 낳기 때문이다."

九三, 棟橈, 凶.

구삼은 들보가 휘어지니 흉하다.

三四二爻, 居卦之中, 棟之象也. 九三, 以剛居剛, 不勝其重,
故象橈而占凶.

삼효와 사효, 두 효가 괘의 가운데에 있으니, 들보의 상이다. 구삼
은 굳센 양으로 굳센 양의 자리에 있어서 그 무거움을 감당하지 못
하기 때문에 상은 휘어지고 점은 흉하다.

夫居大過之時, 興大過之功, 立大過之事, 非剛柔得中, 取於
人以自輔, 則不能也. 旣過於剛强, 則不能與人同, 常常之功,
尚不能獨立. 況大過之事乎. 以聖人之才, 雖小事, 必取於人,
當天下之大任, 則可知矣.

대과의 때에 대과의 공업을 일으키고 대과의 일을 세우는 것은 굳
셈과 부드러움이 알맞음을 얻어 다른 사람에게서 취해 스스로 돕는
것이 아니면 할 수 없다. 이미 굳세고 강함을 지나쳤다면 남들과 함
께 하지 못하니, 일상적인 공업도 오히려 홀로 세울 수 없다. 그런
데 하물며 대과의 일은 말해 무엇 하겠는가? 성인의 재주로 하찮은

일이라도 반드시 남에게서 취하니, 천하의 큰 임무를 담당한다면 알만하다.

九三, 以大過之陽, 復以剛自居, 而不得中, 剛過之甚者也. 以過甚之剛, 動則違於中和, 而拂於衆心, 安能當大過之任乎. 故不勝其任, 如棟之橈, 傾敗其室, 是以凶也. 取棟爲象者, 以其无輔, 而不能勝重任也.

구삼은 대과의 양으로 다시 굳셈으로 처신하여 알맞음을 얻지 못하였으니, 굳셈의 지나침이 심한 경우이다. 지나치고 심한 굳셈으로 움직이면 중화(中和)에 어긋나 사람들의 마음을 거스르니, 어떻게 대과의 임무를 감당할 수 있겠는가? 그러므로 그 임무를 감당하지 못하는 것은 들보가 휘어져서 집을 무너뜨리는 일과 같으니, 이 때문에 흉하다. 들보를 취하여 상을 삼은 것은 도움이 없어 무거운 임무를 감당할 수 없기 때문이다.

或曰, "三巽體而應於上, 豈无用柔之象乎." 曰, "言『易』者, 貴乎識勢之重輕, 時之變易. 三居過而用剛, 巽旣終而且變, 豈復有用柔之義. '應'者, 謂志相從也. 三方過剛, 上能繫其志乎."

어떤 이가 "삼효는 손(巽☴)괘의 몸체로 상효와 호응하니, 어찌 부드러움을 쓰는 상이 없겠습니까?"라고 하기에 다음과 같이 대답하였다. "『역』을 말하는 경우에는 형세의 경중(輕重)과 때의 변역(變易)을 아는 것을 귀히 여깁니다. 삼효는 지나친 자리에 있으면서 굳셈을 쓰고, 손(巽☴)괘가 이미 끝나 변하고 있으니, 어찌 다시 부드

러움을 쓰는 뜻이 있겠습니까? '호응'은 뜻으로 서로 따름을 말합니
다. 그런데 삼효가 이제 지나치게 굳세니, 상효가 그 뜻을 잡아 맬
수 있겠습니까?"

集說

● 俞氏琰曰 : "卦有四剛爻, 而九三過剛特甚, 故以卦之'棟橈'屬
之."

유염이 말했다. "괘에 굳센 네 효가 있는데, 구삼은 지나치게 굳셈
이 특히 심하기 때문에 괘사의 '들보가 휘어진다'는 것으로 이었다."

● 吳氏曰慎曰 : "九三'棟橈', 自橈也, 所謂太剛則折. 故「象」有
取於'剛過而中, 巽而說行'也."

오왈신이 말했다. "구삼의 '들보가 휘어짐'은 스스로 휘어지게 한
것으로 이른바 지나치게 굳세면 꺾인다. 그러므로 「단사」에 '굳센
양이 지나치나 가운데 자리에 있고, 공손하면서 기쁨으로 행한다'
는 말을 취한 것이 있다."

九四, 棟隆, 吉, 有它, 吝.

구사는 들보가 솟아 있어도 길하지만 달리 마음을 두면 부끄럽게
된다.

本義

以陽居陰, 過而不過, 故其象隆而占吉. 然下應初六, 以柔濟
之, 則過於柔矣, 故又戒以'有它則吝'也.

양으로서 음의 자리에 있어 지나치지만 지나치지 않기 때문에 그
상은 들보가 솟음이지만 점은 길하다. 그러나 아래로 초육에 호응
하여 부드러움으로 구제하는 것은 부드러움에 지나치기 때문에 또
'달리 마음을 두면 부끄럽게 된다'고 경계하였다.

程傳

四居近君之位, 當大過之任者也. 居柔, 爲能用柔相濟. 旣不
過剛, 則能勝其任, 如棟之隆起, 是以吉也. 隆起取不下橈之
義. 大過之時, 非陽剛不能濟, 以剛處柔, 爲得宜矣. 若又與
初六之陰, 相應則過也. 旣剛柔得宜, 而志復應陰, 是有它也.
有它, 則有累於剛, 雖未至於大害, 亦可吝也.

사효는 군주와 가까운 자리에 있으니 대과의 책임을 담당한 것이
다. 부드러운 자리에 있는 것은 부드러움으로 서로 구제할 수 있다.

이미 지나치게 강하지 않으면, 그 임무를 감당할 수 있음이 마치 들보가 솟아오른 것과 같으니, 이 때문에 길하다. 솟아올랐다는 것은 아래로 휘어지지 않는 뜻을 취하였다.

대과의 때에는 굳센 양이 아니면 구제할 수 없어 굳센 양이 부드러운 자리에 있을때 마땅함을 얻은 것으로 여겼다. 그런데 또 초육의 음과 서로 호응한다면 지나치게 된다. 이미 굳셈과 부드러움이 마땅함을 얻었는데, 뜻이 다시 음에 호응하니, 달리 마음을 둔 것이다. 달리 마음을 두면 굳셈에 누가 되니, 크게 해롭게 되지는 않을지라도 부끄럽게 된다.

蓋大過之時, 動則過也, ‘有它’謂更有它志. ‘吝’爲不足之義, 謂可少也. 或曰, “二比初, 則无不利. 四若應初, 則爲吝何也.” 曰, “二得中, 而比於初, 爲以柔相濟之義. 四與初, 爲正應, 志相繫者也. 九旣居四, 剛柔得宜矣, 復牽繫於陰, 以害其剛, 則可吝也.”

대과의 때에는 움직이면 지나치게 된다. ‘달리 마음을 두다[有它]’는 것은 다시 다른 뜻이 있음을 말한다. ‘부끄럽다[吝]’는 것은 부족한 뜻이니 하찮게 여길 만함을 말한다. 어떤 이가 “이효가 초효와 가까이 있으면 이롭지 않음이 없습니다. 그런데 사효가 초효와 호응하면 부끄러운 것은 무엇 때문입니까?”라고 하기에 다음과 같이 대답하였다. “이효는 알맞음을 얻었으면서 초효와 가까이 있으니 부드러움으로 서로 구제하는 뜻이 됩니다. 그런데 사효가 초효와 바르게 호응하는 것은 뜻으로 서로 매이는 것입니다. 구(九)가 사효의 자리에 있어 이미 굳셈과 부드러움이 마땅함을 얻었는데, 다시 음에 끌리고 매여 굳셈을 해치면 부끄럽게 된다는 뜻입니다.”

● 劉氏牧曰 : "大過之時, 陽爻, 皆以居陰爲美. 有應則有它吝."

유목이 말했다. "대과의 때에는 양효가 모두 음의 자리에 있는 것을 아름다운 것으로 여긴다. 그런데 호응이 있는 것은 달리 마음을 두어 부끄럽게 된다."

● 李氏過曰 : "下卦上實而下弱. 下弱則上傾. 故三居下卦之上而曰, '棟橈凶', 言下弱而無助也. 上卦上弱而下實. 下實則可載. 故四居上卦之下而曰, '棟隆吉', 言下實而不橈也. 此二爻當分上下體看."

이과가 말했다. "아래의 괘는 위로 차 있고 아래로 약하다. 아래로 약하면 위로 기울어진다. 그러므로 삼효가 아래 괘의 위에 있어 '들보가 휘어지니 흉하다'고 하였으니, 아래로 약한데 도움이 없다는 말이다. 위의 괘는 위로 약하고 아래로 차 있다. 아래로 차 있으면 무엇을 실을 수 있다. 그러므로 사효가 위의 괘에서 아래에 있어 '들보가 솟아 있어도 길하다'고 하였으니, 아래로 차 있어 휘어지지 않는다는 말이다. 여기의 두 효는 상하의 몸체로 나누어서 봐야 한다."

● 胡氏炳文曰 : "屋以棟爲中. 三視四則在下, 棟橈於下之象. 四在上, 棟隆於上之象."

호병문이 말했다. "집은 들보로 중심을 삼는다. 삼효가 사효를 보면 아래에 있어 들보가 아래로 휘어 있는 상이고, 사효는 위에 있어 들보가 위로 솟아 있는 상이다."

● 吳氏曰愼曰 : "三四居卦之中, 皆有棟象. 三橈而四隆者, 三
以剛居剛, 四以剛居柔, 一也, 三在下, 四在上, 二也, 三於下卦
爲上實下虛, 四於上卦爲下實上虛, 三也."

오왈신이 말했다. "삼효와 사효가 괘의 중심에 있어 모두 들보의
상이다. 삼효가 휘고 사효가 솟아 있는 것은 삼효가 굳셈으로 굳센
자리에 있고 사효가 굳셈으로 부드러운 자리에 있는 것이 첫 번째
이유이고, 삼효가 아래의 괘에 있고 사효가 위의 괘에 있는 것이
두 번째 이유이며, 삼효가 아래의 괘에서 위로 차 있으면서 아래로
비어 있고 사효가 위의 괘에서 아래로 차 있으면서 위로 비어 있는
것이 세 번째 이유이다."

九五, 枯楊, 生華, 老婦, 得其士夫, 无咎无譽.

구오는 마른 버드나무에 꽃이 피고 늙은 부인이 젊은 남자를 얻었
으니, 허물도 없고 명예도 없다.

本義

九五, 陽過之極, 又比過極之陰, 故其象占, 皆與二反.

구오는 양의 지나침이 극에 달했는데 또 지나침이 극에 달한 음을
가까이 하였기 때문에 그 상과 점이 모두 이효와 반대이다.

程傳

九五, 當大過之時, 本以中正居尊位. 然下无應助, 固不能成
大過之功, 而上比過極之陰, 其所相濟者, 如枯楊之生華. 枯
楊下生根稊, 則能復生, 如大過之陽興成事功也. 上生華秀,
雖有所發, 无益於枯也.

구오가 대과의 때에 본래 알맞고 바름으로 존귀한 자리에 있다. 그
런데 아래로 호응하는 도움이 없어 진실로 대과의 공업을 이룰 수
없고, 위로 지나침이 극에 달한 음을 가까이 하였으니, 서로 구제하
는 바가 마치 마른 버드나무에 꽃이 핀 것과 같다. 마른 버드나무가
아래에 줄기가 나면 다시 살 수 있으니 대과의 양이 사업을 일으켜
이룰 수 있는 것과 같다. 그러나 위에 꽃이 피면 피어나는 것은 있

을지라도 말라 있는 것에 유익함은 없다.

上六過極之陰, 老婦也. 五雖非少, 比老婦, 則爲壯矣. 於五
无所賴也, 故反稱'婦得'. 過極之陰, 得陽之相濟, 不爲无益
也. 以士夫, 而得老婦, 雖无罪咎, 殊非美也, 故云'无咎无譽',
「象」復言'其可醜也'.

상육은 극도로 지나친 음이니 늙은 부인이다. 오효가 젊지는 않을
지라도 늙은 부인에 비교하면 건장하다. 오효에게서는 의지할 것이
없기 때문에 도리어 '부인이 얻었다'고 하였다. 극도로 지나친 음이
서로 구제해주는 양을 얻음이 유익하지 않은 것은 아니다. 그러나
젊은 남자가 늙은 부인을 얻는 것은 죄와 허물은 없을지라도 별로
아름답지 않기 때문에 '허물도 없고 명예도 없다'고 하였고, 「상전」
에서는 다시 '추하게 여길 수 있다'고 말했다.

集說

● 沈氏該曰 : "九二比於初, 近本也, 生稊之象也. 九五承於上,
近末也, 生華之象也."

심해가 말했다. "구이는 초효와 가까워 뿌리에 가깝고 줄기가 나오
는 상이다. 구오는 상효를 받들어 끝에 가깝고 꽃이 피는 상이다."

● 何氏楷曰 : "生稊則生機方長, 生華則洩且竭矣. 二所與者初,
初本也, 又巽之主爻, 爲木爲長爲高. 木已過而復芽, 又長且高,
故有往亨之理. 五所與者上, 上末也, 又兌之主爻, 爲毀折爲附

決, 皆非木之所宜. 木已過而生華, 又毀且折, 理無久生已."

하해가 말했다. "줄기가 나오면 생명의 기틀이 나오기 시작하고, 꽃
이 피면 기운이 누설되어 다한다. 이효가 함께 하는 것은 초효인데,
그것은 뿌리이고 또 손괘의 중심효이며 나무이고 긴 것이며 높음이
다. 나무가 이미 지나쳤는데 다시 싹이 나와 길게 자라고 높이 올
라가기 때문에 가서 형통한 이치가 있다. 오효가 함께 하는 것은
상효인데, 그것은 끝이고 또 태괘의 중심효이며 상처를 입고 꺾이
는 것이며 붙었다가 떨어지는 것이니, 모두 나무에 마땅한 것이 아
니다. 나무가 이미 지나쳐 꽃이 피었는데 상처를 입고 꺾이면 이치
상 오래도록 나올 것이 없다."

上六, 過涉滅頂, 凶, 无咎.

상육은 지나치게 건너 이마까지 빠지니, 흉하나 허물이 없다.

本義

處過極之地, 才弱不足以濟, 然於義爲无咎矣. 蓋'殺身成仁'
之事, 故其象占如此.

극도로 지나친 곳에 있고 재주가 약해 건너기에 부족하지만 의리로
보면 허물이 없다. '자신을 희생하면서 인을 이루는[殺身成仁][4] 일
이기 때문에 그 상(象)과 점(占)이 이와 같다.

程傳

上六, 以陰柔處過極, 是小人過常之極者也. 小人之所謂'大
過', 非能爲大過人之事也, 直過常越理, 不恤危亡, 履險蹈禍
而已. 如過涉於水, 至滅沒其頂, 其凶可知. 小人狂躁, 以自
禍, 蓋其宜也, 復將何尤. 故曰'无咎', 言自爲之, 无所怨咎也.
因澤之象, 而取涉義.

---

4) 『논어』「위령공(衛靈公)」: "志士仁人, 無求生以害仁, 有殺身以成仁.[뜻
있는 선비나 어진 사람은 살기 위하여 인을 해침이 없고, 자신을 희생하면
서 인을 이룬다.]"라고 하였다.

상육은 부드러운 음으로 극도로 지나친 곳에 있으니, 소인이 일상의 궁극을 지나친 것이다. 소인에게 이른바 '대과'는 사람의 일을 크게 지나쳐 할 수 있는 일이 아니고, 일상적인 것을 지나치고 이치를 넘어가면서도 위태로움과 망함을 염두에 두지 않아 험함을 행하고 화란(禍亂)을 밟을 뿐이다. 그래서 지나치게 물을 건너서 그 이마까지 빠지는 것과 같으니, 흉함을 알만 하다. 소인은 경솔하여 스스로 화를 당하는 것이 당연하니, 다시 누구를 원망하겠는가. 그러므로 '허물할 곳이 없다'고 하였으니, 스스로 한 것은 원망하고 탓할 데가 없다는 말이다. 못[澤]을 본뜬기 때문에 건너는 뜻을 취하였다.

集說

● 錢氏志立曰 : "'澤之滅木', 上之所以滅頂也. 雖至滅頂, 然有不容不涉, 卽不得不過者. 孔子所以觀卦象而有'獨立不懼'之思也."

전지립이 말했다. "'못이 나무를 없애는 것'5)은 상효에서 이마까지 빠진 것이다. 이마까지 빠졌을지라도 건너지 않음을 용납하지 못하니 곧 지나치지 않을 수 없다. 공자가 그래서 괘상을 보고 '홀로 서서 두려워하지 않는다'6)는 생각을 하였다."

....

5) 『주역』「대과괘(大過卦)」: "象曰, 澤滅木, 大過, 君子以, 獨立不懼, ….[「상전」에서 말하였다, '못이 나무를 없애는 것이 대과(大過)이니, 군자가 그것을 본받아 홀로 서 있어도 두려워하지 않으며, ….']라고 하였다.
6) 『주역』「대과괘(大過卦)」: "象曰, 澤滅木, 大過, 君子以, 獨立不懼, 遯世无悶.[「상전」에서 말하였다, '못이 나무를 없애는 것이 대과(大過)이니, 군자가 그것을 본받아 홀로 서서 두려워하지 않으며, 세상을 피하여 은둔하여도 근심하지 않는다.']라고 하였다.

此爻, 『程傳』以爲履險蹈禍之小人, 『本義』以爲'殺身成仁'之君子,
『本義』之説, 固比『程傳』爲長. 然又有一説, 以爲大過之極, 事
無可爲者. 上六柔爲説主, 則是能從容隨順, 而不爲剛激以益重
其勢, 故雖處過涉滅頂之凶, 而无咎也. 如東京之季, 范李之徒,
適足以推波助瀾, 非救時之道. 況上六居無位之地, 委蛇和順,
如申屠蟠郭泰者, 君子弗非也, 此説亦可並存.

이 효에 대해 『정전』에서는 험함을 밟고 재앙으로 뛰어드는 소인으
로 여겼고, 『주역본의』에서는 '자신을 희생하면서 인을 이루는[殺身
成仁]'는 군자로 보았는데, 『주역본의』의 설명이 『정전』보다 뛰어나
다. 그러나 하나의 설명이 또 있으니, 대과의 끝에서는 할 수 있는
일이 없다는 것이다.

상육은 부드러움이 임금을 기쁘게 하는 것이니, 조용히 남의 뜻을
따를 수 있고, 굳세게 부딪쳐 그 기세를 더욱 무겁게 하지 않을 수
있기 때문에 지나치게 건너 이마까지 빠지는 흉함이 있을지라도 허
물이 없다.

이를테면 동한 말기에 범이(范李)의 무리들이 충분히 물결을 옮겨
물결을 도왔으나 시대를 구제하는 도는 아니었다. 하물며 상육이
지위가 없는 곳에 있으면서 순응하는 것은 이를테면 신도반(申屠
蟠)[7] · 곽태(郭泰)[8]와 같은 자들이니, 군자가 비난할 것은 아니다.[9]

---

7) 신도반(申屠蟠) : 후한 진류(陳留) 외황(外黃) 사람으로 자는 자룡(子
龍)이다. 집안이 가난해 칠공(漆工)이 되었다. 군(郡)에서 주부(主簿)로
불렀지만 나가지 않았다. 숨어살면서 학문에 정진해 오경(五經)에 두루
정통했고, 도위(圖緯)에도 밝았다. 한나라 황실이 기울어가는 것을 보고
양탕(梁碭)에 자취를 감추고 나무를 심어 집을 삼았다. 태위(太尉) 황경
(黃瓊)과 대장군 하진(何進)이 연이어 불렀지만 역시 나가지 않았다. 나

이 설명도 함께 존중해야 한다.

● 馮氏椅曰 : "『易』大抵上下畫停者, 從中分反對爲象, 非他卦相應之例也. 頤中孚小過皆然, 而此卦尤明. 三與四對, 皆爲棟象, 上隆下橈也, 二與五對, 皆爲枯楊之象, 上革下稊也, 初與上

....

중에 동탁(董卓)이 황제를 폐위시키고 대신하자 순상(荀爽) 등이 모두 협조했지만 그만 홀로 끝까지 고귀한 뜻을 지켰다.

8) 곽태(郭泰, 128~169) : 후한 태원(太原) 계휴(界休) 사람으로 자는 임종(林宗)이다. 전적(典籍)에 두루 정통했고, 담론(談論)을 잘 했으며, 높은 학문과 덕으로 일세의 추앙을 받았다. 일찍이 낙양(洛陽)에서 노닐면서 하남윤(河南尹) 이응(李膺)과 절친하게 교유했는데, 명성이 경사(京師)에 울렸다. 나중에 향리에 은거하여 제자를 가르쳤는데, 수천 명에 달했다. 관부(官府)에서 불러도 나가지 않았다. 해내(海內)의 인사들을 잘 품평했지만 격렬한 말로 각박하게 평가하지는 않았다. 외척과 환관이 전횡하는 세상에서도 절조를 굽히지 않았지만 언행이 신중하여 당고(黨錮)의 화를 면할 수 있었다. 이후 문을 닫아걸고 교육에만 전념했다. 『문선(文選)』에 채옹(蔡邕)이 지은 묘지명 「곽유도비문(郭有道碑文)」이 실려 있다.

9) 경사에 유학을 온 범방 등이 국정을 신랄하게 비평하자 공경 이하가 모두 경청하며 몸을 낮추고, 태학생들이 앞 다투어 그 풍도를 본받으면서 문학이 장차 흥기하고 처사가 다시 등용될 것이라고 기대하였다. 그러나 신도반만은 홀로 탄식하면서 "옛날 전국 시대에 처사들이 횡의(橫議)할 적에 열국의 왕이 비를 들고 앞서서 달려가기까지 하였으나 끝내는 분서 갱유의 화를 당하고 말았는데, 지금이 바로 그러하다."라고 하고는 자취를 감추었다. 그리하여 당고(黨錮)의 화가 일어났을 때에도 신도반은 확실하게 처형 대상에서 제외되었다는 기록이 『후한서』 53권 「신도반열전」에 나온다.

對, 初爲藉用白茅之愼, 上爲過涉滅頂之凶也."

풍의가 말했다. "『역』에서 대체로 상하의 획으로 정하는 것은 가운데로 나눠 반대로 상을 삼는 일로 다른 괘에서 서로 호응하는 사례는 아니다. 이(頤䷚)괘 · 중부(中孚䷼)괘 · 소과(小過䷽)괘에서 모두 그렇고, 대과(大過䷛)괘에서는 더욱 분명하다.

삼효와 사효가 짝으로 모두 들보의 상이니 위에서는 솟아 있고 아래에서는 휘어 있으며, 이효와 오효가 짝으로 모두 마른 버드나무의 상이니 위에서는 꽃이 피고 아래에서는 줄기가 나오며, 초효와 상효가 짝으로 초효는 자리를 까는데 흰 띠풀을 사용하는 삼감이고 상효는 지나치게 건너 이마까지 빠지는 흉함이다."

● 龔氏煥曰 : "大過本爲陽過. 若復以陽居陽, 則愈過矣. 故諸爻以陽居陰者, 皆吉, 以陽居陽者, 皆凶. 與大壯諸爻取義, 畧同."

공환[10]이 말했다. "대과괘는 본래 양이 지나친 것이다. 그런데 다시 양이 양의 자리에 있다면 더욱 지나친 것이기 때문에 여러 효에서 양이 음의 자리에 있는 경우에는 모두 길하고 양이 양의 자리에 있는 경우에는 모두 흉하다. 대장(大壯䷡)괘의 여러 효에서 의미를 취한 것과 대략 같다."

---

10) 공환(龔煥) : 자는 유문(幼文)이고, 천봉선생(泉峯先生)이라고 불렸다. 원(元)대 임천(臨川)사람이다. 요응중(饒應中)에게 사사하여 본체를 밝히고 실천에 옮기는 데 힘썼다. 당시 아직 과거제도가 시행되지 못했는데, 시행되면 반드시 정자와 주자의 학문을 법식으로 삼아야 한다고 주장했다. 과연 뒤에 그의 말대로 시행되었다.

29. 감坎괘

䷜ 坎上
　　坎下

程傳

習坎,「序卦」, "物不可以終過, 故受之以坎, 坎者, 陷也." 理无過而不已, 過極則必陷, 坎所以次大過也. 習謂重習. 他卦雖重, 不加其名, 獨坎加習者, 見其重險, 險中復有險, 其義大也. 卦中一陽, 上下二陰, 陽實陰虛, 上下無據, 一陽陷於二陰之中, 故爲坎陷之義.

습감[習坎䷜]괘에 대해 「서괘전」에서 "사물은 끝까지 지나칠 수 없기 때문에 감괘로 받았고, 감은 빠짐이다"라고 하였다. 이치에 지나침이 없으면 그치지 않고, 지나치게 끝까지 하면 반드시 빠지니, 감괘가 대과(大過䷛)괘 다음에 있는 이유이다.

습(習)은 거듭함[重習]을 말한다. 다른 괘에서는 거듭 되어 있을지라도 그렇게 이름 짓지 않았는데, 감괘에서만 습(習)자를 더한 것은 거듭 험함을 드러낸 것이니, 험한 가운데에 다시 험함이 있어 그 의미가 크다. 괘의 가운데에 한 양이 있고 위아래에 두 음이 있어 양은 차 있고 음은 비어 있으니, 위아래에 의거할 곳이 없다. 한 양이 두 음의 가운데 빠져 있기 때문에 빠진다는 뜻이다.

陽居陰中則爲'陷', 陰居陽中, 則爲'麗'. 凡陽在上者, 止之象, 在中, 陷之象, 在下, 動之象. 陰在上, 說之象, 在中, 麗之象, 在下, 巽之象. 陷則爲險. '習', 重也, 如學習溫習, 皆重複之義也. '坎', 陷也. 卦之所言, 處險難之道. 坎水也. 一始於中, 有生之最先者也, 故爲水. '陷', 水之體也.

양이 음의 가운데 있으면 '빠짐'이고, 음이 양의 가운데 있으면 '걸림'이다. 양이 위에 있는 것은 멈추는 상이고, 가운데 있는 것은 빠지는 상이며, 아래에 있는 것은 움직이는 상이다. 음이 위에 있는 것은 기뻐하는 상이고, 가운데 있는 것은 걸려 있는 상이며, 아래에 있는 것은 공손한 상이다.

빠지는 것은 험함이다. '습(習)'은 거듭함이니, 예컨대 학습(學習)과 온습(溫習)은 모두 거듭한다는 뜻이다. '감'은 빠짐이다. 괘에서 말한 것은 험난함에 대처하는 도이다. '감'은 물[水]이다. 하나가 가운데에서 시작하여 나옴에 가장 앞서는 것이기 때문에 물이다. '빠짐'은 물의 몸체이다.

習坎, 有孚, 維心亨, 行有尙.

습감(習坎)은 믿음이 있어 오직 마음으로 형통하니, 가면 가상함
이 있다.

本義

'習', 重習也. '坎', 險陷也, 其象爲水. 陽陷陰中, 外虛而中實
也. 此卦上下, 皆坎, 是爲重險. 中實爲有孚, 心亨之象. 以是
而行, 必有功矣, 故其占如此.

'습(習)'은 거듭함이다. '감(坎☵)괘'는 험함과 빠짐이고 그 상은 물
이다. 양이 음의 가운데에 빠져 밖은 비어 있고 가운데는 차 있다.
감(☵)괘는 위아래로 모두 감(坎☵)괘이니, 거듭된 험함이다. 가운
데가 차 있음은 믿음이 있는 것으로 마음이 형통한 상이다. 이러한
방법으로 가면 반드시 공이 있기 때문에 그 점이 이와 같다.

程傳

陽實在中, 爲中有孚信. '維心亨', 維其心誠一, 故能亨通. 至
誠, 可以通金石蹈水火, 何險難之不可亨也. '行有尙', 謂以
誠一而行, 則能出險, 有可嘉尙, 謂有功也. 不行, 則常在險
中矣.

양이 가운데에서 차 있으니 가운데에 믿음이 있다. '오직 마음으로

형통하다[維心亨]'는 것은 오직 마음이 정성스럽고 전일하기 때문에
형통할 수 있다. 지극한 정성은 쇠와 돌을 뚫고 헤쳐 나갈 수 있으
니, 어떤 험난함인들 형통하지 못하겠는가? '가면 가상함이 있다[行
有尙]'는 것은 정성과 전일함으로 간다면 험함을 벗어나 가상할 만
한 일이 있다는 말이니, 공이 있음을 말한다. 가지 않는다면 언제나
험한 가운데 있을 것이다.

集說

● 孔氏穎達曰 : "坎, 是險陷之名. 習者, 便習之義. 險難之事,
非經便習, 不可以行, 故須便習於坎, 事乃得用, 故云習坎也.
案, 諸卦之名, 皆於卦上不加其字, 此坎卦之名, 特加習者, 以
'坎'爲險難, 故特加'習'名."

공영달이 말했다. "감(坎)은 험함에 대한 이름이다. 습(習)은 익숙
하게 익힌다는 의미이다. 험난한 일은 익숙하게 익히는 것을 길로
하지 않으면 갈 수 없기 때문에 반드시 감에서 익숙하게 익히고,
일이 그래야 효용을 얻기 때문에 습감이라고 했다.
살펴보건대, 여러 괘의 이름은 모두 괘사에서 습(習)이라는 글자를
더하지 않았는데, 감괘의 이름에서 유독 그렇게 한 것은 '감(坎)'이
험난함이기 때문에 특별히 '습(習)'이라는 이름을 더하였다."

● 胡氏瑗曰 : "此卦在八純之數, 其七卦皆一字名, 獨此加習字
者, 何也. 蓋乾主於健, 坤主於順, 若是之類, 率皆一字, 可以盡
其義. 而此卦上下皆險, 以是爲險難重疊之際, 君子之人必當預
積習之, 然後可以濟其險阻. 故聖人特加習字者, 此也."

호원이 말했다. "감(坎☵)괘는 여덟 개의 순수한 것들 속에 있는 것으로 나머지 일곱 괘는 모두 한 글자로 이름 붙였는데, 유독 감(坎)괘에서만 습(習)자를 더한 것은 무엇 때문인가? 건(乾☰)괘는 굳건함을 주로 하고 곤(坤☷)괘는 유순함을 주로 하니, 이와 같은 것들은 모두 한 글자로 그 의미를 다할 수 있다. 그런데 감괘는 위아래로 모두 험함이니, 이것을 험난함이 중첩된 시기로 여기면, 군자는 반드시 미리 그것에 대해 거듭 익숙하게 해야 하고 그런 다음에 험함을 구제할 수 있다. 그러므로 성인이 괘의 이름에 특별히 습자를 더했던 것은 이런 이유 때문이다."

● 蘇氏軾曰: "坎險也, 水之所行而非水也. 惟水爲能習行於險, 其不直曰'坎', 而曰'習坎', 取於水也."

소식이 말했다. "감은 험함으로 물이 흘러가는 곳이지 물이 아니다. 오직 물만은 험한 데로 익숙하게 갈 수 있다. 그런데 그냥 '감(坎)'이라고 하지 않고 '습감(習坎)'이라고 한 것은 물에서 취했기 때문이다."

● 呂氏大臨曰: "習坎更試乎至難也. 八卦乾健坤順, 震動艮止, 離明坎險, 巽入兌說. 惟險非吉德, 君子所不取. 故於坎也, 獨以習坎爲名. 更試重險, 乃君子所有事也."

여대림이 말했다. "습감(習坎)은 지극히 어려운 것을 다시 점검하는 일이다. 여덟 괘에서 건(乾☰)괘는 굳건함이고 곤(坤☷)괘는 유순함이며, 진(震☳)괘는 움직임이고 간(艮☶)괘는 멈춤이며, 리(離☲)괘는 밝음이고 감(坎☵)괘는 험함이며, 손(巽☴)괘는 들어감이고 태(兌☱)괘는 기쁨이다. 유독 험함은 길한 덕이 아니어서 군자가 취하지 않는 것이기 때문에 감괘에서는 유독 습감(習坎)으로 이름을 붙였다. 거듭 험함을 다시 점검하는 것이 바로 군자가 일로 두는 바이다.

● 薛氏溫其曰 : "坎非用物, 以習爲用, 故名異它卦, 蓋言用坎之人也."

설온기가 말했다. "감괘는 사물을 쓰는 것이 아니고, 익힘으로 쓰는 것이기 때문에 이름이 다른 괘와 다르니, 감(坎)을 쓰는 사람을 말한다."

● 張氏浚曰 : "習, 安行不息之稱. 習坎, 險可出矣. 夫陽陷於陰, 非出險, 則功無自興, 曰'習坎', 求以出險也."

장준이 말했다. "습(習)은 편안히 행하고 쉼이 없는 것을 말한다. 습감(習坎)은 험함에서 벗어날 수 있음이다. 양이 음에 빠져 험함에서 벗어나지 못하면 공을 스스로 일으킬 길이 없으니, '습감(習坎)'이라고 한 것은 험함에서 벗어나기를 구한다."

● 鄭氏汝諧曰 : "服習溫習, 皆有重義. 水雖至險, 而習乎水者, 雖出入乎水, 而不能溺. 然則習乎險難者, 斯能無入而不自得也."

정여해가 말했다. "복습(服習)과 온습(溫習)에는 모두 거듭한다는 의미가 있다. 물이 아주 험해도 물에 익숙한 경우에는 그곳에 들락날락 해도 빠지지 않는다. 그렇다면 험난함에 익숙한 경우에는 그곳에서 들어가서 스스로 터득하지 않을 수 없다."

● 李氏舜臣曰：“坎之中實是爲誠, 離之中虛是爲明. 中實者坎之用, 中虛者離之用也. 作『易』者因坎離之中, 而寓誠明之用, 古聖人之心學也.”

이순신이 말했다. “감(坎☵)괘의 가운데가 차 있는 것은 정성이고, 리(離☲)괘의 가운데가 비어 있는 것은 밝음이다. 가운데가 차 있는 것은 감괘의 작용이고 가운데가 비어 있는 것은 리괘의 작용이다. 『역』을 지은 자는 감괘와 리괘의 가운데로 말미암아 정성과 밝음의 작용을 연결했으니, 옛 성인의 심학(心學)이다.”

● 胡氏炳文曰：“他卦‘亨’字,『本義』例以爲占. 惟此則曰, ‘中實爲有孚, 心亨之象’, 蓋他卦事之亨也, 此心之亨也. 陽實有孚之象, 陽明心亨之象.”

호병문이 말했다. “다른 괘에서 ‘형통하다’는 말에 대해『주역본의』에서 대부분 점으로 여겼다. 그런데 감괘에서만 ‘가운데가 채워있음은 믿음이 있는 것이니 마음으로 형통한 상이다’라고 하였으니, 다른 괘에서는 일의 형통함이고 여기에서는 마음의 형통함이다. 양이 차 있음은 믿음이 있는 상이고, 양이 밝음은 마음으로 형통한 상이다.”

● 章氏潢曰：“六十四卦, 獨於坎卦, 指出心以示人, 可見心在身中, 眞如一陽陷於二陰之內, 所謂‘道心惟微’者此也.”

장황이 말했다. “64괘에서 유독 감괘에서만 마음을 가리켜 사람들에게 보여주어, 마음이 몸에 있는 것이 진실로 하나의 양이 두 음속에 빠져 있는 것과 같음을 드러냈으니, 이른바 ‘도의 마음은 미미하다'1)는 것이 여기에 해당한다."

● 吳氏曰愼曰 : "陽陷陰中所以爲坎, 中實有孚所以處險. 有孚
則誠立, 心亨則明通. 心之體, 靜而常明, 如一陽藏於二陰中也.
心之用, 動而不息, 如二陰中一陽之流行也. 一陽者, 流行之本
體, 二陰者, 所在之分限, 流而不踰限, 動而靜也, 限之而安流,
靜而動也, '有孚心亨'之義, 發於習坎, 至矣哉."

오왈신이 말했다. "양이 음 속에 빠졌기 때문에 감(坎)이고, 가운데
가 차 있어 믿음이 있기 때문에 험함에 대처함이다. 믿음이 있으면
정성이 확립되고 마음으로 형통하면 밝음이 통한다. 마음의 본체는
고요해서 언제나 밝으니, 하나의 양이 두 음 속에 숨어 있는 것과
같다. 마음의 작용은 움직여 쉼이 없으니 두 음 속에 하나의 양이
흘러가는 것과 같다. 하나의 양은 흘러가는 본체이고, 두 음은 가
는 곳의 경계여서 흘러가면서 경계를 넘지 않고 움직이면서 고요하
며, 경계가 있어 편안히 흘러가고 고요하면서 움직이니, '믿음이 있
어 마음으로 형통하다'는 의미를 감괘에서 밝힌 것이 지극하다."

1) 『서경』 「대우모(大禹謨)」 : "人心惟危, 道心惟微, 惟精惟一, 允執厥中.
[사람의 마음은 위태하고 도의 마음은 미세하니, 오직 정밀하고 일관되게
하여 그 중도(中道)를 진실로 잡아야 한다.]"라고 하였다.

初六, 習坎, 入于坎窞, 凶.

초육은 거듭 험해서 구덩이의 구멍으로 들어가니, 흉하다.

本義

以陰柔居重險之下, 其陷益深, 故其象占如此.

음의 부드러움이 거듭 험한 것의 아래에 있어 그 빠짐이 더욱 깊기 때문에 상과 점이 이와 같다.

程傳

初以陰柔居坎險之下, 柔弱无援, 而處不得當, 非能出乎險也, 唯益陷於深險耳. '窞', 坎中之陷處. 已在習坎中, 更入坎窞, 其凶可知.

초효가 음의 부드러움으로 험한 감괘의 아래에 있어 유약하고 원조가 없으며 처함에 마땅함을 얻지 못하였으니, 험함에서 나올 수 있는 것이 아니고 깊은 험함으로 더욱 빠져 들어가는 것일 뿐이다. '구덩이의 구멍[窞]'은 구덩이 가운데 깊이 들어간 곳이다. 이미 거듭된 구덩이의 가운데에 있는 것은 다시 구덩이의 구덩이로 들어간 것이니, 그 흉함을 알 만하다.

● 張氏浚曰 : "陰居重坎下, 迷不知復, 以習於惡, 故凶, 失正道也. 傳曰, '小人行險以徼倖', 初六之謂."

장준이 말했다. "음이 거듭 빠짐의 아래에 있으면서 혼미하여 돌아갈 줄 모르고 악행을 거듭하기 때문에 흉하니, 바른 도리를 잃었다. 『중용』에서 '소인은 위험한 짓을 행하면서 요행을 바란다'2)고 했는데, 초육을 말한 것이다."

案

● 如張氏說, 習坎兩字, 纔不虛設, 時俗所謂'機深禍轉深'者.

장씨[장준]의 설명과 같이 하면, 습감(習坎) 두 글자는 공연히 말한 것이 아니니, 세속에서 말한 '기틀이 깊으면 재앙도 깊어진다'는 뜻이다.

---

2) 『중용장구』 14장 : "君子居易以俟命, 小人行險以徼幸.[군자는 평이한 도리를 행하면서 천명을 기다리고, 소인은 위험한 짓을 행하면서 요행을 바란다.]"라고 하였다.

九二, 坎有險, 求小得.

구이는 빠져서 험함이 있으나, 구하는 것을 조금 얻는다.

處重險之中, 未能自出, 故爲有險之象. 然剛而得中, 故其占可以求小得也.

거듭 험한 가운데 있어 스스로 나오지 못하기 때문에 험함이 있는 상이다. 그러나 굳세면서 가운데 자리를 얻었기 때문에 그 점이 구하는 것을 조금 얻을 수 있다.

二當坎險之時, 陷上下二陰之中, 乃至險之地, 是有險也. 然其剛中之才, 雖未能出乎險中, 亦可小自濟, 不至如初益陷入于深險, 是所求小得也. 君子處險難, 而能自保者, 剛中而已. 剛則才足自衛, 中則動不失宜.

이효가 험하게 빠지는 때에 위아래의 두 음 가운데에 빠져 있어 바로 지극히 험한 곳이니, 험함이 있다. 그러나 굳세고 알맞은 재질로 험한 가운데에서 나올 수 없을지라도 다소 스스로 구제할 수가 있어 초육처럼 더욱 깊은 험함으로 빠져 들어가지는 않으니, 구하는 바를 조금 얻는다.

군자가 험난함에 있으면서도 스스로 보존할 수 있는 것은 굳세고 알맞아서일 뿐이다. 굳세면 재질이 스스로 보호할 수 있고, 알맞으면 행동에 마땅함을 잃지 않는다.

集說

● 楊氏時曰: "求者自求也. 外雖有險, 而心常亨, 故曰'求小得'."

양시가 말했다. "구하는 것은 스스로 구함이다. 밖에 험함이 있을지라도 마음으로 언제나 형통하기 때문에 '구하는 것을 조금 얻다'라고 하였다."

● 陳氏仁錫曰: "求其小, 不求其大, 原不在大也. 涓涓不已, 流爲江河, 如掘地得泉, 不待溢出外, 然後爲流水也."

진인석이 말했다. "작은 것을 구하고 큰 것을 구하지 않는 것은 원래 큰 것에 있지 않기 때문이다. 졸졸 흘러나오며 그치지 않으면 흘러서 강이 되는데, 이를테면 땅을 파서 샘물을 얻고 밖으로 흘러넘친 다음에 흐르는 물이 되기를 기다리지 않는 것이다."

案

楊氏陳氏之說, 極是. 凡人爲學作事, 必自求小得始, 如水雖涓涓而有源, 乃行險之本也."

양씨[양시]와 진씨[진인석]의 설명이 정말 옳다. 사람들이 학문을 하고 일을 하면서 반드시 스스로 구함을 조금 얻은 처음은 물이 졸졸

흐를지라도 근원이 있는 것과 같으니, 바로 험함으로 나아가는 근본이다.

六三, 來之坎坎, 險且枕, 入於坎窞, 勿用.

육삼은 오고 감에 빠지고 빠지며, 험한데 또 베개를 삼고 있어
구덩이의 구멍으로 들어가니, 쓰지 말아야 한다.

本義

以陰柔不中正, 而履重險之間, 來往皆險. 前險而後枕, 其陷
益深, 不可用也, 故其象占如此. '枕', 倚著未安之意.

음의 부드러움으로 알맞고 바르지 못하면서 거듭 험한 사이를 지나
고 있어 오고 감이 모두 험하다. 앞으로 험한데 뒤로 베개를 삼고
있어 그 빠짐이 더욱 깊으니 써서는 안 되기 때문에 상과 점이 이와
같다. '베개를 삼고 있다[枕]'는 것은 의지하고 있어도 편안하지 못
하다는 의미이다.

程傳

六三, 在坎陷之時, 以陰柔而居不中正, 其處不善, 進退與居,
皆不可者也. 來下則入于險之中, 之上則重險也. 退來與進
之, 皆險, 故云'來之坎坎'. 旣進退皆險而居亦險. '枕', 謂支
倚. 居險而支倚以處, 不安之甚也. 所處如此, 唯益入於深險
耳, 故云'入於坎窞'. 如三所處之道 不可用也, 故戒'勿用'.

육삼은 빠지는 감(坎)의 때에 부드러운 음으로서 중정하지 못한 자

리에 있으니, 처신이 좋지 못해 나아가고 물러남과 차지하고 있는 것이 모두 옳지 못하다. 아래로 가면 험한 가운데로 들어가고, 위로 가면 거듭 험하다. 물러가고 나아감이 모두 험하기 때문에 '오고 감에 빠지고 빠진다'라고 하였다. 이미 나아가고 물러남이 모두 험하고 차지하고 있는 곳도 험하다.

'베고 있다[枕]'는 것은 의지하여 기댐을 말한다. 험함에 있으면서 의지하고 기대 있으니 아주 불안하다. 처신이 이와 같아 더욱 깊은 험함으로 빠져 들어갈 뿐이기 때문에 '구덩이의 구멍으로 들어간다'고 하였다. 육삼이 처신하는 것과 같은 도는 쓸 수 없기 때문에 '쓰지 말아야 한다'는 것으로 경계하였다.

集說

● 『朱子語類』云 : "險且枕', 只是前後皆險.[3] '來之'自是兩字, 謂下來亦坎, 上往亦坎. '之', 往也, 進退皆險也."[4]

『주자어류』에서 말했다. "'험한데 또 베개를 삼고 있다'는 것은 앞뒤로 모두 험할 뿐이다. '오고 간다[來之]'는 말은 본래 두 가지 말이니, 아래로 가는 것도 빠짐이고 위로 가는 것도 빠짐이라는 말이다. '간다[之]'는 위로 간다는 것이니, 나아가고 물러남이 모두 험함이다."

● 王氏申子曰 : "下卦之險已終, 上卦之險又至. 進退皆險, 則

<hr />

3) 『주자어류』 권71, 114조목.
4) 『주자어류』 권71, 115조목.

寧於可止之地, 而暫息焉. '且'者, 聊爾之辭. '枕'者, 息而未安之
義. 能如此, 雖未離乎險, 亦不至深入于坎窞之中也. 其進而入,
則陷益深, 爲不可用. '勿'者, 止之之辭也."

왕신자가 말했다. "아래 괘에서 험함이 이미 끝났는데 위의 괘에서
험함이 또 닥친다. 나아가고 물러남이 모두 험하니 차라리 멈추어
야 할 곳에서 잠시 쉬는 것이다. '또[且]'는 잠시라는 말이다. '베개
를 삼고 있다[枕]'는 것은 쉬면서도 편안하지 않다는 의미이다. 이
와 같이 할 수 있으면 험함을 떠나지 못했을지라도 구덩이 속의
구덩이로 깊게 들어가지는 않는다. 나아가서 들어갔다면 빠지는
것이 더욱 깊어지니 쓰지 말아야 한다. '말아야 한다'는 금지하는
말이다."

案

● '險且枕', 『傳』『義』與王氏, 分爲三說. 王氏以爲戒處險者, 順
聽之意, 似與需之六四, 義足相發.

'험한데 또 베개를 삼고 있다'는 것은 『정전』·『주역본의』와 왕씨[왕
신자]가 세 가지 설로 나눠진다. 왕씨는 험함에 있을 경우 경계하는
것으로 여겼으니, 들고 따르는 의미는 수(需☵)괘의 육사[5]와 비슷
하고 의미를 서로 충분히 드러낸다.

....

5) 『주역』「수괘(需卦)」: "六四, 需于血, 出自穴.[육사는 피에서 기다리나
구덩이에서 나온다.]"라고 하였다.

六四, 樽酒簋, 貳用缶, 納約自牖, 終无咎.

육사는 동이의 술과 궤이며, 거듭하여 질그릇을 사용하고, 맺음을 들임에 들창으로부터 하니, 마침내 허물이 없다.

本義

晁氏云, 先儒讀'樽酒簋'爲一句, '貳用缶'爲一句, 今從之. '貳'益之也, 『周禮』"大祭三貳", 「弟子職」"左執虛豆, 右執挾匕, 周旋而貳", 是也.

조씨(晁氏)가 "선대의 학자들은 '준주궤(樽酒簋)'를 한 구(句)로 읽고 '이용부(貳用缶)'를 한 구(句)로 읽었다" 하였으니, 지금 그 말을 따른다.

'거듭한다[貳]'는 더한다는 것이다. 『주례(周禮)』에 "큰 제사에는 세 번 거듭한다"[6]고 하고, 「제자직(弟子職)」에 "왼손으로는 빈 그릇을 잡고 오른손으로는 숟가락을 잡아 두루 돌며하여 거듭한다"[7]고 하

---

6) 『주례(周禮)』「천관(天官)」: "大祭三貳, 中祭再貳, 小祭壹貳.[큰 제사에는 세 번 거듭하고, 중간 제사에는 두 번 거듭하며, 작은 제사에는 한 번 거듭한다.]"라고 하였다.

7) 『관자(管子)』「제자직(弟子職)」: "左執虛豆, 右執挾枙, 周旋而貳.[왼손으로는 빈 그릇을 잡고 오른손으로는 숟가락을 잡아 주선하여 거듭한다.]"라고 하였고, 『예기(禮記)』「곡례(曲禮)」: "弟子職云, '左執虛豆, 右執挾枙, 周旋而貳', 亦是.[「제자직」에서 '왼손으로는 빈 그릇을 잡고 오른손으로는 숟가락을 잡아 두루 돌며 거듭한다'고 한 것도 여기에 해당한다.]"라고 하였다.

는 것이 여기에 해당한다.

九五尊位, 六四近之, 在險之時, 剛柔相際, 故有但用薄禮,
益以誠心進, 結自牖之象. '牖', 非所由之正, 而室之所以受明
也, 始雖艱阻, 終得无咎, 故其占如此.

구오는 존귀한 자리인데 육사가 가까이 있으니, 험한 때에 굳셈과
부드러움이 서로 교제하기 때문에 다만 박한 예를 쓰고, 정성스런
마음을 더하여 나아가니, 맺기를 들창으로부터 하는 상이다.
'들창[牖]'은 나다니는 바른 문이 아니고 방에 빛이 들어오는 곳이니,
처음에는 어렵고 막힐지라도 끝내 허물이 없기 때문에 그 점이 이
와 같다.

程傳

六四陰柔, 而下无助, 非能濟天下之險者. 以其在高位, 故言
爲臣處險之道. 大臣當險難之時, 唯至誠, 見信於君, 其交固
而不可間, 又能開明君心, 則可保'无咎'矣. 夫欲上之篤信, 唯
當盡其質實而已. 多儀而尙飾, 莫如燕享之禮, 故以燕享喩
之, 言當不尙浮飾, 唯以質實.

육사는 부드러운 음이고 아래에서 도움이 없어 천하의 험함을 구제
할 수 있는 것이 아니다. 그런데 높은 지위에 있기 때문에 신하가
되어 험함에 대처하는 도리를 말하였다. 대신이 험난한 때에 오직
지극한 정성으로 임금에게 신임을 받으면, 교분이 견고하여 다른
사람이 이간질할 수 없고, 또 임금의 마음을 열어 밝게 하니, '허물

이 없음'을 보전할 수 있다.

윗사람이 자신을 돈독히 믿어주기를 바란다면 질박함과 성실함을 다할 뿐이다. 의식이 많고 꾸밈을 숭상하는 것은 천자와 군신의 연회보다 더한 것이 없기 때문에 그것으로 비유하였으니, 화려한 겉치레를 숭상하지 말고 오직 질박함과 성실함으로 해야 한다는 말이다.

所用一樽之酒, 二簋之食, 復以瓦缶爲器, 質之至也. 其質實如此, 又須納約自牖. '納約', 謂進結於君之道. '牖', 開通之義. 室之暗也, 故設牖, 所以通明. '自牖', 言自通明之處, 以況君心所明處. 詩云, "天之牖民, 如壎如篪", 毛公訓'牖'爲道, 亦開通之謂.

한 동이의 술과 두 궤의 밥을 사용하고 다시 질그릇을 그릇으로 삼았다면 지극히 질박하다. 그 질박함과 성실함이 이와 같은데, 또 반드시 맺음을 들임에 들창으로부터 한다.

'맺음을 들인다[納約]'는 것은 임금에게 나아가 맺는 도를 말한다. '들창[牖]'은 뚫려 있어 통한다는 뜻이다. 방이 어둡기 때문에 창문 [牖]을 만들어 밝은 빛이 들어오게 한다. '들창으로부터 한다[自牖]' 는 것은 밝은 빛과 통하는 곳으로부터 한다는 말이니, 그것으로 임금의 마음이 밝은 것을 비유하였다. 『시경』에서 "하늘이 백성을 인도함이 질나팔을 부는 듯이 하고 죽관악기를 부는 듯이 한다"[8]라고

------

8) 『시경』「판(板)」: "天之牖民, 如壎如篪, ….[하늘이 백성을 열어 밝혀 줌이 질나발을 부는 듯이 하고 죽관악기를 부는 듯이 하며, ….]"라고 하였다.

하였는데, 모공[毛萇]은 '들창[牖]'을 인도함으로 풀이하였으니, 이 또한 뚫려 있어 통함을 말한다.

人臣以忠信善道, 結於君心, 必自其所明處, 乃能入也. 人心有所蔽有所通, 所蔽者暗處也, 所通者明處也. 當就其明處而告之求信, 則易也, 故云'納約自牖'. 能如是, 則雖艱險之時, 終得无咎也. 且如君心蔽於荒樂, 惟其蔽也故爾, 雖力詆其荒樂之非, 如其不省, 何. 必於所不蔽之事, 推而及之, 則能悟其心矣.

신하가 충신(忠信)과 선도(善道)로 임금의 마음과 맺으려 한다면, 반드시 임금이 밝게 아는 곳으로부터 해야 들어갈 수 있다. 사람의 마음에는 가린 것이 있고 통하는 것이 있으니, 가린 것은 사물의 이치에 어두운 부분이고, 통하는 것은 사물의 이치에 밝은 부분이다. 당연히 밝게 아는 곳에 나아가 아뢰고 믿기를 구한다면 쉽기 때문에 '맺음을 들임에 들창으로부터 한다[納約自牖]'고 하였다. 이와 같이 할 수 있다면 어렵고 험한 때일지라도 끝내 허물이 없을 수 있다.
또 임금의 마음이 안일한 즐거움에 가려진 듯한 것은 오직 마음이 가려졌기 때문이니, 안일한 즐거움이 나쁜 것임을 힘써 간하더라도 임금이 살피지 않는다면 어떻게 하겠는가? 반드시 가려지지 않은 일로 미루어 언급한다면 그 마음을 깨우칠 수 있을 것이다.

自古能諫其君者, 未有不因其所明者也. 故訐直强勁者, 率多取忤, 而溫厚明辯者, 其說多行. 且如漢祖愛戚姬, 將易太子,是其所蔽也. 羣臣爭之者衆矣, 嫡庶之義, 長幼之序, 非不明也, 如其蔽而不察何.

예로부터 임금에게 간언할 수 있는 경우는 임금이 잘 알고 있는 내용으로 말미암지 않은 것이 없었다. 그러므로 곧바로 거스르며 강경하게 말하는 경우에는 대부분 거슬리게 되었고, 온후하여 밝게 변론하는 경우에는 그 말이 대부분 실행되었다.
또 이를테면 한 고조(漢高祖)가 척희(戚姬)[9]를 사랑하여 태자(太子)를 바꾸려 한 일은 가려진 것이다. 여러 신하들이 대부분 간언하였으니, 적서(嫡庶)의 의리와 장유(長幼)의 차례를 밝히지 않은 것이 아니었으나, 군주가 가려져 살펴보지 않음에야 어떻게 하겠는가!

四老者, 高祖素知其賢而重之, 此其不蔽之明心也. 故因其所明而及其事, 則悟之如反手. 且四老人之力, 孰與張良羣公卿及天下之士, 其言之切, 孰與周昌叔孫通. 然而不從彼而從此者, 由攻其蔽與就其明之異耳.

네 노인은 고조(高祖)가 평소에 그들의 어짊을 알고 소중히 여겼으니, 이것은 가려지지 않은 밝은 마음이다. 그러므로 밝게 아는 것으

---

9) 척희(戚姬, ?~B.C.194) : 전한 제음(濟陰) 도정(陶定) 사람으로 고조의 총희에 의해 조왕(趙王) 여의(如意)를 낳았다. 고조가 태자를 폐하고 조왕을 세워 태자로 삼으려고 했다. 여후(呂后)가 장량(張良)의 계책을 써서 상산의 네 노인을 불러 태자의 빈객으로 삼으니, 결국 태자를 바꾸지 않게 되었다. 고조가 죽자 여후가 조왕을 짐새의 독으로 죽이고 척부인을 투옥한 뒤 수족을 모두 자르고 눈알을 뽑고 귀에 뜨거운 김을 불어 넣었으며, 벙어리 약을 먹여 측소(厠所)에 던져두고는 사람돼지라고 불렀다.

로 말미암아 그 일을 언급하니 깨우침이 손을 뒤집는 것처럼 쉬웠다. 네 노인의 힘이 어찌 장량(張良) 등의 여러 공경과 천하의 선비만 하겠으며, 말의 간절함이 어찌 주창(周昌)[10]과 숙손통(叔孫通)만 하였겠는가? 그런데도 장량 등을 따르지 않고 네 노인을 따랐으니, 가려진 것을 공박함은 어렵고 밝게 아는 것으로 나아감은 쉽다는 차이 때문이다.

又如趙王太后, 愛其少子長安君, 不肯使質於齊, 此其蔽於私愛也. 大臣諫之, 雖强, 旣曰'蔽'矣, 其能聽乎. 愛其子, 而欲使之長久富貴者, 其心之所明也. 故左師觸讋, 因其明而導之以長久之計, 故其聽也如響. 非惟告於君者如此, 爲敎者亦然. 夫敎必就人之所長. 所長者, 心之所明也. 從其心之所明而入, 然後推及其餘, 孟子所謂'成德達才', 是也.

조왕(趙王)의 태후(太后)가 작은 아들인 장안군(長安君)을 사랑하여 제(齊)나라에 인질로 보내려고 하지 않았으니[11] 이는 사사로운

----

10) 주창(周昌, ?~B.C.192) : 서한의 대신(大臣)으로서 한고조 유방과 동향인 패군 풍읍(沛郡豐邑 : 현 강소성 풍현〈豐縣〉) 사람이다. 진나라 말기 농민전쟁이 일어났을 때 유방을 도와 진나라를 격파하고 벼슬이 어사대부(禦史大夫)에 이르렀고 분음후(汾陰侯)로 봉해졌다. 성격이 강직하여 말더듬이인데도 직언을 잘하기로 유명하다. 한고조가 태자를 폐하려하자 그것이 불가함을 간언하다가 말을 더듬어서 '기(期)'를 '기기(期期)'라고 말한 고사가 전해진다.

11) 『전국책(戰國策)』「조책(趙策)」 4권 : 전국 시대 진(秦)나라가 조(趙)나라를 공격하자 당시 국정을 담당한 조 태후가 제(齊)나라에 구원병을 요구하니, 제나라에서 장안군(長安君)을 볼모로 보낼 것을 제안하였다. 처음에는 조 태후가 완강히 반대하였으나, 좌사(左師) 촉섭(觸讋)이 '나

사랑에 가려진 것이다. 대신들이 간언하기를 강력히 하였으나, 이미 '가려졌다'고 할 정도이니 그 말을 들을 수 있겠는가? 아들을 사랑하여 오래도록 부귀하려는 것은 그 마음에 밝게 아는 일이다. 그러므로 좌사(左師)인 촉섭(觸讋)이 태후가 밝게 아는 것으로 말미암아 오래도록 하는 계책으로 인도하였기 때문에 그 말을 따름이 메아리처럼 빨랐다.

임금에게 아뢰는 것이 이와 같을 뿐만 아니라, 사람을 가르치는 일도 그렇다. 가르침은 반드시 그 사람이 잘하는 것으로 나아가야 한다. 잘하는 것은 마음에 밝게 아는 일이다. 그 마음에 밝게 아는 일을 따라 들어간 뒤에야 미루어 나머지까지 미칠 수 있으니, 『맹자(孟子)』에 이른바 "덕을 이루게 하고 재주를 통달하게 한다"[12]는 것이 여기에 해당한다.

集說

● 王氏弼曰 : "處重險而履正, 以柔居柔. 履得其位, 以承於五, 五亦得位. 剛柔各得其所, 皆無餘應, 以相承比, 明信顯著, 不存

....

라를 위해 공을 세우게 하는 것이 자식을 위한 큰 계책'이라고 설득하자 장안군을 볼모로 보냈다.

12) 『맹자(孟子)』「진심상(盡心上)」 : "孟子曰, 君子之所以敎者五, 有如時雨化之者, 有成德者, 有達財者, 有答問者, 有私淑艾者. 此五者, 君子之所以敎也.[맹자가 말했다. '군자가 가르치는 방법은 다섯 가지가 있으니, 때맞춰 내리는 비가 만물을 화육시키듯 하는 것이 있고, 덕을 이루게 하는 것이 있으며, 재능을 배양하는 것이 있고, 물음에 답을 해 주는 것이 있으며, 남에게서 얻어들어 사사로이 선으로써 자신을 다스리는 것이 있다.]"라고 하였다.

外飾. 處坎以斯, 雖復一樽之酒, 二簋之食, 瓦缶之器, 納此至約. 自進於牖, 乃可羞之於王公, 薦之於宗廟, 故終无咎也."

왕필이 말했다. "거듭 험한데 있으나 바름을 밟고 있고, 부드러움으로 부드러운 자리에 있다. 밟음이 제 자리를 얻음으로 오효를 받들고, 오효도 자리를 얻었다. 굳셈과 부드러움이 각기 제 자리에 있는데, 모두 나머지 호응이 없어 서로 받들고 가까이 하니, 밝음과 믿음이 드러나 밖으로 꾸밈이 없다. 감괘에 있을 때 이것으로 하니, 한 동이의 술과 두 궤의 음식과 질그릇으로 갚을지라도 이것을 들임에 지극히 검약하다. 들창으로부터 스스로 나아가니 바로 왕공에게 바칠 수 있고 종묘에 올릴 수 있기 때문에 끝내 허물이 없다."

● 崔氏憬曰 : "於重險之時, 居多懼之地, 比五而承陽, 修其潔誠, 進其忠信, 則終无咎也."

최경이 말했다. "거듭 험한 때에 두려움이 많은 곳에 있고, 오효를 가까이 하여 양을 받들며, 정결함과 정성을 닦아 충성과 믿음을 진언하니, 끝내 허물이 없다."

● 郭氏雍曰 : "有孚者, 坎之德. 君子行險, 而不失其信, 所以法其德也. 一樽之酒, 二簋之食, 瓦缶之器, 至微物也. 苟能虛中盡誠, 以通交際之道, 君子不以爲失禮, 所謂能用有孚之道者也. 『傳』曰, '苟有明信, 蘋蘩薀藻之菜, 筐筥錡釜之器, 可薦於鬼神, 可羞於王公者', 無他焉, 以誠爲主故也."

곽옹이 말했다. "믿음이 있는 것은 감괘의 덕이다. 군자는 험함을 행하지만 그 믿음을 잃지 않기 때문에 그의 덕을 모범으로 한다.

한 동이의 술과 두 궤의 음식과 질그릇은 지극히 하찮은 것들이다.
그런데 진실로 마음을 비우고 정성을 다함으로 교제의 도리에 통해
군자가 그것을 실례로 여기지 않으니, 이른바 믿음이 있는 도리를
사용할 수 있다. 『춘추좌씨전(春秋左氏傳)』에서 '진실로 밝음과 신
의가 있으면 시내나 못에서 자라는 수초(水草)와 부평이나 마름 같
은 야채와 광주리나 솥 같은 용기라도 귀신에게 제물로 바칠 수 있
고 왕공에게 올릴 수 있다'[13]라고 하였으니, 다른 것이 아니라 정성
을 근본으로 했기 때문이다."

● 潘氏夢旂曰 : "'樽酒簋貳用缶', 與損之'二簋可用享', 同意, 皆
言不事多儀, 而尙誠實也. '納約自牖', 與睽之'遇主于巷', 同意,
皆言自開道, 而通於君也. 六四居大臣之位, 當坎險之時, 盡其
誠實, 雖自牖而納約, 而終无咎, 惟睽坎之時爲然."

반몽기[14]가 말했다. "'동이의 술과 궤이며 더하여 질그릇을 사용한
다'는 구절은 손(損▤)괘의 '그릇 둘로도 제사지낼 수 있다'[15]는 구

....

13) 『춘추좌씨전(春秋左氏傳)』「은공(隱公) 3년」: "苟有明信, 澗溪沼沚之
毛, 蘋蘩蘊藻之菜, 筐筥錡釜之器, 潢汙行潦之水, 可薦於鬼神, 可羞於
王公.[진실로 밝음과 신의가 있으면 시내나 못에서 자라는 수초(水草)와
부평이나 마름 같은 야채와 광주리나 솥 같은 용기와 웅덩이나 길에 고
인 물이라도 모두 귀신에게 제물로 바칠 수 있고 왕공에게 올릴 수 있
다.]"라고 하였다.
14) 반몽기(潘夢旂) : 남송의 역학자로 자는 천석(天錫)이다. 저서로는 『대
역약해(大易約解)』9권이 있다.
15) 『주역』「손괘(損卦)」: "損, 有孚, 元吉, 无咎, 可貞, 利有攸往, 曷之用.
二簋, 可用享.[손괘는 믿음이 있으면 크게 착하고 길하며 허물이 없고,
곧게 할 수 있으며, 가는 것이 이로우니, 어디에 쓰겠는가? 그릇 둘로도

절과 같은 의미로 모두 다양한 의례를 일삼지 않고 정성과 실질을 숭상한다는 말이다. '맺음을 들임에 들창으로부터 한다'는 구절은 규(睽▤)괘의 '임금을 골목에서 만나야 허물이 없다'[16]는 구절과 같은 의미로 모두 스스로 도를 받아들여 임금과 통한다는 말이다. 육사가 대신의 지위에 있으면서 험한 때를 만나 정성과 실질을 다해 들창으로부터 맺음을 들일지라도 끝내 허물이 없으니, 규괘와 감괘의 때에만 그런 것이다."

● 何氏楷曰 : "'貳', 副也, 謂樽酒而副以簋也. 禮天子大臣出會諸侯, 主國樽梡簋副, 是也."

하해가 말했다. "'거듭한다[貳]'는 부차적으로 한다는 것으로 동이의 술에다가 궤로 부차적으로 한다는 말이다. 예에 천자와 대신들이 제후들과 연회를 하면 주관하는 나라에서 술동이를 나르며 궤로 부차적으로 한다는 것이 여기에 해당한다.

案

● 簋貳之説, 何氏得之.

궤를 거듭한다는 설명은 하씨[하해]가 맞다.

제사지낼 수 있다.]"라고 하였다.
16) 『주역』「규괘(睽卦)」: "九二, 遇主于巷, 无咎.[구이는 임금을 골목에서 만나야 허물이 없다.]"라고 하였다.

九五, 坎不盈, 祗旣平, 无咎.

구오는 구덩이가 차지 않았으나, 이미 평평해짐에 이르면 허물이 없다.

本義

九五, 雖在坎中, 然以陽剛中正, 居尊位, 而時亦將出矣, 故其象占如此.

구오가 구덩이 속에 있을지라도 굳센 양이면서 중정으로 존귀한 자리에 있으며, 때에 맞춰 또한 나올 수 있기 때문에 상과 점이 이와 같다.

程傳

九五在坎之中, 是不盈也. 盈則平而出矣. '祗'宜音'柢', '抵'也, 復卦云, '无祗悔'. 必抵於已平, 則无咎, 旣曰不盈, 則是未平, 而尙在險中, 未得无咎也. 以九五剛中之才, 居尊位, 宜可以濟於險, 然下无助也. 二陷於險中, 未能出, 餘皆陰柔, 无濟險之才. 人君雖才, 安能獨濟天下之險. 居君位而不能致天下出於險, 則爲有咎, 必祗旣平, 乃得无咎.

구오는 구덩이[坎]의 가운데에 있으니, 가득차지 않은 것이다. 가득차면 평평해져서 나온다. '지(祗)'는 음(音)이 '저(柢)'이어야 하니,

'이르다[抵]'는 것으로 복(復)괘에서 "뉘우침에 이르지 않는다"[17]라고 하였다.

반드시 평평해진 것에 이르면 허물이 없을 수 있지만 이미 가득차지 않았다고 말했으니, 아직 평평하지 못하고 여전히 험한 가운데에 있어 허물이 없을 수 없다.

구오는 굳세고 가운데 있는 재질로 존귀한 자리에 있으니 험함을 구제해야 하지만 아래로 도움이 없다. 이효는 험한 가운데에 빠져 아직 벗어나지 못하였고, 나머지는 모두 음의 부드러움이어서 험함을 구제할 재주가 없다. 그러니 임금이 재주가 있을지라도 어찌 홀로 천하의 험함을 구제할 수 있겠는가? 임금의 자리에 있으면서 천하를 험함에서 벗어나게 할 수 없다면 허물이 있는 것이니, 반드시 평평해짐에 이르면 허물이 없게 된다.

集說

● 『朱子語類』云 : "坎不盈, 祇旣平', '祇'字, 他無説處. 看來, 只得作抵字解, 復卦亦然."[18]

『주자어류』에서 말했다. "'구오는 구덩이가 차지 않았으나, 이미 평평해짐에 이르다[坎不盈, 祇旣平]'는 구절에서 '지[祇]'는 다른 데서 설명한 곳이 없다. 그런데 살펴보건대 오직 지(抵)자로 풀이해야 하니, 복(復☳☷)괘에서도 그렇게 했다."

---

17) 『주역』「복괘(復卦)」: "初九, 不遠復, 无祇悔, 元吉.[초구는 멀리 가지 않고 돌아와 후회에 이름이 없으니 크게 길하다.]"라고 하였다.

18) 『주자어류』 권71, 119조목.

● 俞氏琰曰 : "'坎不盈', 以其流也. 「象傳」云, '水流而不盈', 是也. 不盈, 則適至於既平故无咎."

유염이 말했다. "'구덩이가 차지 않는다'는 것은 흘러가기 때문이니, 「단전」에서 '물이 흘러가서 차지 않는다'[19]는 것이 여기에 해당한다. 차지 않았으면 이미 평평해짐에 이르기 때문에 허물이 없다."

● 何氏楷曰 : "'祗', 適也, 猶言適足也. 言適於平而已, 卽「象傳」所謂'水流而不盈'也."

하해가 말했다. "'이르다祗'는 알맞다는 것으로 알맞아 충분하다는 말과 같다. 평평함에 알맞다는 말이니, 곧 「단전」에서 말한 '물이 흘러가서 차지 않는다'는 것이다."

案

● 如『程傳』說, 則'不盈', 爲未能盈科出險之義, 與「象傳」異指矣. 須以俞氏何氏之說爲是. 蓋不盈, 水德也. 有源之水, 雖涓微而不舍晝夜, 雖盛大而不至盈溢. 惟二五剛中之德似之, 此所以始於小得, 而終於不盈也.

『정전』의 설명과 같이 하면 '차지 않는다'는 것은 구덩이를 채워 험함을 벗어나지 못한 의미로 「단전」과는 뜻이 다르니, 반드시 유씨[유염]·하씨[하해]의 설명을 옳은 것으로 본다.

----

19) 『주역』「감괘(坎卦)」: "象曰, 習坎, 重險也. 水流而不盈, 行險而不失其信.[「단전」에서 말하였다. 습감은 거듭 험함이다. 물이 흘러가서 차지 않으며 험함을 행하나 신의를 잃지 않는다.]"라고 하였다.

차지 않는 것은 물의 덕이다. 근원이 있는 물은 졸졸 작게 흘러갈
지라도 낮과 밤을 쉬지 않고, 성대하게 될지라도 차서 넘치지 않는
다. 이효와 오효의 굳세고 알맞은 덕만이 그것과 비슷하니, 이 때
문에 조금 얻는 것에서 시작하여 채우지 않는 것에서 끝난다.

上六, 係用徽纆, 寘于叢棘, 三歲, 不得, 凶.

상육은 밧줄로 묶여 가시덤불에 갇혔는데 삼 년이 되어도 어쩌지 못하니, 흉하다.

本義

以陰柔居險極, 故其象占如此.

부드러운 음으로 험함의 끝에 있기 때문에 상과 점이 이와 같다.

程傳

上六, 以陰柔而居險之極, 其陷之深者也. 以其陷之深, 取牢獄爲喩, 如係縛之以徽纆, 囚寘於叢棘之中. 陰柔而陷之深, 其不能出矣, 故云至於'三歲之久不得免也', 其凶可知.

상육은 음의 부드러움으로 험함의 끝에 있으니 깊이 빠진 것이다. 깊이 빠졌기 때문에 감옥으로 비유하였으니, 밧줄로 꽁꽁 묶여 가시덤불에 갇힌 것과 같다.
부드러운 음이 깊이 빠져 나올 수 없기 때문에 '삼 년이나 오래되어도 그 흉함을 벗어날 수 없다'고 했으니, 그 흉함을 알만하다.

● 王氏弼曰 : “囚執實於思過之地, 自修三歲, 乃可以求復, 故曰‘三歲不得凶’.”

왕필이 말했다. “죄수가 잘못을 반성하는 곳에 갇혀 스스로 닦기를 삼 년은 해야 돌아가기를 구할 수 있기 때문에 ‘삼 년이 되어도 어쩌지 못하니, 흉하다’고 하였다.”

● 吳氏澄曰 : “「周官」司圜, ‘收教罷民, 能改者, 上罪三年而舍, 其不能改而出圜土者殺.’ 三歲不得, 其罪大而不能改者與.”

오징이 말했다. “『주례』「사환(司圜)」에서 ‘부랑자들을 잡아 교화시키니 잘못을 고치는 자는 최고 삼 년을 벌한 후 풀어주고, 잘못을 고치지 않아 감옥을 나갈 수 없는 자는 죽였다’고 했다. 삼 년이 되어도 어쩌지 못하는 것은 그 죄가 커서 잘못을 고칠 수 없는 것들이다.”

● ‘不得’者, 不能得其道也. 如悔罪思愆, 是謂得道, 則其困苦幽囚, 止於三歲矣. 聖人之敎人動心忍性, 以習於險者, 雖罪罟已成, 而猶不忍棄絶者, 如此.

‘어쩌지 못하는 것’은 그 도를 얻을 수 없다. 죄를 뉘우치고 허물을 반성하는 것은 도를 얻음이니, 어두운 감옥에서 괴롭게 지내는 것은 삼 년에 그친다. 성인이 사람을 교화시키는 것은 마음을 감동시키고 성질을 참게 하니, 험한 것에 익숙하게 된 자는 죄가 이미 있을지라도 여전히 차마 버리고 끊어버리지 않음이 이와 같다.

● 龔氏煥曰 : "坎卦, 本以陽陷爲義. 至爻辭, 則陰陽皆陷, 不以陽陷於陰爲義矣. 二小得, 五旣平, 是陽之陷爲可出, 初與三之入于坎窞, 上之三歲不得, 則陰之陷反爲甚. 『易』卦爻取義, 不同多如此."

공환이 말했다. "감괘의 괘사에서는 본래 양이 빠진 것으로 의미를 삼았다. 효사에서는 음과 양이 모두 빠지는데, 양이 음에 빠진 것으로 의미를 삼지는 않았다. 이효의 조금 얻음과 오효의 이미 평평해짐은 빠진 양이 나올 수 있는 것이고, 초효와 삼효의 구덩이의 구멍으로 들어감과 상효의 삼 년이 지나도 어쩌지 못함은 음의 빠짐이 더욱 심한 것이다. 『역』의 괘와 효에서 의미를 취함에 같지 않은 것은 대부분 이와 같다."

30. 리離괘

離上
離下

程傳

離, 序卦, "坎者, 陷也. 陷必有所麗, 故受之以離, 離者, 麗
也." 陷於險難之中, 則必有所附麗, 理自然也, 離所以次坎
也. 離, 麗也明也. 取其陰麗於上下之陽, 則爲附麗之義, 取
其中虛, 則爲明義. 離爲火, 火體虛麗於物而明者也. 又爲日
亦以虛明之象.

리(離☲)괘에 대해 「서괘전」에서 "감(坎)은 빠짐이다. 빠지면 반드
시 걸리기 때문에 리괘로 받았고, 리(離)는 걸림이다"라고 하였다.
험난한 가운데 빠지면 반드시 걸림이 있는 것은 이치가 본래 그러
한 것이니, 리괘가 이 때문에 감괘(坎卦)의 다음에 있다.

리(離)는 걸림이고 밝음이다. 음이 위아래의 양에 걸린 것을 취하면
걸려서 붙음의 뜻이 되고, 가운데가 비어 있음을 취하면 밝음의 뜻
이 된다. 리(離)는 불[火]로 그 몸체가 비어 있고 사물에 걸려 밝다.
또 해가 되는 것도 비어 있고 밝은 상(象)이다.

離, 利貞, 亨, 畜牝牛, 吉.

리(離)는 곧음을 이롭게 여기면 형통하고 암소를 기르듯이 하면
길하다.

‘離’, 麗也, 陰麗於陽. 其象爲火, 體陰而用陽也. 物之所麗,
貴乎得正. 牝牛, 柔順之物也. 故占者, 能正則亨, 而畜牝牛
則吉也.

‘리(離)’는 걸림이니, 음이 양에 걸린 것이다. 그 상은 불이니, 몸체
는 음이고 작용은 양이다. 물건이 걸린 것은 바름을 얻음을 귀히 여
긴다. 암소는 유순한 물건이다. 그러므로 점치는 자가 바르면 형통
하고, 암소를 기르듯이 하면 길하다.

離, 麗也. 萬物莫不皆有所麗, 有形則有麗矣. 在人, 則爲所
親附之人, 所由之道, 所主之事, 皆其所麗也. 人之所麗, 利
於貞正, 得其正, 則可以亨通, 故曰‘離利貞亨’. ‘畜牝牛吉’, 牛
之性順, 而又牝焉, 順之至也. 旣附麗於正, 必能順於正道如
牝牛則吉也. ‘畜牝牛’, 謂養其順德. 人之順德, 由養以成, 旣
麗於正, 當養習以成其順德也.

리(離)는 걸림이다. 만물은 모두 걸리는 바가 있지 않음이 없으니, 형체가 있으면 걸린다. 사람에게는 가까이 따르는 사람과 말미암은 도리와 주장하는 일이 모두 걸리는 것이다. 사람이 걸린 경우 바르게 하는 것이 이롭고, 바름을 얻으면 형통할 수 있기 때문에 '리(離)는 곧음을 이롭게 여기면 형통하다'고 하였다.

'암소를 기르듯이 하면 길하다'는 소의 성질이 순한데다가 암놈이니 순함이 지극하다 말이다. 이미 바름에 걸렸으면 반드시 바른 도에 순종하기를 암소와 같이 하면 길하다. "암소를 기르듯 한다"는 것은 순한 덕을 기름을 말한다. 사람의 순한 덕은 기름으로 말미암아 이루어지니, 이미 바름에 걸렸다면 기르고 익혀서 순한 덕을 이루어야 한다.

集說

● 王氏弼曰 : "離之爲卦, 以柔爲正, 故必貞而後乃亨. 柔處於內而履正中, 牝之善也. 外强而內順, 牛之善也. 離之爲體, 以柔順爲主者也, 故不可以畜剛猛之物, 而吉於畜牝牛也."

왕필이 말했다. "리괘는 부드러움으로 바름을 삼기 때문에 반드시 곧은 다음에야 형통하다. 부드러움이 안에 있고 바르고 알맞음을 밟고 있으니, 암소의 선함이다. 밖으로 강건하고 안으로 순하니, 소의 선함이다. 리의 몸체는 부드러움을 근본으로 하기 때문에 굳세고 맹렬한 것을 길러서는 안 되고, 암소를 기르는 데 길하다."

● 郭氏忠孝曰 : "乾爲馬, 坤爲牝馬, 坤爲牛, 離爲牝牛, 象之宜也."

곽충효가 말했다. "건괘가 말이면 곤괘가 암말이며, 곤괘가 소면 리괘가 암소인 것이 상의 마땅함이다."

● 『朱子語類』問 : "離卦是陽包陰. 占'利畜牝牛', 便也是宜畜柔順之物."
曰 : "然."[1]

『주자어류』에서 물었다. "리괘는 양이 음을 품고 있는 것입니다. 점에 '암소를 기르듯이 하면 이롭다'는 부드럽고 순한 것을 기르는 일이 마땅하다는 말입니다."
대답했다. "그렇습니다."

● 吳氏澄曰 : "牛牝皆坤象, 離中畵一陰坤之中畵也故象牝牛."

오징이 말했다. "소와 암컷은 모두 곤괘의 상이다. 리괘 속에 하나의 음 획은 곤괘의 가운데 획이기 때문에 암소를 상징한다."

● 胡氏炳文曰 : "坎之明在內, 以剛健而行之於外, 離之明在外, 當柔順以養之於中."

호병문이 말했다. "감괘의 밝음이 안에 있으니 굳셈과 강건함으로 밖에서 그것을 행하고, 리괘의 밝음이 밖에 있어 부드럽고 순함으로 속에서 그것을 길러야 한다."

----

1) 『주자어류』 권71, 124조.

● 吳氏曰愼曰 : "坎性就下, 下不已, 則入坎窞. 離性炎上, 炎之盛, 則突如焚如. 坎陷欲之類也, 離炎忿之類也. 坎維心亨, 以剛中則不陷, 離畜牝牛, 以中順則不突.

오왈신이 말했다. "감괘의 특성은 아래로 내려가고, 내려가는 것이 멈추지 않으면 구덩이의 구멍으로 들어간다. 리괘의 특성은 타오르고, 타는 것이 성대하면 느닷없이 불타오른다. 감괘는 빠져서 하려 하는 종류이고 리괘는 불같이 화내는 종류이다. 감괘는 오직 마음으로 형통하니, 굳셈으로 중도를 지키면 빠지지 않고, 리괘는 암소를 기르듯이 하니, 중도를 따르면 느닷없이 하지 않는다."

案

'畜牝牛', 胡氏吳氏之説爲切. 蓋離明也. 高明柔克, 則用明而不傷矣.

'암소를 기르듯이 한다'는 것은 호씨[호병문]와 오씨[오왈신]의 설명이 딱 들어맞는다. 리괘는 밝음이다. 높고 밝으며 부드럽고 능하니, 밝음으로 상처입지 않는다.

初九, 履錯然, 敬之, 无咎.

초구는 발자국이 엇갈리나 공경하면 허물이 없다.

本義

以剛居下, 而處明體, 志欲上進, 故有履錯然之象, 敬之則无
咎矣. 戒占者, 宜如是也.

군셈으로서 아래에 있으나 밝은 몸체에 있어 뜻이 위로 나아가고자
하기 때문에 발자국이 엇갈리는 상(象)이 있으나 공경하면 허물이
없다. 점치는 자에게 이와 같이 해야 한다고 경계했다.

程傳

陽, 固好動, 又居下而離體. 陽居下則欲進, 離性炎上, 志在
上麗, 幾於躁動. 其'履錯然', 謂交錯也. 雖未進而跡已動矣,
動則失居下之分而有咎也. 然其剛明之才, 若知其義, 而敬愼
之, 則不至於咎矣. 初在下无位者也, 明其身之進退, 乃所麗之
道也. 其志旣動, 不能敬愼, 則妄動, 是不明所麗, 乃有咎也.

양은 본래 움직이기를 좋아하는데다가 또 아래에 있으면서 리(離)
☰)괘의 몸체이다. 양이 아래에 있으면 나아가고자 하고, 리(離)의
성질은 불타올라 뜻이 위로 걸림에 있으니 조급히 움직인다. '발자
국이 엇갈린다'는 뒤엉킨다는 것을 말한다. 나아가지 않았을지라도

472 주역절중 3

자취가 이미 움직였고, 움직였다면 아래에 있는 분수를 잃어 허물이 있다. 그러나 굳세고 밝은 재질이니 그 의리를 알고 공경하여 삼간다면 허물이 있지는 않을 것이다. 초효는 아래에 있어 지위가 없는 것인데 자신의 나아감과 물러남에 밝으니, 바로 걸려 있는 도리이다. 뜻이 이미 움직였는데 공경하고 삼가지 않음은 함부로 움직이는 것이니, 걸려 있는 것에 밝지 못해 허물이 있다.

集說

● 孔氏穎達曰 : "身處離初, 故其所履踐, 恒錯然, 敬愼, 不敢自寧, 故云'履錯然敬之无咎.' 若能如此恭敬, 則得避其禍而无咎."

공영달이 말했다. "몸이 리괘의 초효에 있기 때문에 밟는 것이 언제나 엇갈리나 공경하고 삼가 감히 스스로 편안하게 여기지 않기 때문에 '발자국이 엇갈리나 공경하면 허물이 없다'라고 하였다. 이와 같이 공경할 수 있다면 재앙을 피하고 허물이 없을 수 있다."

● 王氏昭素曰 : "處萬物相見之初履錯雜之時."

왕소소[2]가 말했다. "만물이 서로 바라보는 처음에 발자국이 엇갈리는 때에 있다."

---

2) 왕소소(王昭素, 894~982) 북송시대 경학자로 개봉(開封, 하남성) 산조(酸棗) 사람이다. 이목(李穆)과 이숙(李肅), 이운(李惲) 등을 스승으로 섬겼다. 구경(九經)에 두루 해박했고, 노장(老莊)도 함께 연구하였다. 특히 『시(詩)』와 『역(易)』에 정통했다. 저서로는 『역론(易論)』이 있다.

● 胡氏瑗曰：“'錯然'者，敬之之貌也. 居離之初, 如日之初生. 於事之初, 則當常錯然警懼, 以進德修業, 所以得免其咎.”

호원이 말했다. “'엇갈린다'는 것은 공경하는 모양이다. 리괘의 초효에 있어 해가 처음 뜨는 것과 같다. 일의 처음에는 항상 엇갈리게 조심하고 걱정하며 덕으로 나아가고 학문을 하기 때문에 허물을 벗어날 수 있다.”

● 馮氏當可曰：“日方出, 人夙興之晨也. 履錯然, 動之始也. 於其始而加敬, 則終必吉. 禍福幾微, 每萌於初動之時, 故戒其初.”

풍당가가 말했다. “해가 막 솟아오를 때는 사람들이 일찍 일어나는 새벽이다. 발자국이 엇갈리는 것은 움직임의 시작이다. 처음에 공경하면 끝내 길하다. 화와 복은 기미가 미미하나 매번 처음 움직일 때 싹이 나오기 때문에 그 처음을 경계했다.”

● 趙氏彦肅曰：“能敬, 則動與物交, 皆天理也. 不能敬, 則役於物, 而生咎矣. 日出而作, 故發此象.”

조언숙이 말했다. “공경할 수 있으면 움직임이 사물과 교차하는 것은 모두 하늘의 이치이다. 공경할 수 없으면 사물에 사역을 당해 허물이 생긴다. 해가 뜨면 일어나기 때문에 이런 상을 말했다.”

● 胡氏一桂曰：“'錯然'是事物紛錯之意. 能敬則心有主宰, 酬應不亂, 可免於咎. 不能敬, 則反是.”

호일계가 말했다. "'엇갈린다'는 것은 사물이 어지럽게 엇갈린다는 뜻이다. 공경할 수 있으면 마음에 주재가 있고 주고받는 것이 어지럽지 않아 허물을 면할 수 있다. 공경할 수 없으면 이와 반대로 된다."

案

● '履錯然', 王氏馮氏胡氏之說爲是. 蓋錯雜者, 處應物之初也. 敬者, 養明德之本也. 人心之德, 敬則明, 不敬則昏. 於應物之初, 而知敬, 其卽於咎者, 鮮矣.

'발자국이 엇갈린다'는 것은 왕씨[왕소소]·풍씨[풍당가]·호씨[호일계]의 설이 옳다. 엇갈려 섞이는 것은 사물에 호응하는 처음에 있다. 공경은 밝은 덕을 기르는 근본이다. 마음의 덕은 공경하면 밝고 공경하지 않으면 어둡다. 사물에 호응하는 처음에 공경할 줄 알면 허물이 있게 되는 경우가 드물다.

六二, 黃離, 元吉.

육이는 황색에 걸림이니, 크게 길하다.

本義

黃, 中色. 柔麗乎中, 而得其正, 故其象占如此.

황색은 중앙의 색이다. 부드러움이 가운데 자리에 걸려 있고 제 자리를 얻었기 때문에 그 상과 점이 이와 같다.

程傳

二居中得正, 麗於中正也. 黃, 中之色, 文之美也. 文明中正, 美之盛也, 故云'黃離'. 以文明中正之德, 上同於文明中順之君, 其明如是, 所麗如是, 大善之吉也.

이효는 가운데 자리에 있고 바름을 얻었으니, 가운데와 바름에 걸려 있다. 황색은 중앙의 색이고 문채가 아름답다. 문채 있고 밝으며 알맞고 바름은 아름다움이 성대한 것이기 때문에 '황색에 걸림'이라고 하였다. 문채 있고 밝으며 알맞고 바른 덕으로서 위로 문채 있고 밝으며 알맞은 유순한 임금과 함께 해서 그 밝음이 이와 같고 걸리는 것이 이와 같으니 크게 선한 길함이다.

● 王氏弼曰 : "居中得位, 以柔處柔, 履文明之盛, 而得其中, 故曰'黃離元吉也.'"

왕필이 말했다. "가운데 있으면서 자리를 얻어 부드러움이 부드러운 자리에 있으면서 문명의 성대함을 밟고 가운데를 얻었기 때문에 '황색에 걸림이니, 크게 길하다'라고 하였다."

● 劉氏牧曰 : "離爲火之象, 焰猛而易爐, 九四是也. 過盛則有衰竭之凶, 九三是也. 惟二得中, 離之元吉也."

유목이 말했다. "리괘는 화의 상이어서 불붙는 것이 사납고 다타버리기 쉬우니 구사가 여기에 해당한다. 성대함이 지나치면 세력이 줄어들어 다하는 흉함이 있으니 구삼이 여기에 해당한다."

● 郭氏雍曰 : "離之六爻, 二五爲美. 五得中而非正, 柔麗中正者, 惟六二盡之. 黃爲中之色, 而德之至美者也, 故言'元吉', 其義與坤六五相類."

곽옹이 말했다. "리(離☲)괘의 여섯 효에서 이효와 오효가 아름답다. 오효는 가운데를 얻었으나 바름이 아니고, 부드러움이 가운데 있고 바른 것은 육이만이 그것을 다하였다. 황색은 가운데의 색이고 덕의 지극히 아름다운 것이기 때문에 '크게 길할 것이다'라고 하였으니, 그 의미는 곤(坤☷)괘의 육오3)와 서로 비슷하다."

----

3) 『주역』「곤괘(坤卦)」 : "六五, 黃裳, 元吉.[육오는 황색치마이니 크게 길하다.]"라고 하였다.

● 俞氏琰曰 : "九三言'日昃之離', 六二其日中之離乎. 居下卦之中, 而得其中道, 故比他爻爲最吉, 六二蓋離之主爻也."

유염이 말했다. "구삼에서는 '해가 기울어 걸려 있다'고 했으니, 육이는 해가 중천에 있는 리괘인가? 아래 괘의 가운데 있고 중도를 얻었기 때문에 다른 효에 비교해 가장 길하니, 육이는 리괘의 주인 되는 효이다."

● 楊氏啓新曰 : "畜牝牛而利貞, 六二得之. 明而不失其中正, 故曰'黃離'."

양계신이 말했다. "암소를 기르듯이 하고 곧음이 이로운 것은 육이가 얻었다. 밝고 중정함을 잃지 않았기 때문에 '황색에 걸림이다'라고 했다."

九三, 日昃之離, 不鼓缶而歌, 則大耋之嗟, 凶.

구삼은 해가 기울어 걸려 있으니, 질장구를 두드려 노래하지 않으면 너무 늙음을 한탄하는 것이어서 흉하다.

本義

重離之間, 前明將盡, 故有日昃之象. 不安常以自樂, 則不能自處而凶矣, 戒占者宜如是也.

중첩된 리괘(離卦)의 사이에서 앞괘의 밝음이 다하려 하므로 해가 기우는 상이 있다. 떳떳함을 편안히 여겨 스스로 즐거워하지 못한다면 자처할 수 없어 흉할 것이니, 점치는 자가 이와 같아야 한다고 경계하였다.

程傳

八純卦, 皆有二體之義. 乾內外皆健, 坤上下皆順, 震威震相繼, 巽上下順隨, 坎重險相習, 離二明繼照, 艮內外皆止, 兌彼己相說. 而離之義, 在人事最大. 九三, 居下體之終, 是前明將盡, 後明當繼之時, 人之始終, 時之革易也. 故爲'日昃之離', 日下昃之明也. 昃則將沒矣.

여덟 순(純)괘에는 모두 두 몸체의 뜻이 있다. 건(乾)괘는 안팎이 모두 굳셈이고, 곤(坤)괘는 위아래가 모두 순함이며, 진(震)괘는 위엄과 진동이 서로 이어짐이고, 손(巽)괘는 위아래가 순히 따름이며, 감(坎)괘는 중첩된 험함이 서로 거듭함이고, 리(離)괘는 두 밝음이 이어져 비춤이며, 간(艮)괘는 안팎이 모두 멈춤이고, 태(兌)괘는 상대와 내가 서로 기뻐함이다.

그런데 리괘의 뜻이 사람의 일에 가장 크다. 구삼은 하체(下體)의 끝에 있어 바로 앞괘의 밝음이 다하려 하고 뒤괘의 밝음이 이어져야 할 때이니, 사람의 시작과 끝이며 고치고 바꾸는 때이다. 그러므로 '해가 기울어 걸려 있는 것'이니, 해가 아래로 기울 때의 밝음이다. 해가 기울면 넘어간다.

以理言之, 盛必有衰, 始必有終, 常道也, 達者, 順理爲樂. 缶, 常用之器也, 鼓缶而歌, 樂其常也. 不能如是, 則以大耋爲嗟憂, 乃爲凶也. 大耋, 傾沒也. 人之終盡, 達者, 則知其常理, 樂天而已, 遇常皆樂, 如鼓缶而歌. 不達者, 則恐怛有將盡之悲, 乃大耋之嗟, 爲其凶也, 此處死生之道也. '耋'與耊同.

이치로 말하면, 번성함에는 반드시 쇠약함이 있고 시작에는 반드시 종말이 있는 것은 떳떳한 도(道)이니, 통달한 자는 이치에 순응하여 즐거워한다.

'질장구'는 항상 쓰는 그릇이고, '질장구를 두드리며 노래함'은 그 떳떳함을 즐거워하는 것이다. 이와 같이 할 수 없다면 너무 늙었음을 한탄하고 근심하니, 마침내 흉하다. 너무 늙은 것은 기울어 사라지는 것이다.

사람이 삶을 마칠 적에 통달한 자는 떳떳한 이치를 알아 천명을 즐거워할 뿐이니, 만남에 항상 모두 즐거워서 마치 질장구를 두드리며 노래함과 같다. 통달하지 못한 자는 삶이 다하는 슬픔을 두려워하니, 바로 너무 늙음을 한탄하여 흉하다. 이것이 삶과 죽음에 대처하는 도리이다. '늙음'은 해의 기욺과 같다.

集說

● 荀氏爽曰 : "初爲日出, 二爲日中, 三爲日昃."

순상이 말했다. "초효는 해가 뜨고, 이효는 해가 중천에 있으며, 삼효는 해가 기우는 것이다."

● 梁氏寅曰 : "三居下離之終, 乃日昃之時也. 夫持滿定傾, 非中正之君子不能. 三處日之夕, 而過剛不中, 其志荒矣, 故不鼓缶而歌, 則大耋之嗟. 其歌也, 樂之失常也, 其嗟也, 哀之失常也. 哀樂失常, 能無凶乎. 君子値此之時, 則思患之心, 與樂天之誠, 並行而不悖, 是固不暇於歌矣, 而亦何至於嗟乎."

양인이 말했다. "삼효가 리괘의 끝에 있는 것이 바로 해가 기운 때이다. 가득함에 기우는 것을 정하는 일은 중정한 군자가 아니면 할 수 없다. 삼효가 해지는 저녁에 있어 굳셈을 지나치고 알맞지 않아 그 뜻이 황량하기 때문에 질장구를 두드려 노래하지 않으면 너무 늙음을 한탄하는 것이다. 그 노래는 즐거움이 떳떳함을 잃고 그 한탄은 슬픔이 떳떳함을 잃은 것이다. 슬픔과 즐거움이 떳떳함을 잃었으니 흉하지 않을 수 있겠는가? 군자가 이런 때를 만나면 우환을 생각하는 마음과 하늘을 즐거워하는 정성이 함께 있어 어그러지지 않으니, 노래를 부르며 느긋하게 지내지 않는다고 어떻게 슬퍼하는 것이겠는가?"

● 梁氏之說, 獨得爻義. 蓋日昃者, 喩心之昏, 非喩境之變也.

양씨의 설명만이 효의 의미를 얻었다. 해가 기운다는 것은 마음의
어두움을 비유한 것이니 장소의 변화를 비유한 것이 아니다.

九四, 突如其來如, 焚如, 死如, 棄如.

구사는 느닷없이 오니, 불타오르며 죽어서 버려진다.

本義

後明將繼之時, 而九四以剛迫之, 故其象如此.

뒤의 밝음이 계승하려는 때인데 구사가 굳셈으로 핍박하기 때문에 그 상이 이와 같다.

程傳

九四, 離下體而升上體, 繼明之初, 故言繼承之義. 在上而近君, 繼承之地也. 以陽居離體, 而處四, 剛躁而不中正. 且重剛以不正, 而剛盛之勢, 突如而來, 非善繼者也. 夫善繼者, 必有巽讓之誠, 順承之道, 若舜啓然. 今四突如其來, 失善繼之道也. 又承六五陰柔之君, 其剛盛陵爍之勢, 氣熖如焚然, 故云'焚如'. 四之所行, 不善如此, 必被禍害, 故曰'死如'. 失繼紹之義, 承上之道, 皆逆德也, 衆所棄絶, 故云'棄如'. 至於死棄, 禍之極矣, 故不假言凶也.

구사는 아래의 몸체를 떠나 위의 몸체로 올라와 밝음을 잇는 초기이기 때문에 이어 받는 뜻을 말하였다. 위에 있으면서 임금과 가까이 있으니, 이어서 받드는 자리이다. 그런데 양으로서 리괘의 몸체에 있고 사효의 자리에 있어 강하고 조급하며 중정하지 못하다. 또 군셈이 중첩되어 바르지 못한데 매우 군센 기세로 느닷없이 오니, 잘 잇는 자가 아니다. 잘 잇는 자는 반드시 공손하고 겸양하는 정성과 순리대로 받드는 도가 있으니, 순임금과 계(啓)⁴⁾처럼 해야 한다. 이제 사효가 느닷없이 오니, 잘 잇는 도리를 잃었다. 또 육오의 부드러운 음인 임금을 받들어 매우 군센 기세가 활활 불타오르듯 하기 때문에 '불타오른다'고 하였다. 사효가 행하는 것이 이처럼 좋지 못해 반드시 재앙의 해로움을 입기 때문에 '죽는다'고 하였다.

잇는 의리와 윗사람을 받드는 도리를 잃은 것은 모두 덕을 어그러뜨려 사람들에게 버려지는 일이기 때문에 '버려진다'고 하였다. 죽고 버려지는 것은 재앙의 끝이기 때문에 흉함을 말할 필요도 없다.

集說

● 章氏潢曰 : "明之於人, 猶火之於木. 火宿於木而能焚木, 明本於人, 而能害人, 顧用之何如耳. 九四不中不正, 剛氣燥暴, 其害若此."

장황(章潢)이 말했다. "밝음이 사람에 대한 것은 불이 나무에 대한 것과 같다. 불은 나무에서 유지되지만 그것을 불태울 수 있고, 밝음은 사람에게 근본이지만 사람을 해칠 수 있으니, 돌아보건대 그 것을 어떻게 사용해야 하겠는가? 구사는 중정하지 않고 군센 기운

---

4) 계(啓) : 하(夏)나라 우왕(禹王)의 아들이다. 우왕이 죽고 계가 즉위하였는데, 유호씨(有扈氏)가 복종하지 않자, 계가 「감서(甘誓)」를 지어 경계하고, 유호씨를 감(甘)에서 크게 무찔렀다. 『서경』「감서」에 이런 내용이 있다.

은 조급하고 난폭하니 그 해로움이 이와 같다."

● 何氏楷曰 : "三處下卦之盡, 似日之過中, 四處上卦之始, 似火之驟烈."

하해가 말했다. "삼효가 아래 괘의 끝에 있어 해가 한낮을 지난 것과 같고, 사효가 위괘의 처음에 있어 화가 느닷없이 맹렬해지는 것과 같다."

案

● 離, 明德也. 繼明者, 所謂有緝熙于光明, 其明不息, 與繼世之義, 全無交涉. 因先儒有以明兩爲繼世者, 故程傳用說九四爻義, 於經意似遠. 章氏何氏, 謂燥暴驟烈者, 得之, 不能以順德, 養其明之過也.

리괘는 밝은 덕이다. 밝음을 계승한다는 것은 이른바 이어 광명을 밝히고자 한다[5]는 뜻으로 밝음이 쉬지 않은 것은 세상을 잇는 의미와 전혀 관계가 없다. 선대의 학자들이 밝음이 두 개이고 세상을 잇는 것으로 여겼기 때문에 『정전』에서 구사효의 의미로 사용하였는데 경의 의미와는 동떨어진 것 같다. 장씨[장한]와 하씨[하해]의 조급하고 난폭하다는 것과 느닷없이 맹렬해진다는 것이 옳으니, 순한 덕으로 그 밝음의 지나침을 기를 수 없다.

---

5) 『시경』「경지(敬之)」: "維予小子, 不聰敬止, 日就月將, 學有緝熙于光明.[제가 총명하지 못하여 공경하지 못하나 날로 나아가고 달로 진보하여 배움에서 이어 광명을 밝히고자 한다.]"라고 하였다.

六五, 出涕沱若, 戚嗟若, 吉.

육오는 눈물을 줄줄 흘리며 근심하고 한탄하니 길하다.

本義

以陰居尊, 柔麗乎中, 然不得其正, 而迫於上下之陽. 故憂懼
如此, 然後得吉, 戒占者宜如是也.

음으로서 높은 자리에 있고, 부드러운 음이 가운데 자리에 걸려 있
으나 제자리를 얻지 못하여 위아래의 양에게 핍박당한다. 그러므로
이처럼 근심하고 두려워한 뒤에 길할 수 있으니, 점치는 자에게 이
와 같이 해야 한다고 경계하였다.

程傳

六五, 居尊位而守中, 有文明之德, 可謂善矣. 然以柔居上,
在下无助, 獨附麗於剛强之間, 危懼之勢也. 唯其明也, 故能
畏懼之深, 至於出涕, 憂慮之深, 至於戚嗟, 所以能保其吉也.
出涕戚嗟, 極言其憂懼之深耳, 時當然也. 居尊位而文明, 知
憂畏如此, 故得吉. 若自恃其文明之德與所麗中正, 泰然不
懼, 則安能保其吉也.

육오는 높은 자리에 있고 알맞음을 지켜 문채로 밝은 덕이 있으니,
좋다고 할 수 있다. 그러나 부드러움으로서 윗자리에 있고 아래에

돕는 것이 없으며, 홀로 굳세고 굳센 양의 사이에 걸려 있으니, 위태롭고 두려운 상황이다. 오직 밝기 때문에 깊이 두려워하여 눈물을 흘리고, 깊이 우려하여 상심하기 때문에 그 길함을 보존할 수 있다.

눈물을 흘리고 상심하는 것은 깊이 근심하고 두려워함을 지극히 말한 것일 뿐이니, 그렇게 해야 할 때이다. 높은 자리에 있으면서 문채로 밝고, 이와 같이 근심하고 두려워할 줄 알기 때문에 길함을 얻는다. 문채로 밝은 덕과 걸려있는 중정함을 스스로 믿고 태연히 두려워하지 않는다면, 어떻게 그 길함을 보존할 수 있겠는가?

集說

● 蔡氏淵曰 : "坎離之用, 在中二五, 皆卦之中也. 坎五當位, 而二不當位, 故五爲勝, 離二當位, 而五不當位, 故二爲勝."

채연이 말했다. "감(坎☵)괘와 리(離☲)괘의 작용은 가운데 이효와 오효에 있으니, 모두 괘의 가운데이다. 감괘 오효는 마땅한 자리이고 이효는 마땅하지 않은 자리이기 때문에 오효가 낫고, 리괘는 이효가 마땅한 자리이고 오효가 마땅하지 않은 자리이기 때문에 이효가 낫다."

● 劉氏定之曰 : "坎者, 陰險之卦, 惟剛足以濟之, 沈潛剛克也. 離者, 陽躁之卦, 惟柔足以和之, 高明柔克也. 二五同歸於吉, 以柔而然也."

유정지가 말했다. "감(坎☵)괘는 음의 험한 괘로 굳셈만이 그것을

구제할 수 있으니, 가라앉아 흐르는 것을 굳셈으로 극복한다. 리괘
는 양으로 조급한 괘로 부드러움만이 그것을 조화롭게 할 수 있으
니, 높이 밝은 것을 부드러움으로 극복한다. 이효와 오효가 동일하
게 귀하게 되는 것은 부드러움으로 그렇게 되었다."

案

● 惟六二爲得明德之正. 三之歌嗟, 四之突來, 則明德昏而性
情蕩, 忿慾仍而災患至矣. 能返之者, 其惟哀悔之心乎. 五有中
德, 又適昏極將明之候, 故取象如此. 三之嗟, 樂過而悲也, 五之
嗟, 自怨自艾也.

육이만이 밝은 덕의 바름을 얻었다. 삼효의 노래하고 한탄함과 사
효의 느닷없이 옴은 밝은 덕이 혼미해지고 성정이 방탕하여 분노와
욕망이 생기고 재앙과 우환이 온 것이다. 그것을 되돌리는 일은 슬
프게 뉘우치는 마음이다. 오효는 알맞은 덕이 있고 또 혼미함이 다
해 밝아지는 때이기 때문에 상을 취한 것이 이와 같다. 삼효의 한
탄은 즐거움이 지나쳐 슬픈 것이고, 오효의 한탄은 자신을 원망하
며 자신을 징계하는 일이다.

上九, 王用出征, 有嘉折首, 獲匪其醜, 无咎.

상구는 왕이 출정하여 우두머리만 벰을 가상히 여기고, 잡은 것이 추한 자가 아니니 허물이 없다.

剛明及遠, 威震而刑不濫, 无咎之道也, 故其象占如此.

굳세고 밝음이 먼 곳에까지 미쳐 위엄이 진동하지만 형벌을 남용하지 않아 허물이 없는 도이기 때문에 그 상과 점이 이와 같다.

九, 以陽居上, 在離之終, 剛明之極者也. 明則能照, 剛則能斷. 能照足以察邪惡, 能斷足以行威刑. 故王者宜用如是剛明, 以辨天下之邪惡, 而行其征伐, 則有嘉美之功也. 征伐, 用刑之大者.

구(九)가 양으로 꼭대기에 있고 리(離☲)괘의 끝에 있으니, 굳세고 밝음이 지극하다. 밝으면 비출 수 있고 굳세면 결단할 수 있다. 비출 수 있어 사악함을 충분히 살필 수 있고, 결단할 수 있어 위엄과 형벌을 충분히 행할 수 있다. 그러므로 임금은 이와 같은 굳셈과 밝음을 써서 천하의 사악함을 구별하여 정벌을 행한다면 아름다운 공이 있을 것이다. 정벌은 형벌을 크게 쓰는 일이다.

夫明極則无微不照, 斷極則无所寬宥, 不約之以中, 則傷於嚴
察矣. 去天下之惡, 若盡究其漸染註誤, 則何可勝誅. 所傷殘
亦甚矣. 故但當折取其魁首. 所執獲者, 非其醜類, 則无殘暴
之咎也, 書曰, "殲厥渠魁, 脅從罔治."

밝음이 지극하면 작은 것도 비추지 않음이 없고, 결단함이 지극하
면 너그럽게 용서하는 바가 없으니, 알맞은 도로 제약하지 않으면
엄하게 살피는 것에서 상한다. 천하의 악함을 제거할 때에 점점 물
들어 잘못될 것까지 다하려고 한다면 어떻게 죽이는 것을 감당할
수 있겠는가?
상하고 해치는 것이 또한 심하기 때문에 그 우두머리만을 죽여 없
애버려야 한다. 사로잡은 자들이 추한 무리가 아니라면, 잔인하고
포악한 허물은 없으니, 『서경』에서 "큰 우두머리를 섬멸하고, 위협
때문에 따른 자들은 처단하지 말라"[6]고 하였다.

案

● 上九承四五之後, 有重明之象, 故在人心, 則爲克己, 而盡其
根株, 在國家, 則爲除亂, 而去其元惡. 詩云, "如火烈烈, 則莫我
敢遏, 苞有三櫱, 莫遂莫達", 此爻之義也.

상구는 사효와 오효의 뒤를 이어 거듭 밝은 상이 있기 때문에 사람
의 마음에서는 자신을 극복하여 근본을 다하고, 국가에서는 혼란을
없애 악의 근원을 제거하는 것이다.

6) 『서경(書經)』「하서(夏書)」: "殲厥渠魁 脅從罔治.[우두머리는 섬멸하고
위협 때문에 따른 자들은 다스리지 말라.]"라고 하였다.

『시경』에서 "불이 활활 타오르는 듯하여 감히 우리를 막지 못하는
구나. 나쁜 걸왕 한 뿌리에 동조하는 세 싹이 아무 것도 이루지 못
하고 아무 것도 미치지 못하는구나!"[7]라고 하였으니, 리괘 육효의
의미이다.

7) 『시경(詩經)』「상송(商頌)」: "武王載斾, 有虔秉鉞, 如火烈烈 則莫我敢
   遏, 苞有三蘗, 莫遂莫達. ….[용감한 탕왕이 깃발을 싣고서 경건히 부월
   을 잡으시니 불이 활활 타오르는 듯하여 우리를 감히 막을 이가 없도다.
   나쁜 걸왕 한 뿌리에 동조하는 세 싹이 아무 것도 이루지 못하고 아무
   것도 미치지 못하는구나! ….]"라고 하였다.

| 역주자 소개 |

신창호申昌鎬

현 고려대학교 교수

고려대학교 박사(Ph. D, 동양철학/교육철학 전공)

권우(卷宇) 홍찬유(洪贊裕), 일평(一平) 조남권(趙南勸), 중관(中觀) 최권흥(崔權興), 위재(威齋) 김중렬(金重烈), 수강(修岡) 유명종(劉明鍾) 선생 등으로부터 한학 및 동양학 사사

한국교육철학학회 회장(역임)

「중용(中庸) 교육사상의 현대적 조명」(박사논문) 외 『관자』, 「주역 계사전』, 『유교의 교육학 체계』, 한글사서(『논어』, 『맹자』, 『대학』, 『중용』) 등 100여 편의 논저가 있음

김학목金學睦

현 고려대학교 연구교수

건국대학교 박사(Ph. D, 한국철학 전공)

해송학당 원장(사주명리 · 동양학 강의)

「박세당의 『신주도덕경』 연구」(박사논문)를 비롯하여 『왕필의 노자주』, 『하상공의 노자』, 『한국주역대전』 등 50여 편의 논저가 있음

심의용沈義用

현 숭실대학교 H.K 연구교수

숭실대학교 박사(Ph. D, 주역철학 전공)

「정이천의 『역전』 연구」(박사논문)를 비롯하여 『주역』, 『성리대전』, 『인역』, 『주역과 운명』, 『세상과 소통하는 힘』 『시적 상상력으로 주역을 읽다』 등 30여 편의 논저가 있음.

윤원현尹元鉉

전 고려대학교 연구교수

臺灣 文化大學校 박사(Ph. D, 주자철학 전공)

한중철학회 회장(역임)

「從朱子思想中之天人架構闡論其義理脈絡」(박사논문)를 비롯하여 『성리대전』, 『태극해의』, 『역학계몽』, 『율려신서』 등 10여 편의 논저가 있음.

한국연구재단
학술명저번역총서
[동양편] 620

주역절중周易折中 3

초판 인쇄 2018년 11월 1일
초판 발행 2018년 11월 15일

편   찬 | 이광지
책임역주 | 신창호
공동역주 | 김학목·심의용·윤원현
펴 낸 이 | 하운근
펴 낸 곳 | 學古房

주   소 | 경기도 고양시 덕양구 통일로 140 삼송테크노밸리 A동 B224
전   화 | (02)353-9908 편집부(02)356-9903
팩   스 | (02)6959-8234
홈페이지 | www.hakgobang.co.kr
전자우편 | hakgobang@naver.com, hakgobang@chol.com
등록번호 | 제311-1994-000001호

ISBN   978-89-6071-793-0 94140
        978-89-6071-287-4 (세트)

값 : 40,000원

이 책은 2015년도 정부재원(교육부)으로 한국연구재단의 지원을 받아 연구되었음
(NRF-2015S1A5A7018113).
This work was supported by National Research Foundation of Korea Grant funded by
the Korean Government(NRF-2015S1A5A7018113).